COLLECTION

Rue des Érables
de Jacques Desautels
est le cent vingt-cinquième titre
de cette collection.

L'Hexagone bénéficie du soutien de la Société de développement des entreprises culturelles du Québec (SODEC) pour son programme d'édition.

Gouvernement du Québec – Programme de crédit d'impôt pour l'édition de livres – Gestion SODEC.

Nous reconnaissons l'aide financière du gouvernement du Canada par l'entremise du Programme d'aide au développement de l'industrie de l'édition (PADIÉ) pour nos activités d'édition.

Nous remercions le Conseil des Arts du Canada de l'aide accordée à notre programme de publication.

Rue des Érables

L'Image du monde selon Hippocrate, Québec, Labora-
toire de recherches hippocratiques, 1982.

Arts et littérature (en collaboration), Québec, Nuit
blanche, 1987.

Dieux et mythes de la Grèce ancienne, Québec, Presses
de l'Université Laval, 1988.

Turquie. Splendeurs des civilisations anatoliennes, Québec, Musée de la civilisation, 1990.

Le Quatrième Roi mage. Une enquête à Venise, Montréal, Les Quinze, éditeur, 1993. Prix Robert-Cliche.
Prix Molson de l'Académie des lettres du Québec.

La Dame de Chypre, Montréal, l'Hexagone, 1996.

Jacques Desautels

Rue des Érables

Roman

l'HEXAGONE

Éditions de l'Hexagone
Une division du groupe Ville-Marie Littérature
1010, rue de La Gauchetière Est
Montréal (Québec) H2L 2N5
Tél. : (514) 523-1182
Téléc. : (514) 282-7530
Courriel : vml@sogides.com

Maquette de la couverture : Nicole Morin
Photo de la couverture : *Rue des Érables* (détail),
acrylique sur bois de Solange Hubert

Données de catalogage avant publication (Canada)

Desautels, Jacques, 1937-
Rue des Érables
(Collection Fictions)
ISBN 2-89006-678-9

I. Titre.

PS8557.E728R83 2002   C843'.54   C2002-940255-7
PS9557.E728R83 2002
PQ3919.2.D47R83 2002

DISTRIBUTEURS EXCLUSIFS :

• Pour le Québec, le Canada et les États-Unis :
LES MESSAGERIES ADP*
955, rue Amherst, Montréal (Québec) H2L 3K4
Tél. : (514) 523-1182
Téléc. : (514) 939-0406
* Filiale de Sogides ltée

• Pour la France :
D.E.Q. – Librairie du Québec
30, rue Gay-Lussac, 75005 Paris
Tél. : 01 43 54 49 02
Téléc. : 01 43 54 39 15
Courriel : liquebec@cybercable.fr

• Pour la Suisse :
TRANSAT S.A.
4 Ter, route des Jeunes
C.P. 1210, 1211 Genève 26
Tél. : (41-22) 342-77-40
Téléc. : (41-22) 343-46-46

Pour en savoir davantage sur nos publications,
visitez notre site : www.edhexagone.com
Autres sites à visiter : www.edtypo.com • www.edvlb.com
www.edhomme.com • www.edjour.com • www.edutilis.com

Dépôt légal : 2e trimestre 2002
Bibliothèque nationale du Québec
Bibliothèque nationale du Canada

I

LE BON CÔTÉ DE L'EXISTENCE

I

Le dimanche était chez nous jour de réception. Semaine après semaine, ma mère s'organisait pour que tous les membres de la famille aient eu leur tour et qu'ils aient partagé notre table au moins une fois durant l'année. Elle suivait de près le calendrier des anniversaires et, tantôt le midi, tantôt le soir, elle savait souligner avec délicatesse les dates de naissance, de mariage et de fiançailles des vivants, ou bien le souvenir des heures de deuils que nous avaient values les morts, proches ou lointains. Au repas du dimanche soir, elle prévoyait toujours une ou deux places, parfois davantage, à des invités qui n'étaient pas de la famille : des relations de papa, la plupart du temps.

Le dimanche, donc, la maison ne dérougissait pas. Sitôt la grand-messe terminée et mes parents déchapeautés, les visiteurs commençaient à défiler, avec, en premier, de dix heures et demie à midi, les gens qui venaient plutôt pour affaires : mon père, en effet, présidait la Société Saint-Vincent-de-Paul de la paroisse, où il occupait régulièrement le poste de marguillier, comme c'était de tradition dans la famille. Par conséquent, le dimanche matin, c'est à la maison qu'on réglait les affaires de l'église. Les hommes s'enfermaient avec mon père dans ce que nous appelions la bibliothèque, tandis que leurs dames faisaient à ma mère une visite de politesse, dont la longueur dépendait des discussions des hommes. Les mains gantées et le bibi sur la tête, ces dames bien élevées ne faisaient qu'effleurer du bout des fesses le fauteuil ou la chaise qu'on leur avait offert à l'arrivée. Les jambes sagement alignées en biais comme on le leur avait appris au couvent, elles embarquaient vite dans la conversation qu'alimentait ma mère, leur hôtesse ; il arrivait même qu'elles en oublient de surveiller leur progéniture.

Car ces mères s'amenaient avec leurs enfants. Nous étions donc tenus d'être là, mon frère et moi, puisque nous étions les plus jeunes. C'était une corvée. Pour nous aider à passer le temps, nous avions inventé entre nous des jeux secrets dont l'issue devait déterminer lesquels de ces jeunes de notre âge méritaient de monter avec nous au troisième étage, l'étage des garçons.

La conversation des mères ne tardait guère à démarrer. Tout occupées à leurs échanges de propos, elles ne se souciaient pas de nous voir nous esquiver après un petit quart d'heure, Jean-Blaise et moi, en compagnie de quelques-uns de leurs petits génies, pas plus qu'elles ne se formalisaient de constater que les plus sages d'entre eux avaient été laissés pour compte : nous leur abandonnions sans regret le rôle de potiche.

Vers midi, l'odeur des saucisses et des muffins courait assez fort dans la maison pour que les non-familiers comprennent qu'ils s'attardaient, et les autres, qu'ils étaient arrivés à temps. On était régulièrement une quinzaine à table le dimanche midi, mais officiellement, c'était un repas simple, qui tenait du petit-déjeuner et du lunch ; mes parents le qualifiaient de « brunch ». Ils avaient ainsi donné le mot à toute la parenté.

Le fait que les plats étaient d'avance mis sur la table et que seuls mon père et ma mère avaient, pour ce repas, une place déterminée aurait d'ailleurs suffi à en souligner la simplicité. Le sermon du matin, la saison, la mode, l'allure des voitures, l'état des rues et les sorties en ville remplissaient la conversation des adultes tandis que circulaient de l'un à l'autre le grand bol de cretons maison, les fèves au lard qui avaient cuit au four toute la nuit et qu'avec l'aide de la bonne on se passait le plateau d'argent rempli d'un vaste choix de marmelades et de confitures. Jamais le dimanche midi il ne serait venu à l'idée de quiconque d'entamer une discussion sur un sujet délicat ou de toucher à des questions controversées ; la politique, l'argent, l'amour, de même que les erreurs des hommes en ces trois domaines, n'apparaissaient jamais au menu de ce brunch dominical, chacun le savait, et la bonne était autorisée à rester dans la salle à manger tout le long du repas. Par ailleurs, on tenait compte de façon particulière de la présence des enfants, qui avaient ce midi-là le droit de parole. On s'intéressait à ce qui se passait à l'école, on s'informait de leurs succès.

Bien repus, les hommes allaient s'installer, l'été, sur la grande galerie d'en avant, où les attendait une rangée de berceuses qui donnait à la maison l'allure d'un presbytère, l'hiver, dans le boudoir aux boiseries de chêne sombre, pendant que les femmes, leur intimité retrouvée, s'attardaient devant leur tasse de café. On desservait la table, puis la maison s'emplissait d'un bruit de vaisselle, différent, le jour du Seigneur, de celui qui se faisait entendre les autres jours de la semaine. Les enfants reprenaient leurs jeux, tout en évitant de se salir et de froisser leurs vêtements du dimanche.

La plupart du temps, les invités du midi prenaient congé de mes parents vers trois heures. Nous restions entre nous jusqu'à ce qu'arrivent à leur tour les vrais invités, ceux que ma mère avait conviés à souper quelques jours auparavant et pour qui s'ouvrirait le repas le plus élaboré de la semaine. Ce repas, maman avait bien essayé de l'appeler le dîner, mais elle n'avait pas eu de succès ; après avoir vu plusieurs convives se présenter sur le coup de midi, elle avait compris que cette initiative sélecte était prématurée…

Bref, au repas du dimanche soir, on faisait les choses en grand. Il s'agissait d'une grand-messe bien spéciale, avec son rituel prévu dans les moindres détails et son menu tout aussi prévisible, où revenaient, selon un cycle quasi liturgique, le roast-beef saignant, le gigot d'agneau à la menthe, le poulet rôti et le jambon aux ananas. Aux jours plus fastes encore, ma mère y allait d'un *beef and kidney pie* qui, sans qu'on l'ait cherché, contribuait à montrer qu'on était de tradition britannique ; l'argenterie et la porcelaine venaient de chez Seiferd ou de chez Birks, c'était déjà tout dire. La verrerie portait la griffe connue de Val Saint-Lambert ; il arrivait parfois qu'une bonne ou, pis encore, un invité s'étonne que, dans le village de Saint-Lambert, près de Lévis, on fabrique des « choses » aussi élégantes ; la bourde faisait le tour de la ville !

Au dessert, les enfants les plus jeunes se retiraient. Nous terminions nos pâtisseries dans la cuisine en compagnie des trois domestiques de la maison, Marie la vieille cuisinière, la bonne et la couturière, Mme Truchon. Malgré son physique qui n'invitait pas à la jouissance des nourritures terrestres, cette dernière était transformée en serveuse ce jour-là, y compris dans son accoutrement ; elle était manifestement fière de porter la coiffe blanche et, sur sa robe noire toute proprette, le tablier de toile que lui avait acheté ma mère. Quand ses apparitions publiques étaient terminées, Mme Truchon prenait un soin religieux à ranger devant nous les attributs de sa charge, qui, jusqu'à la semaine suivante, resteraient bien pliés dans leur boîte marquée du nom du Syndicat de Québec.

De la cuisine, nous continuions d'entendre les invités, qui avaient été choisis par ma mère sans que nous comprenions toujours le pourquoi de leur présence à tous. Il arrivait fréquemment qu'à travers la brochette de cousins à anniversaire et de tantes endeuillées surgissent à table ceux que mes parents appelaient « des connaissances », dont la première qualité, croyais-je comprendre, était « qu'ils pouvaient être utiles ». Sous le lustre rococo de la salle à manger, je vis prendre place bien des notables de la ville, dont plusieurs sont morts sans soupçonner quel mal ils ont donné à mes parents lorsqu'il s'était agi, dimanche après dimanche, de savoir avec qui les inviter, de choisir les parents méritants appelés à jouer pour eux le rôle de faire-valoir et de déterminer pour chacun une place et des voisins de table qui puissent leur donner la meilleure impression.

Je m'en voudrais de laisser croire que cet opportunisme – de bon aloi, me conseillerait d'ajouter ma tante Yvonne, laquelle avait le sens des nuances et... des convenances – a marqué toutes les réceptions du dimanche soir ; l'esprit de famille l'emportait sur toute autre considération, et pas plus mes parents que leurs alliés n'auraient accepté d'être envahis par des étrangers, fussent-ils des « illustrations », comme les appelait ma grand-mère, ou des célébrités de qui on ne retirerait aucun avantage. Il n'y aurait pas eu non plus de place chez nous pour un musicien de passage – mes parents n'étaient pas des connaisseurs et ils n'allaient au concert que s'ils y étaient obligés – ni pour l'un de ces marquis de la droite française ou espagnole dont nos prêtres étaient friands ni pour qui que ce soit qui ait été « étranger ». J'ai compris plus tard que mes parents n'ont jamais apprécié ce qui était « autre » ; bien à l'aise dans leurs croyances et dans les conventions de la société à laquelle ils appartenaient, ils ne voulaient pas être dérangés dans leurs certitudes. Tout au plus leur paraissait-il de bon ton d'agrémenter parfois la vie familiale d'une présence inusitée, un peu comme la cuisinière le faisait pour le gigot d'agneau, elle qui savait à l'occasion remplacer le romarin par une pincée d'herbes d'ici que des Indiens de sa connaissance lui avaient données.

« Qu'est-ce que vous nous avez inventé là, Marie ? » lui lançait ma mère quand la cuisinière apportait sur la table le plat de service et qu'elle en soulevait le couvercle d'argent ; bien qu'inhabituelle, l'odeur qui s'en dégageait avait à chaque fois l'heur de plaire à l'odorat de ces messieurs, dames. Mon père était d'ailleurs toujours le premier à féliciter la cuisinière, avant même d'avoir pris sa première bouchée d'agneau. Nous en parlions ensuite toute la semaine, car les restes étaient utilisés de diverses façons ; ils venaient nous rappeler à une ou deux reprises qu'il n'était pas hérétique de sortir des sentiers battus. Mais l'innovation ne devait pas s'appliquer chez nous à autre chose qu'à l'art culinaire.

*

Dès le lendemain, les plus timides des invités s'empressaient de téléphoner à ma mère pour la remercier de son accueil et de ce beau dimanche ; c'était l'immanquable « téléphone de digestion ». On s'en plaignait à chaque fois, mais le parent ou le convive qui aurait manqué à ce devoir dans les jours suivant la réception se serait attiré un blâme rigoureux, qui aurait exigé des explications. Cela ne se faisait pas. À ma connaissance, nul ne s'y est soustrait, si ce n'est, peut-être, une ou deux personnes du groupe des invités de circonstance « dont je préfère ne pas juger les bonnes manières », avait dit ma mère en les rayant de son monde.

Les parents et les proches, cependant, préféraient venir eux-mêmes faire leur téléphone de digestion. Et c'est ainsi que, soir après soir, des morceaux de la parenté revenaient passer la soirée avec nous ; s'y joignaient aussi parfois quelques intimes.

Incontestablement, dans notre milieu, on avait l'esprit de famille développé. Aucune semaine ne s'écoulait sans qu'on se soit rencontré et téléphoné ; on s'était vu dimanche, et le dimanche d'avant, et dans l'intervalle, on avait été reçu par le cousin Gérard, puis par la tante Berthe. Toujours le même monde, à quelques nuances près ! D'où l'importance que le bottin prenait dans cette société fermée ; c'était l'arbitre des discussions, la référence obligée de toutes les conversations qui, immanquablement, tournaient autour du petit univers qui était le nôtre. L'annuaire téléphonique occupait la place d'honneur. C'était notre Bible, notre Gotha, le livre où figuraient toujours en bonne place les héros d'à peu près tous nos échanges et les personnages de nos petites histoires ; là trouvaient réponse nos questionnements et nos disputes familières. Chaque soir, une fois les grâces dites par mon père, mes sœurs se hâtaient de débarrasser la table et de faire la vaisselle ; elles venaient compléter au boudoir le cercle familial, auquel s'ajoutaient ces parents venus faire leur téléphone de digestion.

C'était habituellement mon père qui présidait la conversation, comme il l'avait fait au repas. S'il devait s'absenter au sortir de la salle à manger, comme c'était de plus en plus souvent le cas à cause de ses affaires, sa mère, ma grand-mère Lefrançois, prenait le relais. À la mort de mon grand-père, celle-ci était venue vivre avec nous, bien résolue à ne pas tenir le rôle de la vieille dame effacée que l'on garde par amour ou par pitié. Sans que personne paraisse en souffrir, même pas ma mère, elle avait tout spontanément retrouvé dans nos murs une partie de l'autorité qui avait marqué ses belles années de maîtresse de maison. Dans nos soirées mondaines, en tout cas, elle n'aurait pas accepté d'être la cinquième roue du carrosse ; elle occupait la place principale, qu'elle n'aurait d'ailleurs pas cédée à qui que ce soit. Sous sa gouverne, les vieux tenaient le premier rôle, avec leur lourd bagage de souvenirs et le droit qu'on leur accordait de se prononcer sur tout ; ils prenaient leur revanche sur les vivants et sur les jeunes !

Nous étions habitués à ces soirées auxquelles nous n'assistions cependant pas souvent ; le dimanche excepté, il nous fallait monter dans nos chambres assez tôt, les plus jeunes pour faire leurs devoirs sous la surveillance de la bonne, les plus âgées, les filles, pour s'absorber dans leurs travaux de grandes élèves. Seule l'aînée, Élisabeth, que nous appelions plus souvent Betty, avait une place dans cette société de grandes personnes ; elle et moi avions huit ans de différence. Même à l'âge où je voulais tout faire comme les grands, je ne doutais pas qu'elle y soit à sa place ; c'était une adulte, très à l'aise dans ce monde où, selon ce que j'avais entendu dire par des familiers de la maison, elle cadrait bien. « De la graine de vieille fille », estimaient les uns. « Un beau parti », soulignaient d'autres, s'empressant aussitôt de déplorer que les hommes se fassent rares. « Trop de jeunes gens sont restés sur le champ de bataille. Quel dommage pour Betty ! Que voulez-vous, elle n'a pas de chance. »

J'ai grandi en croyant que c'était vrai. Pas du tout expert en la chose, à neuf ou dix ans, et en pleine période de guerre, je comprenais que la cause avait l'air d'être entendue et que c'était bien comme ça.

Au fur et à mesure que le temps passait, je ne pouvais toutefois pas m'empêcher de m'étonner qu'on ne dise pas la même chose de Virginie. Plus jeune de trois ans que Betty, elle fut bientôt admise au boudoir et eut rapidement droit à la présence d'un prétendant. Comme si, dans son cas, les morts de la guerre étaient ressuscités !

Quand mes devoirs étaient terminés, je descendais à la cuisine par l'escalier de service ; j'y prenais un verre de lait avant de remonter pour la nuit. De la cuisine, j'écoutais les conversations des grandes personnes et m'habituais ainsi à entendre parler des autres. J'étais loin de tout comprendre, mais, au cours des mois et des années, j'en ai beaucoup appris sur la vie en société et sur l'image que chacun projette de lui-même. J'avais la chance de voir agir des gens sur la scène familiale et d'entendre, après coup, les commentaires parfois très durs que l'auditoire, le même qui avait applaudi ces invités les jours précédents, émettait sur leur conduite, sur leurs talents, sur leur manière d'être, sur le vêtement que portaient les femmes et sur une foule d'autres détails qui mettaient à nu l'inépuisable existence des autres. Les potins ne se limitaient pas non plus à la liste des invités de la semaine et au cercle des alliés.

Dans une ville comme la nôtre, assez populeuse pour qu'on y retrouve des classes et juste trop restreinte pour qu'on ne puisse ignorer les petites gens, un décès ne passait jamais inaperçu. Pas chez nous, en tout cas. La soirée commençait habituellement par l'annonce des toutes dernières mortalités ; si la maison avait décerné des prix, le premier aurait été accordé chaque jour à la personne qui pouvait annoncer avant les autres le plus récent décès. En pleine guerre, la priorité, à cet égard, revenait aux soldats tombés au champ d'honneur, parmi lesquels, hélas, figuraient souvent des officiers liés à des familles en vue. C'était l'heure du patriotisme, le seul moment, en vérité, où l'on sentait planer un peu d'émotion sur ce groupe d'adultes qui ne donnait en rien l'impression d'être beaucoup dérangé par les horreurs de la guerre. Seule la mort qui portait un nom ou qui touchait de près des personnes connues devenait momentanément triste.

Tout de suite après cette minute consacrée aux morts de la guerre, l'assemblée en venait à la liste des défunts ordinaires. Dès la nouvelle portée à la connaissance du groupe débutait un scénario, chaque fois le même, dans lequel les veilleurs semblaient se mettre en devoir de remplir, pour le défunt ou la défunte, un formulaire élaboré par un fonctionnaire modèle des services de saint Pierre.

D'ailleurs, à partir d'un certain moment – j'avais onze ans, je crois –, un peu las d'entendre sans cesse les mêmes conversations, mais curieux malgré tout de savoir de quoi parlaient les grandes personnes, je restais aux aguets, dans la cuisine ou bien confortablement installé en haut du grand escalier d'en avant, d'où j'entendais mieux ce qui se disait en bas. J'avais ainsi commencé à construire une sorte de grille que j'aurais pu distribuer aux veilleurs du boudoir ; elle était fidèle, tellement fidèle qu'à mon avis la parenté réunie au rez-de-chaussée se serait évité bien des redites si elle avait pu en avoir copie…

Dès que la nouvelle d'un décès avait été lancée, donc, la conversation se déroulait toujours de la même façon :

Ligne 1 – Âge du trépassé ou de la trépassée. Considérations sur la non-opportunité de cette mort, s'il y a lieu. Comparaison statistique avec les décès des derniers temps.

Ligne 2 – Lieu et date de sa naissance, nom et lieu de naissance de l'époux ou de l'épouse et lignée d'appartenance de chacun (on prendra soin de citer la liste des frères et sœurs du défunt ou de la défunte en évoquant, quand on le peut, ceux avec qui on a étudié ou joué, ou ceux dont on a simplement entendu parler. On essaiera de remonter le plus loin possible dans l'arbre des ancêtres et d'établir le plus de liens entre chaque branche).

Ligne 3 – Lorsqu'il s'agit d'une femme, il est recommandé d'insister sur les tentatives qu'elle a faites, ces dernières décennies, pour cacher son âge et de porter un jugement sur le bien-fondé pour elle de ces efforts qu'on vient de noter et sur le degré de succès de ces tentatives.

Ligne 4 – État présumé du couple. Pour s'en faire une idée plus exacte, on citera tous les témoignages connus et les événements dont on a soi-même été témoin.

Ligne 5 – Adresse du défunt ou de la défunte et description du voisinage ; citer les personnes que chacun y connaît. On pourra aussi faire des commentaires sur la géographie des lieux, le climat social et économique qui y règne, l'état général du quartier, le comportement des gens, leur couleur politique. Passer ensuite à l'étape suivante.

Ligne 6 – Enfants du défunt ou de la défunte : noms, âges, parrains et marraines, éducation (bonne ou mauvaise), opinion qu'on en a ou que les autres ont déjà formulée, avenir prévisible, surtout après ce décès. Ce qui mène à la ligne suivante.

Ligne 7 – Carrière du défunt, s'il s'agit d'un homme, bien sûr, salaire ou revenus et état de ses finances. On repassera les étapes de cette vie, en dressant la liste des malheurs ou, s'il y a lieu, des bonheurs. Études, emplois occupés (on accepte ici l'emploi de ménagère pour les femmes), en mettant l'accent sur les échecs, mais en faisant ressortir la façon dont la personne en question a su s'en tirer – s'il y a lieu. C'est ici le moment où l'on évoque les « relations » du défunt ou de la défunte et l'usage qu'il ou qu'elle a su en faire.

Ligne 8 – Date et lieu des funérailles et de l'enterrement, avec commentaires et discussion sur les autres options qui auraient pu être envisagées. Quand on le peut, il est de bon ton de parler du taux d'occupation du terrain que la famille possède au cimetière Belmont, de faire la liste de ceux qui y sont enterrés et de supputer le nombre de places qui y restent, et pour qui.

Ligne 9 – Enfin, ceux et celles qui peuvent déjà se vanter d'être allés faire leur visite de sympathie prennent la parole et on les écoute avec attention ; ils décrivent l'atmosphère du salon, en s'attardant sur l'allure du défunt ou de la défunte : naturel ? trop maquillé ? vieilli ou rajeuni ? aurait-on dû lui mettre ses lunettes ou non ? beaucoup de fleurs déjà ? etc.

Dès la ligne 2, l'assemblée éprouvait le besoin d'informations sûres, de références exactes ; la mémoire défaillante des uns, la profusion de détails apportés par les autres, la taille de nos familles et les changements qui se produisaient dans notre ville rendaient nécessaire, dans cette cascade de noms et d'alliances, d'adresses et de déménagements, le recours au plus objectif des livres, le bottin. Ma tante Irène, une fidèle de nos veillées, avait depuis longtemps pris l'habitude de s'asseoir près de la table du téléphone, le précieux livre à portée de sa main ; sa curiosité et la vivacité de son esprit – c'est du moins ce qu'elle en affirmait – l'amenaient à répondre parfois aux interrogations avant même qu'elles aient été formulées.

Un sujet qu'on ne manquait pas d'aborder concernait les héritages. Dans notre monde, les mariages ne pouvaient être que des mariages d'amour, cela allait de soi. Chacun savait toutefois qu'il fallait éviter les mésalliances ; on nous l'enseignait très tôt dans la vie. L'argent était la base de la société. Par le mariage, deux familles, deux patrimoines et bien souvent deux fortunes s'unissaient. La vie des jeunes couples qui s'étaient ainsi mariés allait se dérouler ensuite dans les sillons creusés par les parents et les grands-parents avec, en arrière-plan, leurs cadeaux et leurs largesses calculées, l'arrivée des meubles d'une beauté coûteuse dont on hérite progressivement, et toutes les espérances auxquelles donnait droit le vieillissement des anciens. Des espérances qu'on se gardait bien d'exprimer !

« Je vous en prie, ma tante, ne parlez pas de ça. Vous allez vivre cent ans, et c'est ce qu'on vous souhaite. »

Tous jouaient le jeu, c'était la première des règles, et l'on s'aimait.

Dans les saisons fastes, il arrivait que la soirée soit tout entière occupée par cet appel aux morts. Quand tel n'était pas le cas, l'assemblée avait tendance à orienter la conversation vers les nouvelles du jour – on lisait tous le même journal –, vers les amours naissantes et les dernières idylles des jeunesses du coin, les baptêmes, ou encore vers les rencontres que chacun avait faites dans les heures précédentes. Il suffisait qu'une cousine raconte son marché du matin et cite le nom de l'autre dame bien qu'elle avait croisée, ou encore qu'une tante mentionne ses partenaires au bridge de l'après-midi, pour que reparte le jeu des personnages et recommence le recours à l'annuaire des téléphones. Et que reprenne l'évocation de la comédie humaine, telle que la percevait notre minuscule milieu. La matière était vaste. On ne risquait jamais de manquer de munitions pour la conversation.

À dix heures moins le quart du soir, la bonne entrait discrètement dans le boudoir, un plateau à la main. Elle le déposait sur la table ronde qui faisait l'angle ; on y gardait en permanence un assortiment de tasses, les « tasses de fantaisie », qu'on protégeait de la poussière en les recouvrant d'un napperon. Le rythme de la conversation diminuait quelques secondes, le temps qu'on examine les gâteaux qu'elle avait apportés, si bien que, lorsqu'elle revenait avec le café, les échanges commençaient à s'éteindre ; chacun se préparait déjà mentalement à prendre congé.

Telle était notre vie, telle était ma famille. Et telle fut l'atmosphère dans laquelle j'ai grandi.

*

On s'aimait, mais on ne se le disait pas.

« S'il y a une chose qu'un homme doit taire, nous enseignait-on à la maison, c'est bien ses sentiments ; il les garde pour lui, il n'en fait pas état devant les autres. »

Au Séminaire de Québec, où, après mon père et mon grand-père je venais d'entrer à treize ans, les leçons qu'on nous donnait ne disaient pas autre chose : le jeune Spartiate qui cachait un renard sous sa tunique nous était sans cesse proposé en exemple, lui qui avait laissé la bête lui dévorer le ventre plutôt que de se dévoiler. On nous le citait autant et même plus que tous ces jeunes saints dont le Séminaire de Québec faisait grand usage. Ces Gérard Raymond, ces Stanislas Kostka ou ces Louis de Gonzague avaient tous en commun une vertu bien particulière : ils savaient se retenir, ils gardaient un contrôle total de leurs sentiments. Ils ne se livraient pas.

Il n'était donc pas question de dire ce qu'on pensait, et encore moins de faire des confidences. Cette pudeur-là défendait autant de dévoiler son cœur que de montrer ses fesses.

« Les gens qui exhibent leurs sentiments sont des êtres vulgaires », martelait semaine après semaine le directeur spirituel des élèves, dans ses sermons. « Des exhibitionnistes, vous m'entendez bien ! Des êtres sans retenue, des gens qui n'ont pas de colonne vertébrale, des guimauves. Si vous vous laissez aller aux sentiments, vous ouvrez toute grande la porte à la sensualité », ajoutait-il en insistant sur le mot, avec une délectation presque contagieuse.

Sensualité, sensualité… Pendant que le vieil homme, la lèvre humide, continuait à lutter tout seul contre ce dragon auquel de tacites connivences paraissaient le lier, et avec lequel, le pauvre, il espérait nous effrayer, nous susurrions ce mot tout doux, un mot dont on découvre jeune qu'il déborde de promesses.

Ce qu'il impliquait au juste, ce mot si riche ? Nous ne le savions que très imprécisément, mais voilà que la figure invisible de la sensualité flottait au-dessus de nous dans la salle d'études ; tout délicatement, le mot nous enveloppait de son parfum. Nous en répétions intérieurement les syllabes, chacun prenant plaisir à se laisser caresser par l'onction douce de ces consonnes sifflantes et leur effet immédiat dans la plénitude de la bouche. Il nous laissait sur la langue un goût d'exotisme, éclatait avec volupté au sommet du palais pour retomber ensuite en une gerbe lente, mot précieux et délectable entre nos dents comme s'il se fût agi d'un morceau du fruit défendu. Agité par cet homme de Dieu, le spectre de cette sensualité qui l'effrayait tant excitait notre convoitise.

On nous enseignait donc la retenue en toutes choses. Aux artistes seulement, ceux de la radio ou de la chansonnette, reconnaissait-on un certain droit de parler d'amour – et encore, c'est en se pinçant le nez qu'on le faisait –, ce qui expliquait la présence à la maison de revues à la mode comme *Le Samedi*, la *Revue populaire* et la *Revue moderne*. Les femmes s'en délectaient, sous l'œil plutôt méprisant des hommes. Ainsi en était-il des romans de Delly ou des livres de Berthe Bernage que mes sœurs allaient chercher à la bibliothèque paroissiale.

Il ne faudrait pourtant pas que je dise du mal de ces revues où il arrivait que l'on trouve le nom de personnes bien en vue ou auxquelles collaboraient de jeunes espoirs de chez nous qui allaient bientôt percer dans le monde des lettres, pour la grande joie de notre milieu. J'étais encore trop jeunot pour connaître cette demoiselle Anne Hébert, dont le premier texte était paru dans la *Revue populaire* ; avec une certaine fierté de caste, on conservait ce numéro d'octobre 1940 dans le boudoir, parmi les jeux de cartes et les gazettes missionnaires. N'était-ce pas un honneur pour nos familles de lire, sous le nom de cette jeune débutante, qu'elle était « la fille de monsieur Maurice Hébert, publiciste du gouvernement provincial et directeur de l'Office du Tourisme », donc qu'elle était des nôtres. Pour ma part, la nouvelle qu'elle avait écrite m'avait émerveillé le jour où elle m'était tombée sous les yeux, moins par son contenu, je dois l'avouer, que par le seul fait qu'elle avait été publiée ; ne remarquant même pas combien il était important, dans notre société, d'être la fille ou le fils de son père, je venais de découvrir qu'on pouvait être d'ici et écrire !

J'en reviens à ces jeunes saints dont les images nous poursuivaient dans chacun des locaux que nous fréquentions au Séminaire. Leurs mains jointes étaient là pour nous inciter à ne pas jouer avec notre corps, comme on nous le répétait très souvent. Il nous arrivait – parfois, et même plutôt souvent ! – de leur jeter un œil de travers, à ces saints compassés, tantôt en levant les épaules avec un petit air de repentir, mais le plus souvent avec un certain sourire : nous ne pouvions nous empêcher de les plaindre un peu, ces pauvres types qui s'étaient condamnés à ne jouer qu'avec leur auréole. Il n'y avait qu'à leur voir la figure : ils avaient vieilli avant l'âge. Des enfants de vieux, quoi !

J'ai vite compris, toutefois, que la vertu principale qui leur donnait droit à nos hommages, celle qu'ils avaient fonction de propager, c'était moins la retenue des sentiments ou la pureté des mains que l'obéissance. La sainte obéissance. En ce domaine, ils ont marqué des points.

« L'autorité vient de Dieu. Quand l'Autorité a parlé, on doit obéir. »

« Ce que Dieu commande par la bouche des Autorités ne se discute pas ; on dit oui avec humilité, sûr que l'on est de faire Sa volonté. »

Cette théorie m'a ravagé. Pas du premier coup, certes, mais je n'ai pas tardé à voir comme un carcan qui m'étranglait ces ukases de l'autorité, quelle qu'en fût la forme. Que le curé nous fasse peur au nom de Dieu, passe encore. Mais des autorités, il y en avait partout, qui se prononçaient sur tout et nous menaçaient des pires calamités pour des peccadilles. Dieu nous défendait de descendre l'escalier de l'Alverne pour aller dans la basse-ville, d'entrer dans l'église protestante de la rue Saint-Jean, de dépenser nos sous en bonbons chez la mère Pancrace. N'avait-il pas beaucoup de temps à perdre, ce Bon Dieu, lui qui ne semblait pas très regardant sur la nature des choses qu'on lui mettait sur le dos ! Le catéchisme nous avait dit combien il avait fait de bruit pour livrer à Moïse les dix commandements, piliers de la religion, et tous les efforts qu'il avait dû fournir pour que les chrétiens cessent d'être mangés par les lions trop païens du Colisée. Lui qui avait fait crouler l'Empire romain, selon quelle logique pouvait-il en même temps s'amuser à entériner de son autorité autant de décisions imbéciles et d'aussi minuscules décrets que ceux dont était jalonné notre train-train quotidien ? Est-ce qu'il faisait comme tous ceux qui se réclamaient de lui et ne prenait jamais la peine de nous écouter, lui non plus ?

Le doute ne tarde pas à s'installer dans la tête d'un enfant assez éveillé pour voir ces choses. Il ne faut guère de temps, ensuite, pour que ce doute se transforme en insoumission, parfois aussi en révolte. D'autant plus que nous étions coincés : nous étions tenus de nous confesser à ces mêmes adultes qui prescrivaient les règles, sans jamais pouvoir leur laisser savoir notre angoisse. Ils n'acceptaient même pas qu'on en parle et encore moins qu'on mette en doute les vérités de tout ordre dont ils s'érigeaient en gardiens, dans un système fermé qui les faisait vivre. À treize ans, je me scandalisais vivement de voir qu'ils maniaient tant de certitudes sans même s'être entendus entre eux pour ne pas être en contradiction les uns avec les autres ! S'ils s'étaient au moins mis d'accord pour ne pas dépasser les bornes, pour ne pas abuser de cet appel à la grande vertu de l'Obéissance !

À la maison, c'était évidemment papa qui représentait l'Autorité. Et quelle Autorité ! Il suffisait qu'il se soit prononcé sur quelque chose pour que la question soit tranchée. Avions-nous une permission à demander, une question un peu délicate à régler ? « On va demander à ton père », déclarait tout de suite maman, qui elle-même attendait de lui toutes les décisions. Il réglait tout, il était la mesure de toutes choses, même pour sa propre femme.

« Mais papa, tu ne m'as même pas entendu. Tu ne m'as pas laissé le temps de te dire pourquoi j'aimerais aller à cette fête sur les Plaines. Écoute au moins mon point de vue. »

C'était peine perdue. Il était le représentant de l'Autorité divine. À l'exemple de Dieu, il savait tout, et ses décisions, il en paraissait convaincu, lui étaient inspirées par Dieu lui-même. On ne discute pas en présence de l'Autorité, un point c'est tout.

On apprend vite, dans un tel contexte, à rentrer dans sa coquille. À s'arranger avec l'Autorité !

À vrai dire, j'avais un bon exemple sous les yeux, celui de ma mère. Femme soumise, qui jamais ne discutait devant nous les décisions de mon père, maman ne l'épargnait pas quand ils se croyaient seuls, s'il s'agissait de questions qui étaient de son ressort à elle et dont elle avait le contrôle absolu ; là, l'Autorité y goûtait et perdait sa majuscule !

« C'est tannant, je viens de faire ma lessive avec la bonne, mais elle ne peut pas l'étendre : les ouvriers, chez le voisin, coupent des blocs de béton à la scie et ça fait un de ces nuages de poussière », se plaignait un jour maman en servant à mon père son petit-déjeuner.

Avec la rationalité des mâles et sans lever les yeux de *L'Action catholique*, mon père lui répondit spontanément :

« Le vent vient de l'ouest. Elle peut étendre le linge, il ne sera pas touché. »

Un moment de silence ; il était évident que maman n'était pas convaincue et que la réponse de papa la contrariait.

« Mais non, tu t'énerves pour rien, la poussière s'en va vers la rue des Érables. »

Il se lève, entrouvre la porte :

« Regarde, viens voir, tu ne crains rien.

— Pourquoi tu m'obstines tout le temps ? rétorqua-t-elle immédiatement. Je sais ce que je dis. C'est du blanc et ça tache. On voit que ce n'est pas toi qui laves ! Je n'aime pas avoir à recommencer deux fois ce que je fais. Laisse-moi agir comme je l'entends, tu ne connais rien à la lessive et tu veux me dire quoi faire, monsieur Je-sais-tout. »

Et ma mère de sortir en donnant des signes d'impatience. J'étais dans la cuisine et observais la scène.

« Je ne te demande pas de me convaincre, lui dit papa quand elle revint lui offrir du café. Tout ce que je te disais, c'est qu'à mon avis, à regarder le vent, ton linge ne pouvait être touché par la poussière de pierre. »

L'Autorité avait changé de main. Il n'était plus question que mon père discute, même s'il m'apparaissait évident qu'il avait la logique de son côté. Il fallait qu'elle ait raison ; c'était son tour.

L'intimité d'une famille permet très tôt aux enfants d'assister à de pareils combats entre l'Autorité. Ils en tirent des leçons. En vieillissant, ils apprennent aussi à observer des luttes à peine perceptibles à l'œil nu, des luttes beaucoup plus subtiles, même si elles se déroulent sur des terrains qui n'ont rien d'un champ d'honneur. La salle de bain du rez-de-chaussée, celle où on laissait traîner les vieilles revues pour le bénéfice des occupants, a vu se dérouler l'un de ces combats infinitésimaux qui contribuent à donner le sens des nuances à ceux qui les observent.

Ma sœur Éloïse et moi avons en effet été les témoins d'une drôle de discussion entre mes parents, dont l'objet était rien de moins que la manière de placer le rouleau de papier-toilette dans son support. Lui tenait à ce que le bout du papier se présente par le haut, elle, par le bas… Jamais par la suite nous ne les avons entendus reprendre la discussion à ce sujet. Mais ni l'un ni l'autre ne rendit les armes ; ils devaient même ne jamais mettre fin à cette très minuscule dispute. Avec le temps, ce n'était plus vraiment un objet de chicane ; c'était devenu un jeu subtil dont l'enjeu nous confondait, Éloïse et moi : à qui appartiendrait-il de finir le rouleau et d'en mettre un nouveau en le plaçant à son goût ? Ce qui nous étonnait le plus, à vrai dire, c'était de constater que chacun d'eux était certain que l'autre ne gaspillerait pas des longueurs de papier à la seule fin de gagner : la confiance des bourgeois était là pour les en assurer ! Pour des enfants, pour moi en tout cas, une telle aventure valait mille mots.

*

On avait chez nous un grand respect de la soutane ; c'était le vêtement par excellence de l'Autorité. Le meilleur ami de mon père était un prêtre du Séminaire, l'abbé Maxime Fréchette. Il était, par conséquent, un fidèle de nos veillées ; c'est vers lui aussi que se tournaient tous les yeux quand il s'agissait de trancher un débat ou de savoir ce qu'il fallait penser d'une question. Plus jeune, je n'aurais pas été en mesure de porter un jugement sur la façon dont l'abbé s'acquittait de cette tâche, quand l'auditoire s'attend à ce que chaque chose soit définie d'autorité, selon un catalogue fixe où il faudrait que le bien et le mal brillent d'une indiscutable clarté, surtout si c'est un prêtre qui se prononce. J'ai compris plus tard combien l'abbé Fréchette avait appris à naviguer habilement dans la société des laïcs de la haute-ville, où l'on ne paraissait avoir retenu de l'Évangile que l'action de grâces du Pharisien, ce saint homme qui remerciait chaque jour le Ciel de ne pas l'avoir fait comme le reste des hommes. Maxime Fréchette n'était pas d'une nature téméraire, mais il avait le sens des nuances : c'était un diplomate, un homme du monde qui savait envelopper ses avis de tant de nuances que tout le parterre y trouvait son compte.

L'abbé ne se formalisait plus des innombrables contradictions sur lesquelles était bâtie la vie de chacun. Il n'en était pas dupe, mais il avait trouvé sa manière à lui de survivre dans un monde qui aurait pu ne pas être le sien ; je soupçonne même qu'il l'aurait souhaité plus d'une fois au cours de sa vie. Il a fini par s'en accommoder. À quel prix ? Je ne le saurai jamais, car il n'était ni bavard ni méchant. Une fois seulement en ma présence s'est-il laissé aller à porter un jugement sur notre petite société :

« La plupart sont des personnes qui, si elles écrivaient le livre de leur vie, n'auraient qu'un titre à y donner, Jean : *Traité de l'horizontalité.* »

Je voulus en savoir davantage.

« Regarde agir les gens autour de toi : ils ont peu d'idées et n'ont aucun désir qui sorte du bassin des choses ordinaires. Et les quelques idées qu'ils expriment sont des idées toutes faites, les idées de tout le monde. Ils sont essentiellement unidimensionnels, Jean : des surfaces planes, sans relief, des personnalités qui manquent de volume, voilà ce qui nous entoure, mon ami.

« Pose-leur une question sur n'importe quoi. Sur la politique, l'économie mondiale, les spectacles à l'affiche ou sur leurs projets de vacances. Ils n'ont toujours qu'une réponse, et seulement une. Et c'est habituellement, à peu de chose près, la même pour tout le monde. On se moque en silence de la femme dont le jupon dépasse, mais regarde attentivement, tu verras qu'on ne plaisante jamais si ce sont les idées qui dépassent : en dehors des lieux communs et de l'opinion des gens bien, point de salut dans notre petit monde. Penser autrement que les autres est mal élevé ; parfois, mais pas souvent, on le tolérera pour certaines personnes, qu'on s'empressera de qualifier d'excentriques, comme tu l'as certainement noté. »

Il avait beaucoup voyagé pour l'époque et il avait beaucoup lu. Si j'avais à dire qui fut le modèle de mes jeunes années, je n'hésiterais pas à le nommer, lui que j'eus le plaisir de retrouver comme titulaire de ma classe de Belles-lettres. Fin causeur, ne se prenant jamais lui-même pour la mesure de toutes choses, il excellait à faire vivre, devant cette assemblée de gens qui n'étaient jamais sortis de leur petit monde, les mille et une merveilles que les voyages et les livres réservent à ceux qui osent y succomber. On n'aurait pu dire de lui qu'il était un homme modeste ; il tenait sa place, tout en sachant être réservé quand il le voulait. Ma mère, qui l'aimait bien, se plaisait à le présenter comme « un des joyaux de notre salon » ; elle avait de l'admiration pour ce camarade de collège à qui mon père était très lié.

Avec l'abbé Fréchette venaient aussi à la maison d'autres prêtres dont la visite n'était pas toujours appréciée de la même façon. On aimait les abbés de salon, mais pas les « grosses natures » ou les chanoines bedonnants qui, s'installant comme des papes dans les meilleurs fauteuils, lançaient des anathèmes et nous écrasaient de leurs pesantes lumières. Il y avait de fortes chances pour qu'on ne les revoie plus chez nous, ces pédants curés aux discours assommants, dans lesquels tout commençait par « Moi, je… » et se terminait invariablement par une formule d'autorité qu'ils émettaient avec grande componction : « Je sais ce dont je parle, vous devez me croire. »

Il y en avait de toutes sortes, de ces ecclésiastiques que la grâce prédestinait à tenir le haut du pavé dans notre société. Un jour, je vis entrer au salon un personnage à ceinture rouge, un prélat domestique, chuchota quelqu'un, qui ne portait pas à terre tant il était conscient de sa personne. Je n'avais pas encore dix ans, mais ce soir-là, je fus proprement estomaqué de voir cette espèce d'automate sur roulettes se déplacer d'un invité à l'autre en disant à chacun la même phrase narcissique :

« Je suis monseigneur Boisvert. »

Cette prétention, cette manière de parler de soi en se flattant le ventre m'apparaissait profondément déplacée.

« Je suis mon Seigneur ! »

Pourtant, personne ne semblait s'en offusquer ; les hommes lui serraient la main avec respect, tandis que les femmes, à qui il n'était pas convenable qu'un prêtre présente la main, pliaient légèrement la jambe droite pour une courbette de circonstance.

Classerais-je parmi les malappris le savoureux abbé Hébert, un confrère de grand séminaire de l'abbé Fréchette qui l'accompagnait à la maison chaque fois qu'il était de passage à Québec ? Mes parents l'appréciaient, même s'il avait un défaut des plus agaçants pour eux : il fumait comme une locomotive. À lui seul, il polluait la maison pour des heures. À l'époque, à peu près tous les hommes fumaient ; s'ils avaient le bon goût de ne brûler que des tabacs fins, des cigarettes de fantaisie ou des cigares raffinés, l'abbé Hébert, lui, jurait n'avoir jamais fumé autre chose que des cigarettes américaines. Une cigarette n'attendait pas l'autre. Il empestait l'atmosphère du salon avec ses odeurs de paille brûlée.

« Pourquoi vous entêter, l'abbé, à fumer ces Philip Morris que vous êtes le seul à savourer ? » lui demandaient parfois ses intimes.

Jamais il ne répondait à la question, si bien que les malins en avaient conclu que c'était par économie qu'il s'adonnait aux américaines, lui qui passait d'une cure à l'autre dans l'arrière-pays du Kamouraska, à la frontière des États-Unis. Il s'approvisionnait chez ses paroissiens contrebandiers…

Luce Courtois, une cousine de mon père qui habitait le Bas-du-Fleuve, était une amie de l'abbé Hébert ; il arrivait souvent qu'elle l'accompagne quand il venait dans la capitale. Très près de papa, dont elle était la cousine préférée, Luce Courtois n'ignorait pas que ce gros défaut de l'abbé Hébert ennuyait mes parents. Parce qu'il était d'agréable compagnie, et peut-être plus parce qu'il savait rendre d'inestimables services, papa et maman fermaient les yeux sur les dégâts que laissait derrière lui le saint abbé. Dès qu'il quittait la maison, la bonne se précipitait pour ouvrir les fenêtres et aérer les pièces, quelle que fût la saison.

À cette boucane qui sentait le foin en feu la cousine Luce préférait de loin l'odeur plus subtile du cigare ; rien ne lui faisait plus plaisir, c'était connu, que d'accueillir chez elle des amateurs de ces tabacs de luxe. Elle avait essayé à maintes reprises de convertir l'abbé aux plaisirs délicats d'un havane ou au moins d'un White Owl ; en vain : cet homme pressé n'avait cure des commentaires sur ses goûts « un peu grossiers ».

L'abbé Hébert n'était certes pas un intellectuel. Il discutait peu, ne condamnait guère et ne se serait jamais prononcé sur les lubies du cardinal Villeneuve ou sur les travers de l'époque. À peine consentait-il à approuver d'un grognement équivoque les hymnes à Franco et à Salazar dont il entendait souvent résonner les murs du salon ; avec Pétain, il était plus à l'aise, encore qu'il ait toujours été avare de paroles sur ces lointains personnages qui faisaient l'unanimité autour de lui. Curé de paroisses rurales, il avait les pieds bien à terre ; son autorité tenait à sa bonhomie et, surtout, à sa débrouillardise. Personne ne savait comme lui où trouver, à l'automne, les oies sauvages des bords du Saint-Laurent et les vins qui les accompagnent, ni ce qu'il fallait faire pour contourner les règles du rationnement de guerre : grâce à ce diable d'homme, la maison ne manquait de rien, ni de beurre, ni de sucre, ni de bacon, pas même de « tickets de rationnement » qu'il était impossible qu'il ait pu obtenir à la campagne, laissait-on entendre à voix basse, non sans une pointe d'admiration pour les astuces de cet homme « ratoureux ».

*

On ne disait pas qu'on s'aimait, ai-je mentionné il y a un instant, et on n'aurait pas su non plus comment le dire. L'enveloppe que mon père donnait à chacun de ses enfants au jour de l'An était pour lui une déclaration d'amour. Qu'auraient ajouté les mots à cette marque évidente d'affection, surtout qu'il accompagnait son geste ce jour-là, le seul de l'année, d'une bise sur le front ? Les mots n'ont pas de poids, ils ne coûtent rien et n'achètent rien ; les sous, oui. Donner de l'argent était le signe sensible de l'attachement que les parents avaient pour leurs enfants ; je dois reconnaître que, pour ce sacrement, ils ne lésinaient pas.

À chaque début de saison, ma mère partait avec mes trois sœurs ; enjouées comme des couventines, elles prenaient le tramway pour se rendre ensemble dans les meilleurs magasins de la basse-ville. Elles y passaient la journée, mangeaient chez Kresge ou chez Paquet, revenaient à la maison les bras si chargés de boîtes et de sacs qu'il était de tradition que mon père aille les chercher en auto.

Ce jour-là, ma mère habillait ses filles. Elle ne regardait pas à la dépense. Sans se laisser arrêter par les prix, mais sans oublier non plus de viser pratique, comme elle disait, elle achetait ce qu'il y avait de mieux pour combler les besoins de la saison qui allait débuter. Tous les rayons y passaient : sous-vêtements et robes de nuit, tenues de circonstance, souliers, manteaux, rien n'était épargné. Chose remarquable, jamais à cette occasion n'était mentionnée devant ses filles la question du prix ; il était entendu qu'on avait prévu et qu'on avait l'argent nécessaire.

« *Money is never a question, when it is for the family* », avait statué papa, qui ne dédaignait pas d'émailler sa conversation de phrases anglaises, surtout s'il était sûr qu'il n'y avait personne autour pour en corriger la forme, comme j'avais fini par m'en rendre compte.

Dans les jours qui précédaient cette grande sortie, chacune de mes sœurs avait fait avec ma mère le tour de sa garde-robe personnelle, mettant de côté ce qui ne faisait plus parce qu'on avait trop grandi ; c'était là le grand motif pour se séparer d'un morceau, et parfois même l'alibi qui permettait de n'avoir pas à énoncer à haute voix des raisons qui auraient été considérées comme inacceptables, dans un milieu qui se défendait bien de jeter l'argent par les fenêtres.

Ma mère, pour qui il était bien important de faire la distinction entre « une femme qui coud pour les autres » et une couturière, avait à son service Mme Truchon ;

dans une maison bien peuplée d'enfants, dont trois filles, une maison de trois étages, avec d'innombrables fenêtres garnies de rideaux et encadrées de longues tentures, la couturière ne manquerait pas d'ouvrage. Elle ne dormait pas à la maison et, sauf pour l'aide spéciale que lui demandait ma mère le dimanche soir, elle ne venait chez nous que du mardi au vendredi. Veuve depuis plusieurs années et mère d'une fille qui n'avait pas l'air de lui avoir donné bien des consolations, comme elle l'avouait souvent, Mme Truchon était une personne renfermée, qui tâchait tant bien que mal de contenir l'amertume dont l'avait remplie une vie difficile. À certains jours, ce lui était apparemment bien malaisé ; le vase débordait. Elle descendait dans la cuisine pour le seul plaisir de maugréer.

La vieille Marie, qui dans cette cuisine jouait en quelque sorte le rôle d'intendante de la maison, lui jetait alors un regard à peine désapprobateur :

« Avez-vous fini vos "frolics", Mme Truchon ? »

L'autre se taisait, satisfaite sans doute d'avoir laissé sortir la vapeur et contente malgré tout de travailler dans une si bonne maison.

« Dans le fond, vous avez raison, madame Marie. J'ai travaillé chez du monde de la haute-ville où c'était pas mal pire qu'ici. Pour ménager, ça s'habillait avec les choses des autres de la famille, ou bien avec du linge acheté dans les *pawn shops*, pis ils m'engueulaient parce que ça ne faisait pas. Des fois, c'était tout usé là où il ne faut pas, mais la plupart du temps, ce n'était pas que ça ne faisait pas, c'est qu'ils auraient voulu que je sois à même de cacher leurs défauts. Je ne pouvais pas varloper leurs bosses, moi, ou couper dans leurs bourrelets de graisse. C'était pas de ma faute, moi, s'ils étaient mal faits. Je ne suis pas docteur, moi ! »

Elle prenait un verre d'eau et remontait là-haut, dans cette salle de couture où personne n'aurait osé pénétrer à moins d'y avoir été invité ; avec ses yeux bridés et son nez crochu qui servait de perchoir à des besicles d'un autre âge, ses cheveux couleur de poussière dont les extrémités se répandaient en rinceaux sur un teint de grisaille et autour d'un visage qui n'avait rien d'avenant, la couturière nous impressionnait ; nous en avions même un peu peur. Quand elle était là, dans cette pièce qui voisinait ma chambre, je me tenais bien coi, tranquille et silencieux. Par contre, ses yeux étirés exerçaient sur moi une fascination que je n'arrivais pas à neutraliser ; à cause de son regard à la chinoise, Mme Truchon me semblait sortir de l'ordinaire. D'apprendre en plus, au détour d'une conversation, que son défunt mari avait travaillé pour des Chinois de la rue Saint-Vallier l'avait consacrée à mes yeux : elle incarna du coup la Chine tout entière, sa « chinoiserie » la hissait au rang des personnages de mes bandes dessinées. Une promotion qu'elle méritait bien, me semblait-il : Mme Truchon avait été mariée à un « pilier de taverne » de chez les Chinois, dont on disait aussi, à voix basse, qu'il battait sa femme. Pour ajouter au tableau, sa fille s'appelait Virginie. De quoi meubler mon imagination ! Cette fille avait ce qu'il fallait pour entrer tout de go dans ma géographie intérieure.

Il est assez évident que Mme Truchon n'était pas mise au courant de ce genre de manœuvres qui précédaient la grande sortie dans les magasins ; elle n'aurait pu se retenir de donner son opinion devant la raison qu'invoquaient mes sœurs ni s'empêcher de se scandaliser à haute voix de la mollesse de ma mère. Il lui était arrivé une fois d'intervenir.

« À quoi je sers, moi, madame Lefrançois ? Du si beau butin, ça se rallonge ; vous avez devant vous la femme pour le faire, au cas où vous l'auriez oublié. »

Ma mère l'avait laissée dire sans relever l'impolitesse du propos, et on n'en avait plus jamais reparlé.

Il était tout de même admis, quand on faisait ainsi le tour de la penderie, qu'on invoque à l'occasion d'autres raisons que celle d'une taille qui avait changé. Maman acceptait de ses filles qu'elles déclarent ne plus vouloir remettre telle robe ou telle paire de souliers parce qu'elles leur plaisaient moins, que la couleur n'était plus à la mode ou que le vêtement n'avantageait pas celle qui le portait. C'était, bien entendu, par la garde-robe de Betty, l'aînée, que commençait l'opération ménage après quoi venait le tour de celle de Virginie – la vraie, ma sœur ! Maman et Betty lui montraient ce que cette dernière avait mis de côté, en même temps que Virginie examinait l'état de sa propre garde-robe. Pour avoir assisté une fois ou l'autre dans mes jeunes années à cette scène familiale, je sais – et je m'en étonne encore aujourd'hui – que maman n'insistait pas pour que la cadette, à qui les choses étaient proposées, accepte les « restes » de sa sœur ; c'était oui ou non, et on passait au morceau suivant. Le même spectacle, avec les mêmes règles, allait recommencer un peu plus tard dans la chambre d'Éloïse.

Ce qui était laissé de côté à la fin de l'opération serait offert à des cousines, puis aux domestiques. Avant de proposer un vêtement aux premières, cependant, on l'avait examiné avec soin et choisi selon l'idée qu'on s'était forgée de ce qui siérait à telle ou telle cousine, ou encore de ce qu'on estimait être l'état de sa garde-robe, ou les finances de sa famille. Dans le cas des domestiques, il y avait des morceaux qu'on ne leur donnait pas, car ils ne convenaient pas à leur condition ; il était inacceptable qu'une fille de la campagne porte une robe signée Simone de Paris ou que les fils du père Tabard, l'homme à tout faire de la maison, se montrent en public avec des pantalons rayés.

Ce qui restait, s'il en restait, était destiné aux pauvres. Avec eux s'ouvrait un tout autre chapitre.

« C'est bien trop chic pour des pauvres. Quand est-ce que tu veux qu'ils mettent ça ? Qu'est-ce qu'ils vont faire avec une robe de taffetas ? »

Ces arguments, qu'on avait déjà invoqués pour les bonnes, s'appliquaient avec vigueur aux pauvres de la paroisse ou, sur un ton à peine moins condescendant, à ceux des quartiers ouvriers. On aimait mieux réserver aux colons d'Abitibi les robes griffées et les souliers trop fins ; ça faisait moins mal à l'orgueil de classe...

*

Mes parents étaient attachés à leur standing. La maison était bien tenue, les enfants, habillés comme il convenait à des gens de notre rang, les meubles étaient riches et nous portions un nom dont nous étions fiers. Qu'avait-on besoin de se dire en plus qu'on s'aimait ! L'important, pour les membres de la famille, surtout les enfants, était qu'ils sachent la valeur de ce qu'ils avaient et, autant que possible, le prix des choses elles-mêmes. Pas pour le révéler aux autres ni pour s'en vanter, mais parce que c'était là le signe tangible non seulement de l'amour qu'on avait pour eux, mais aussi des bontés de la Providence à notre égard. On était du bon côté de l'existence et l'on en rendait grâce à Dieu.

« Combien ça coûte ? » était d'ailleurs la plus vulgaire des phrases que l'on puisse entendre. Jamais une personne bien élevée ne devait poser semblable question, même à la plus intime de ses amies. Et puis, il y avait tant d'autres manières de le savoir – ou de le faire savoir –, des manières combien plus élégantes. Car au fond, il était toujours de la plus haute importance que les gens n'ignorent jamais qu'on avait chez soi, ou qu'on portait sur soi, ce qu'il y avait de mieux. Pour les autres aussi, les étrangers qui n'étaient pas de la famille, l'affection se mesurait à l'argent qu'on avait consenti à dépenser pour bien montrer qu'on les aimait. Cela s'appliquait autant aux cadeaux de noces qu'à l'importance des *showers* qu'on offrait à la maison, ou au menu des réceptions auxquelles on conviait les gens à qui il fallait rendre des politesses.

Malgré tout, il arrivait bien qu'on dise parfois le prix des choses ; mais alors, la personne qui n'en pouvait plus de ne pas dévoiler combien « la chose avait coûté » éprouvait le besoin de se dédouaner d'avance. Chez mes parents et leurs alliés, une même formule venait spontanément sur les lèvres en ces occasions :

« Je ne voudrais pas avoir l'air petit-bourgeois, mais… », et l'impudique secret du prix qu'il ne fallait pas dire suivait, dans un grand contentement pour tous, aussi bien pour le délinquant que pour l'auditoire qui en était devenu complice. N'était-on pas entre gens du même monde ?

II

Ma grand-mère Lefrançois vivait avec nous, ai-je déjà mentionné. En décembre 1939, plus d'un an après la mort de mon grand-père, elle était venue habiter dans notre maison ; elle allait y prendre beaucoup de place.

Avec elle, les rapports affectifs étaient plus complexes qu'ils ne l'étaient avec mes parents, surtout avec mon père ; plus complexes, et pas toujours faciles à décoder pour un enfant. Et pourtant, elle était adorable.

Jamais, par exemple, ma grand-mère n'aurait osé penser qu'elle nous achetait, elle aussi, avec les petites enveloppes qu'elle aimait bien nous glisser dans la main, les jours d'anniversaire ou à l'occasion des grandes fêtes de l'année. Il était pourtant évident qu'elle, la grand-mère en or qui nous bourrait de bonbons en cachette de nos parents, qui savait tant nous faire plaisir par ses bons mots, qui nous comblait de ses histoires et qui savait nous donner son temps et nous écouter plus que personne autour de nous, elle nous offrait elle aussi sous enveloppe notre ration officielle d'amour. Elle s'attendait ensuite à un retour. Parce qu'elle nous avait donné de l'argent, elle pouvait nous demander d'aller faire une course pour elle, de lui consacrer du temps pour son carré de légumes, de l'aider à démêler les pelotes de laine qu'on lui apportait par sacs de la paroisse pour son club de tricot, où des dames de ses amies venaient lui rendre visite et bavarder tout en tricotant foulards et bas pour les colons.

Grand-mère Lefrançois, c'était l'ambiguïté incarnée. En la voyant agir, je me suis rendu compte qu'on pouvait porter en soi-même plusieurs identités et, chose plus surprenante encore, que les grandes personnes considéraient comme normal de passer sans crier gare d'une personnalité à l'autre. Sauf les enfants, nul n'avait l'air de s'en étonner aux alentours.

Quelle femme difficile à saisir, en effet, que cette grand-mère, qui suivait fidèlement les codes de la tribu jusqu'à en devenir froide, pingre et parfois même mesquine et qui, soudainement, était capable d'élans aussi généreux qu'inattendus au moment où ils se produisaient. Qui nous menait à la baguette, nous, les enfants, quand il était question des principes ou, plus encore, des bonnes manières, mais qui n'avait aucun scrupule à y déroger si ça l'arrangeait. Grand-maman, c'était un ange pétri de contradictions, qui ne cessait de multiplier pour nous les attentions et d'avoir à l'endroit des enfants de ces gestes d'affection qui gravent à jamais dans leur cœur une image idéalisée de la grand-maman.

Pourtant, à certaines heures du jour, elle était aussi difficile à syntoniser que le poste de radio que je cachais dans ma chambre à l'âge de dix ans. C'était ce que nous appelions un radio-cristal qu'après bien des essais j'avais enfin réussi à bricoler avec mes copains de la rue. Presque chaque fois que je l'utilisais en essayant de ne pas faire de bruit, c'est à grand-maman que je pensais : comme elle, les ondes m'apparaissaient changeantes et bien imprévisibles, mais c'était à moi, et à moi seul, qu'il revenait de trouver la bonne fréquence entre ces trop libres oscillations. Alors, le résultat ne manquait jamais de me combler. J'avais réussi à percer le brouillard, à établir le contact.

Quand elle me faisait monter à sa chambre, qu'elle m'accueillait dans cette pièce dont certains recoins avaient l'allure de la caverne d'Ali Baba ou me faisaient penser à l'antre magique de Calypso, j'oubliais que, l'instant d'avant, elle s'était comportée comme une sorcière ou comme une pauvresse du faubourg Guénette. J'oubliais les serviettes de papier souillées qu'elle cachait près de la table de la cuisine pour s'en servir encore, les bouts de corde qu'elle collectionnait et même les restes de nos assiettes qu'elle préférait manger plutôt que de voir la bonne jeter à la poubelle d'aussi bons morceaux…

J'oubliais d'autant plus facilement ces mesquineries que de tels gestes étaient communs à toute la smala, comme l'oncle Paul avait un jour appelé notre cercle fermé. Dès l'âge de neuf ans, comme on le racontait en aparté non sans une pointe de satisfaction, ma sœur Betty, l'aînée de la famille, avait pris l'habitude de ramasser les vieux bas de soie que jetaient les femmes de la maison ; elle les découpait en lanières qu'elle roulait en pelotes dont on se servait ensuite comme attaches.

« C'est plus solide que la corde », décrétait déjà cette recrue qui, bien qu'elle fût ma sœur aînée, me paraissait appartenir à une autre génération, celle des plus vieux dont elle excellait à emprunter les travers.

Ai-je besoin de le mentionner ? On allait rarement au restaurant.

« Au fond, on mange bien mieux chez soi et ça coûte beaucoup moins cher », se plaisait-on à faire remarquer, tout en ne refusant jamais une invitation si c'étaient les autres qui payaient. Ma mère et ma grand-mère, mes tantes et tout ce que notre société comptait de femmes revenaient de ces repas pris au restaurant avec le sac à main gonflé de provisions : du sucre en morceaux, des serviettes de table, des carrés de beurre, bref tout ce qu'elles pouvaient récupérer à la fin du repas. Grand-mère Lefrançois était celle qui avait donné le ton.

« Eux autres, ils vont jeter tout ça », disait-elle pendant qu'elle rangeait dans la cuisine ces biens si judicieusement sauvés du naufrage.

« Ils nous donnent de belles serviettes. Je les garde ; elles ont été payées, non ? »

Il était certain que ces mêmes considérations, toutes les femmes du milieu les reprenaient en chœur.

Ces manies avaient le don d'irriter les maris, qui n'ignoraient plus depuis longtemps que la discussion était, là aussi, inutile ; c'était congénital. Et puis, ces gestes étaient le fait de femmes qui avaient le souci de l'économie ; comment leur en vouloir ?

Elle était bien de son monde, grand-mère. Les mots durs dont elle avait été capable, quelques minutes auparavant, à propos de certaines de ses prétendues amies et les jugements sans nuances qu'elle émettait sur ce qui allait de travers dans ce monde qui avait tant changé, je les reléguais dans quelque coin très lointain de ma mémoire. L'irrespect qu'elle montrait envers des institutions aussi nécessaires, aussi sûres pour les honnêtes gens que l'Église et le gouvernement en arrivait à frapper même un enfant en bas âge tant était incisif et brut son propos. Je ne cessais de m'étonner de cette vieille femme dont la personnalité changeait selon qu'elle était au salon ou à la cuisine, ou même en fonction du vêtement qu'elle portait.

Si nous attendions du monde, ou que c'était son jour de tricot, grand-maman était coquette. Ses cheveux blancs étaient tirés avec grâce de chaque côté de sa tête, dégageant ses fines oreilles où pendaient, ces jours-là, les boucles qu'elle avait choisies dans ce qui fut pour moi le prototype du coffre au trésor : une boîte à bijoux en nacre qu'elle me permettait parfois d'explorer, et dans laquelle j'ai appris très tôt l'émerveillement des yeux que seules savent susciter les pierres précieuses.

Palpant les améthystes, les émeraudes, les saphirs, les zircons et les brillants de toutes sortes qui tapissaient le fond de la boîte, je jouais avec les couleurs, je m'amusais à capter les rayons de velours que la lumière projetait à travers ces joyaux que je prenais plaisir à faire briller devant la fenêtre de sa chambre. Ma grand-mère aimait me voir me livrer à ce jeu près d'elle et répondait toujours gentiment à mes questions. Elle savait les noms précis de chacune de ces pierres qu'avait permis d'accumuler la tradition d'une famille qui consacrait l'or et les pierres comme un investissement sûr et une valeur de protection. Elle me faisait répéter après elle ces noms magiques et me laissait ensuite le loisir de les placer en rangs comme je l'aurais fait avec des soldats de plomb, de les compter, bref de manier ces trésors de famille comme s'il s'était agi de jouets très ordinaires.

Je l'interrogeais sur ses bijoux, j'apprenais à en connaître les vertus et les charmes. On ne m'aurait pas pris en défaut pour décrire les différences qu'il convient de voir entre un chapelet de cristal de roche et un collier de marcassite, entre un brillant et un diamant, tant j'avais pris l'habitude de tâter les pierres, de les faire miroiter, d'en comparer les reflets et surtout d'en tirer le plus grand des contentements. J'apprenais en même temps l'histoire de la famille et je ne m'étonnais pas de constater qu'elle se confondait sans détour avec l'histoire de la ville. De la haute-ville, s'entend !

Boucles d'oreilles et colliers allaient de pair, ou encore une broche qu'elle fixait élégamment au corsage de sa robe pour l'harmoniser avec les boucles qu'elle venait de pincer à ses oreilles. Elle savait s'habiller. Dans sa chambre se dressait une armoire qui me semblait immense, dans laquelle elle rangeait dans un ordre parfait ce qu'elle appelait ses toilettes ; c'est là qu'elle sélectionnait le vêtement qu'elle allait porter pour recevoir ou pour venir au salon. Que des belles robes, des costumes à la mode, pour l'achat desquels elle n'avait pas lésiné :

« Dans notre monde, aimait-elle à me dire, on est ce qu'on paraît être. »

Une phrase qui n'éveillait en moi aucune résonance à l'âge où je jouais chez elle, mais qui m'est remontée à la mémoire quelques années plus tard et m'est restée dans la gorge ; ma révolte s'en est largement alimentée.

Quand on tournait la clé des deux portes avec miroir qui ouvraient l'armoire en son centre, ces toilettes se dévoilaient avec une certaine impudeur, comme si elles avaient appartenu à quelque reine qui ne pouvait être ma grand-mère. Elles prenaient tout l'espace. Comme dans un magasin. Juste en dessous s'alignaient en quantité des paires de souliers de toutes les couleurs, qui me regardaient comme les soldats aplatis d'une armée de nains et pointaient vers moi leurs larges baïonnettes aux formes étranges. La grande armoire de bois sombre n'avait pas d'angles droits en son extérieur, mais des côtés en demi-cercle, fermés par des portes arrondies, derrière lesquelles se multipliaient les trésors. Je n'y avais pas accès, à ceux-là, et j'en voulais à ma grand-mère de me les cacher. Un jour qu'elle était sortie, n'en pouvant plus, j'avais osé pénétrer sans permission dans sa chambre. J'y avais tourné les deux clés de fer forgé qui ouvraient les portes défendues. Il me faut bien le dire, j'ai vite reculé devant le mystère un peu dégoûtant des soutiens-gorge et des autres sousvêtements dont les tristes dentelles et les couleurs fades, des beiges et des roses éteints, me consternèrent. J'y reconnus des dessous féminins, mais, dans mon esprit, il était impossible qu'une grand-mère porte de telles choses, comme mes sœurs ; elle était bien trop vieille pour ça !

Plus tard, j'ai compris que les tablettes où reposaient ces nippes vaguement inconvenantes cachaient bien d'autres choses, que je n'aurais pas su apprécier à six ou huit ans.

La maison était ancienne et les chambres ne comportaient pas toutes une garde-robe. Celle de grand-maman en avait une, toute petite, dans laquelle elle rangeait ses vêtements de tous les jours. C'est-à-dire les vêtements à user. Alors là, rien à voir avec la majesté des toilettes de la grande armoire ; l'aïeule y cachait pour son usage tout ce qui n'était plus montrable ni donnable et qu'il fallait user.

« Il y a tellement de gens qui n'ont rien à se mettre sur le dos, on ne doit pas jeter ce qui peut encore servir. Il ne faut pas jeter les choux gras. Il ne faut pas gaspiller. Et puis, c'est la guerre, non ? »

Elle y pigeait donc quotidiennement les oripeaux dont elle se couvrait pour vaquer à ses occupations, quand elle n'était pas en représentation. Pour aller au jardin, notamment, elle trouvait le tour de nous étonner, comme si le travail de la terre appelait une tenue totalement vile. C'étaient d'ailleurs les seules fois qu'elle mettait un pantalon ; cette culotte que les saisons avaient délavée datait de je ne sais quand et convenait très bien à son équipage d'épouvantail, de « peureux de corneilles », comme on disait.

Car grand-maman aimait travailler dans le jardin. En fait, elle aimait surtout jouer dans le potager, qui occupait un coin de la cour arrière. Elle se faisait une gloire, à chaque été, de mettre sur la table de la cuisine ses radis, ses carottes, ses pommes de laitue ou ses panais, le seul légume qui, à ses yeux, sortait de l'ordinaire dans son carré de terre. J'aurais bien aimé pouvoir la contredire, moi qui les détestais, ces panais, tout comme je détestais ses fameuses cerises de terre, qu'elle tenait tant à me faire goûter toutes crues. Elle en tirait une horrible confiture dont la seule pensée me fait monter un goût amer à la bouche. Le reste de la cour ne l'intéressait pas du tout, hélas ; il n'intéressait personne de la famille non plus. Le père Tabard tondait le gazon de temps en temps, taillait les seringats, les cenelliers et les lilas sauvages qui poussaient à l'aveuglette le long des clôtures ; à l'occasion, il vidait des feuilles mortes qui s'y amassaient la vasque de pierres roses où depuis le début du monde, me semblait-il, coulait un filet d'eau de source devant lequel j'ai passé bien des heures. Jusqu'à l'âge de douze ou treize ans, ce fut le lieu de tous mes rêves. Même plus tard, je ne dédaignais pas de venir m'y ressaisir.

Cette vasque, je l'écris avec émotion, ce fut ma Méditerranée, mon Atlantique, ma fenêtre ouverte sur le monde. J'y ai beaucoup appris sur moi-même. Les voyages que j'ai entrepris, les contrées magiques vers lesquelles je me suis embarqué, depuis ce port de mer de la rue des Érables, m'ont mené en des lieux où j'ai cultivé le sentiment d'un total dépaysement, y prenant aussi le goût d'aller au bout de moi-même. En même temps, puisqu'on me savait occupé et que, pendant des heures, on n'avait pas à s'inquiéter de moi, on m'oubliait facilement et on ne songeait pas à prêter attention à ma présence. Sur les rives de ma vasque, j'ai aussi beaucoup appris sur les autres, particulièrement sur mes parents et sur le milieu qui était nôtre.

Combien de fois n'ai-je pas vu apparaître, sur le perron d'en arrière, l'un ou l'autre de ces lointains cousins venus discuter d'affaires, qui s'étaient excusés auprès des veilleurs du boudoir sous prétexte d'aller prendre l'air ? Ils ne voyaient pas le jeune garçon accroupi près de la mare, lequel, bien qu'il ne l'eût pas cherché, entendait des secrets dont certains, sans qu'il le sache toujours, étaient lourds de conséquences. Dans la pénombre du soir, entre le moment où il venait de terminer ses devoirs et l'heure de souhaiter le bonsoir à la compagnie avant d'aller au lit, ce garçon discernait même des gestes qui le laissaient songeur, surtout quand une femme était venue tenir compagnie à l'homme qui avait eu besoin d'air frais.

Ceux qui m'ont le plus aidé à faire mes classes, en ces domaines de la vie adulte dans lesquels on n'est jamais vraiment préparé à entrer, n'en ont jamais rien su, puisqu'il s'agissait des femmes qui étaient au service de la maison. Depuis les bords de mon océan, j'entendais régulièrement leurs bavardages et les commentaires de tout ordre dont elles égayaient leurs journées ; je m'amusais aussi de la faconde des livreurs dont la longueur des conversations, dans la cuisine, était souvent proportionnelle aux nouvelles dont ils étaient porteurs et, dans quelques cas que je ne manquais pas de noter, à l'accueil que leur méritait leur galanterie auprès de la bonne du moment, et même auprès de la vieille Marie.

La bonne, en effet, faisait entièrement partie de notre quotidien d'enfants, tout comme la cuisinière et la couturière. Ma mère leur confiait les tâches domestiques et parfois la garde des enfants ; c'était là, avant tout, le rôle de la bonne en titre, mais selon les circonstances, Marie, la cuisinière, était appelée à faire sa part, et même la peu ragoûtante Mme Truchon.

Marie, dans sa cuisine, était pour moi le prototype de la vieille femme, plus encore que ma grand-mère, et elle semblait d'ailleurs beaucoup plus âgée que celle-ci ; à mes yeux, il était inconcevable qu'elle ait pu un jour avoir été une jeune femme. Du plus loin que je me souvienne, j'aimais rester près d'elle et j'avais appris très tôt à la considérer comme une autre grand-mère. Je n'ai jamais connu d'autre cuisinière qu'elle. Elle a fini ses jours chez nous. Durant ses dernières années, mes parents ont tenté de la ménager ; ils lui ont engagé une aide, mais il était entendu que c'était elle qui faisait la cuisine, même quand elle eut toutes les peines du monde à se traîner jusque dans son royaume de comptoirs encombrés et d'armoires débordantes, au milieu duquel elle se sentait heureuse.

Assez lourde d'allure, cette vieille servante avait un appétit de bûcheron et une tuyauterie d'acier, comme elle aimait le dire d'elle-même, en partant d'un grand éclat de rire. L'idée de ne pas engraisser ne lui a jamais effleuré l'esprit tant il lui paraissait normal qu'une cuisinière, ça doive manger et donner l'exemple de la bonne bouffe.

« Mangeons bien, nous mourrons gras ! »

Cette phrase qui, dans la bouche des autres, aurait paru vulgaire, elle l'utilisait à temps et à contretemps et l'accompagnait chaque fois d'un rire généreux qui lui secouait les épaules et mettait en branle toutes les rondeurs qui y étaient attachées.

Des idées de recettes, des trucs pour que ses maîtres mangent bien, elle en avait des tonnes, assez en tout cas pour savoir des jours à l'avance ce qu'elle servirait à la maisonnée et à ses hôtes.

Peu instruite et parlant une langue qui sentait son terroir, Marie nous accueillait au petit-déjeuner, les jours de grande pluie, en jetant un œil à la fenêtre : « Il pleut comme vache qui pisse ! » Une sentence aussi grasse aurait pu paraître une grossièreté. Mais tout était si naturel chez Marie qu'on n'avait jamais le sentiment qu'elle avait employé un langage déplacé. Marie, c'était le bon sens même, une sorte de livre de sagesse dont l'influence dépassait de beaucoup la vaste pièce sur laquelle elle régnait.

À un nouvel assistant du boulanger que j'avais vu déboucher de la ruelle, comme tous les livreurs le faisaient, et qui n'avait pu s'empêcher d'émettre des commentaires légèrement envieux sur l'aspect cossu de notre maison, elle avait répondu du tac au tac :

« Qui c'è-ti qui a de beaux chevaux si c'est pas le roi ? »

Allongé près de ma vasque, j'avais été épaté par cet argument massue. Pour Marie, la question des classes sociales ne posait pas problème ; c'était dans l'ordre des choses. Elle se sentait chez elle.

Son observation était souvent d'une grande finesse.

« Monsieur, il fait l'indépendant, mais il a besoin d'elle des pieds à la tête », soulignait-elle parfois à propos de mon père et de ma mère. Et quand il m'arrivait, au retour de l'école, de n'avoir pas le goût de m'atteler au travail :

« T'es fatigué et t'as pas le goût de travailler, mon Jean ? Assieds-toi, repose-toi et attends que ça te passe. »

Malgré l'ironie dont elle était empreinte, une telle recommandation avait tout ce qu'il fallait pour me convaincre que Marie me comprenait et qu'elle se gardait bien de me juger. C'était rassurant pour l'enfant que j'étais.

D'ailleurs, ma première leçon de philosophie, si je puis dire, c'est d'elle que je l'ai reçue. Elle avait souvent de ces sentences dont je percevais bien qu'elles étaient lourdes de sens. Je l'écoutais et, chaque fois qu'elle exprimait l'une de ces préoccupations hors de l'ordinaire, je m'installais les deux coudes sur le bout de la table, la figure appuyée sur mes mains, et je la regardais avec vénération.

« J'sais toujours ben pas oussé qu'on va quand on dort. »

Cette question la hantait, comme certaines autres de même nature. Celle-là, cependant, elle l'avait en tête chaque matin que le Bon Dieu lui amenait. Des années durant, assis non loin d'elle, je partageai sa quête de réponse, sans lui avoir été du moindre secours.

Toujours de bonne humeur, elle ne perdait jamais patience et ne se laissait jamais démonter. Contrairement à tant d'autres dans la maison, elle ne craignait pas de dire ce qu'elle pensait ; elle savait le faire cependant avec une franchise si désarmante que personne ne pouvait lui en vouloir d'être si directe. Et elle ne manquait pas d'humour.

« Madame commande du saucisson de Bologne, pis moi, c'est du baloney que je mets dans l'assiette. »

La cuisine ouvrait sur la cour. Il m'arrivait de quitter la vasque quelques minutes, histoire d'aller prendre une collation ou boire quelque chose. Ou tout simplement d'aller me réchauffer le cœur auprès de Marie. J'entrais dans sa cuisine.

« Qu'est-ce que t'as le goût de manger ? » s'enquérait-elle, avant de commencer à énumérer les gâteaux et les fruits qu'elle pouvait m'offrir. Comme je disais oui à tout et que je n'arrivais pas à me décider, elle me lança un jour le type de phrase dont elle était spécialiste :

« Dis-moi donc ce que t'aimes pas, ça va être plus court ! »

Le cœur encore tout chaud de son accueillante présence, je revenais ensuite à mes jeux solitaires et je franchissais sans même y songer le miroir qui m'amenait au pays des merveilles.

*

La vasque de pierres roses de la cour arrière résonne encore à mes oreilles des noms qui l'emplissaient à ras bord ; ils provenaient de sources aussi multiples qu'incertaines : mes livres de classe, évidemment, et les questions d'une bonne, mais aussi les conversations qui avaient pour objet la guerre, les discussions des veilleurs, la radio, qui donnaient vie à des dizaines de noms aux consonances exotiques. Ils fusaient devant mes yeux ébahis, non pas comme des feux d'artifice éphémères, mais plutôt comme de nouvelles étoiles installées à demeure dans ma conscience avide.

Mes premières lectures y contribuaient également, de même que tout le bagage de mystères et la litanie des vocables de toutes sortes que je cueillais à l'église, où nous étions tenus de nous rendre très souvent. Les psaumes notamment, dont je tentais de suivre la traduction française dans mon missel d'enfant, me fournissaient des termes qui sortaient de l'ordinaire, tout comme le faisaient les sermons pittoresques des missionnaires, les seuls à nous parler vraiment des extrémités du monde. Berlin, Rome, Paris, Tokyo n'étaient jamais loin de Babylone et de la mer Rouge, de Jérusalem et des cèdres du Liban. Peut-être même du schéol et des portes de l'enfer. Ces termes enchanteurs et parfois menaçants se mêlaient à d'autres noms qui s'étaient ancrés en moi du seul fait qu'ils étaient sonores et qu'ils avaient le pouvoir d'évoquer des villes à figure mythique, telles Samarcande, Barcelone, Venise, Carthage. Leurs noms étaient si beaux, à ces villes, si coulants, que le seul plaisir de les prononcer les avait installés en moi comme s'il s'était agi d'un trésor précieux. Tous, même si je ne cherchais pas à savoir pourquoi, ils me faisaient rêver, sans me donner encore l'envie de partir ; la découverte des ailleurs passait par la vasque. Elle me suffisait pour le moment.

Je ne manquais pas d'imagination. Les vies des saints dont on faisait grand usage à l'époque et les premiers contacts avec l'histoire, la lecture intense des *Hérauts*, ces bandes dessinées auxquelles on s'abonnait à l'école et qui nous ouvraient des mondes inconnus, ne contribuaient pas peu à l'alimenter, cette machine à images que j'avais en moi et à donner vie à cette mappemonde féerique qu'était ma vasque. Les mers n'avaient pas encore été différenciées. Des continents faisaient surface, des pays surgissaient qui n'étaient séparés des océans et des îles que par de bien vagues frontières. Il n'existait pas encore de montagnes dans ce monde, ce qui n'empêchait pas les monstres, les cyclopes, les djinns et les dragons de toutes tendances de s'aventurer partout. L'eau que j'avais sous les yeux était le rendez-vous de tous les malheurs et de tous les espoirs, la cuve du mal et l'avenue des espérances les plus vraies. Nouvel Ulysse, nouveau Sindbad, il m'appartenait de m'y lancer, de conquérir ces routes liquides et de maîtriser les sirènes de toutes sortes qui en jaillissaient, pour les terrasser ou, pourquoi pas, les séduire…

Ma vasque était un fourre-tout alimenté indifféremment par toutes ces images et, par-dessus tout, par une imagination qui ne s'assoupissait jamais. L'univers entier habitait cette fontaine, qui se transformait à volonté en des mers alourdies par les plus fabuleux trafics. Sur ces bateaux éblouissants, les fourmis, les sauterelles et les hannetons formaient l'équipage le plus bariolé qui soit, et personne n'était là pour mettre en doute que, sur ces majestueux bouts de bois transformés en navires au long cours, une éclisse d'épinette, un mégot de cigarette ou les samares des érables vaillent bien les plus luxueux produits des Indes et de Palmyre.

J'y faisais voguer mes bateaux, qui ne furent d'abord chargés que de ces monceaux de bois dont j'empruntais l'image aux quais de l'Anse-aux-Foulons. À mesure que j'apprenais de quoi est fait le monde, j'y ajoutais les épices, la vaisselle anglaise, les Chinois de la rue Saint-Vallier, le thé des Indes et de Ceylan, les singes et les paons, et les livres de France. Derrière les fenêtres quadrillées de lumière, une armée de nains s'agitaient déjà. Tantôt mouches, tantôt araignées ou fourmis, ces marins occasionnels avaient été priés de sauter sur les navires pour en former l'équipage ; ils s'apprêtaient à les mener dans tous les ports dont j'avais découvert l'existence secrète. Ils attendaient de moi seul l'ordre de départ. Aux bateaux de ligne et aux cargos ventrus dont le port de Québec m'avait fourni mes premiers modèles, je prenais plaisir à joindre les galères d'Angleterre, les caravelles portugaises ou les galions espagnols, puis, au rythme de mes lectures, s'alignaient progressivement à côté de ces nobles vaisseaux les felouques, les brigantins, les galiotes et les trirèmes. Si la mer que j'avais sous les yeux était grosse de tous ces navires, elle ne m'étonnait pas ; j'étais le doge de Venise, le maître de la mer dont le vaisseau d'or occupait partout le premier rang et devant lequel tous s'inclinaient.

Couché sur le côté, je m'amusais à créer la tempête. Dans cet univers amplifié par les rêves de Jules Verne et de Léonville, je tenais la barre à la place des capitaines, et me tournais tantôt vers la mer, tantôt vers les nuages gris qui roulaient au-dessus de moi, recréant pour mon seul effroi le mouvement binaire des vagues. Sous mes yeux incrédules, elles avalaient le ciel en un lent mouvement pour aussitôt le restituer dans le creux agité où s'enfonçait mon bâtiment. J'en étais étourdi et heureux, un peu enivré de rêve. Entre la fontaine et le hangar, le prunier desséché que n'avait jamais voulu couper le père Tabard devenait un mât, une vergue qui, à chaque mouvement de cette immense machine, égratignait le ciel, comme pour y installer une verticale courroucée, un trait d'une bien pauvre utilité dans ce champ de rêve qui n'aurait jamais accepté de frontières.

C'est ainsi que se créait lentement et de très loin le désir de partir qui n'allait jamais me quitter et auquel je finirais par succomber. Et que je prenais conscience du fait que les mers lointaines paraissent toujours plus belles que les mers proches.

Ni ma grand-mère ni même les visiteurs occasionnels qui arrivaient chez nous par la ruelle ne semblaient s'étonner de me voir là ; de s'apercevoir que je parlais parfois tout seul ne les faisait pas sursauter non plus. Les noms de villes et de pays que j'avais empruntés me poursuivaient et fondaient mes rêves. Je ne cessais de me les répéter pour donner corps à mes aventures. J'avais aussi recours à des mots que je trouvais éclatants dans notre langue, des mots pour lesquels le sens importe moins que la sonorité toute-puissante dont ils sont dotés. Eux aussi ils flottaient sur cette nappe onirique. Estacade, sarbacane, griserie et giboulée, par exemple, faisaient partie de cette espèce éparpillée ; leur seule présence sur mes lèvres était une source de plaisir. Avec bien d'autres, ils venaient au secours de mon imagination pour donner à la réalité qui s'allongeait devant moi une existence qui aurait fait sourire mes compagnons s'il leur avait été permis d'accéder à mon univers.

*

Je n'ai jamais partagé ma vasque. Pas même avec mon jeune frère Jean-Blaise. J'acceptais qu'il vienne y jouer avec moi de temps en temps, mais, grâce à Dieu, les jeux d'eau ne lui plaisaient guère : il n'avait pas le pied marin ! Ma grand-mère, quant à elle, utilisait beaucoup l'eau de la vasque pour arroser ses plants de légumes. Elle plongeait son seau tout près du muret où une espèce de gargouille de ciment laissait nonchalamment couler son filet d'eau ; elle le remontait sans brusquerie, en faisant toujours attention de ne pas troubler mes jeux. Parfois elle me demandait de l'aider ; je laissais alors là cette mer encombrée que n'a jamais véritablement remarquée grand-maman et j'y revenais aussitôt que, par un sourire satisfait qu'elle m'adressait, elle me signifiait que je pouvais disposer.

Jamais, par conséquent, je n'ai eu à m'expliquer sur l'éclat de mes caravelles à la poupe illuminée ou sur la splendeur de mon palais de doge, d'où je contemplais une mer Adriatique qui n'était aucunement mal à l'aise d'accueillir pêle-mêle tout ce que j'apprenais quotidiennement du monde.

Il n'y avait qu'une personne avec qui j'éprouvais du plaisir à jouer sur les rives du bassin. C'était un garçon qui avait presque dix ans de plus que moi et qui portait un nom très curieux : Gigotte. Cet accès privilégié, je ne l'avais donné à aucun de mes petits camarades ; il était le seul à en bénéficier, le seul aussi à l'avoir mérité.

En décembre 1939, quand ma grand-mère s'était installée chez nous, elle avait obtenu de mes parents d'amener à la maison, quelques mois plus tard, un jeune homme qu'elle appelait son protégé. Il lui serait dévoué et lui servirait en quelque sorte de domestique. C'était Gigotte. Il venait d'avoir seize ans, et les religieuses de l'orphelinat où il avait été élevé se préparaient à lui donner sa liberté, maintenant qu'il était assez grand pour voler de ses propres ailes et se trouver un travail.

Peut-être mes parents étaient-ils au courant de ses origines, mais pour ma part, je ne sus que beaucoup plus tard l'histoire de Gigotte : enfant illégitime, il n'avait jamais été reconnu par son géniteur qui, dans l'anonymat le plus strict, avait tout de même vu, au cours de ses années d'orphelinat, à ce qu'il ne manque de rien. Or ce géniteur, ma grand-mère ne devait l'apprendre qu'après les funérailles de son mari, c'était mon grand-père Lefrançois.

Qu'est-ce qui l'avait poussée, cette veuve bafouée, à s'attacher à cet orphelin qui avait tout pour lui faire horreur, personne ne l'a su. Elle qui n'était pas particulièrement charitable, avait-elle été touchée par la beauté de ses traits, que ne parvenait pas à éteindre ce regard légèrement absent avec lequel il contemplait toutes choses ? Ce diagnostic d'attardé mental qu'il traînait à ses basques ne le condamnait-il pas à une vie de misère, d'autant plus que sa naissance l'avait affligé d'une infirmité dont il ne pourrait jamais se défaire : il était un pied-bot ? À cause de sa malformation du pied droit, et de l'habitude qu'il avait prise très tôt de toujours balancer ce pied lorsqu'il était au repos, on l'avait affublé du surnom de Gigotte, qu'il lui arrivait de prononcer lui-même Zigotte s'il était intimidé.

Il n'était évidemment pas question de le loger chez nous. Derrière la maison, cependant, au bout de la ruelle qui menait à la rue des Érables, se trouvait un hangar qui avait très belle allure. C'était une ancienne fabrique de cercueils, une menuiserie bien connue des voisins du quartier, qui n'était déjà plus au service des morts quand mes parents avaient acheté la propriété où nous habitions.

Ce hangar cadrait bien dans le paysage : on eût davantage cru qu'il s'agissait d'une demeure aisée tant ce bâtiment minuscule avait belle apparence, avec ses deux étages équilibrés et la masse colorée de ses lambris de bois qui avaient été peints et repeints en bleu. Un bleu qui avait un nom si précis qu'il me servit à comprendre qu'on ne sait rien tant qu'on ne sait pas nommer les choses.

Lorsqu'un visiteur prononça pour la première fois devant moi les mots « bleu de Prusse », je compris qu'au-delà du terme un peu court qu'on employait pour désigner toute chose qui possédait un peu du ciel d'azur ou qui empruntait quelque lueur au saphir que portait grand-mère il existait des nuances et que ces nuances avaient un nom qui leur devenait nécessaire : on ne les voyait pas si on ne savait pas les dire. Ce fut une révélation pour moi. Le « bleu de Prusse » s'ancra vite dans ma mémoire ; il allait si bien avec les autres bagages dont je faisais ample provision pour mon voyage intérieur !

L'arrière du hangar avait été transformé en garage pour l'auto de papa et, plus tard, pour celle qu'il avait achetée à l'intention des enfants ; l'avant n'était plus qu'un lieu de remisage qui servait peu. À son arrivée chez nous, ma grand-mère avait obtenu d'utiliser à sa guise cette partie du hangar pour y installer son pupille. Il ne fut pas difficile d'y faire monter les murs d'une chambre et d'y installer une salle de bain. Ma grand-mère payait le tout, et le hangar bleu, c'était dorénavant à elle qu'il revenait de s'en occuper. Elle se servait également de l'étage pour y remiser les meubles qu'elle avait tenu à conserver en s'établissant chez nous.

J'allais avoir bientôt sept ans quand Gigotte, à l'hiver 1940, a emménagé dans ses nouveaux quartiers, où je n'avais jamais eu l'audace d'entrer seul. Il m'a fallu des années d'ailleurs avant que j'ose y mettre les pieds, tant les histoires de fantômes rôdant dans les alentours m'impressionnaient. Malgré l'envie que j'en ai souvent eue, même Gigotte n'a pas réussi, ces années-là, à me convaincre d'entrer dans ce qui était devenu sa résidence. Je le prenais en pitié de vivre avec les morts.

Pas fou du tout – certains habitués de la maison avaient été catégoriques : les bonnes sœurs s'étaient trompées en le classant comme attardé –, et déjà assez bel homme pour son âge, Gigotte avait vite trouvé un travail à sa mesure et un rôle qui faisait son affaire. Le sacristain de la paroisse Notre-Dame-du-Chemin l'avait engagé comme assistant, les sœurs de l'oratoire Saint-Joseph, sur le chemin Sainte-Foy, avaient recours à lui comme commissionnaire et, dans la maison, on prit dès le début l'habitude de faire appel à lui pour toutes sortes de travaux et de courses ; il était cependant entendu qu'il était d'abord au service de la grand-mère Lefrançois. Ses journées n'étaient jamais très remplies et il s'arrangeait pour qu'on n'abuse pas de lui.

À vivre non loin de lui et à l'observer, je notai assez tôt qu'il s'était forgé un personnage, sans doute depuis longtemps, et que ce personnage lui servait de bouclier. Ce garçon était fragile. Il y avait un Gigotte pour la maison et pour les sœurs ou pour le sacristain et un autre pour l'extérieur. Celui-là, il se rapprochait de l'image que l'on se fait de l'idiot du village. Était-ce à cause de ses années d'orphelinat ou parce qu'il portait en lui un mal-être que je n'étais pas du tout en mesure de déceler, toujours est-il que Gigotte jouait à merveille de ce deuxième personnage. Il ne se souciait aucunement de ce que les autres pouvaient penser de lui.

Dans les deux premières années qu'il passa avec nous, dès qu'il avait franchi la ruelle qui donnait accès à la rue des Érables, sa démarche s'alourdissait, ses yeux bruns s'effarouchaient ; visiblement, il modifiait son comportement pour faire rire, quand ce n'était pas pour qu'on le repousse ou qu'on l'évite. Ainsi avait-il gagné la paix face aux gens à qui il ne désirait pas plaire ou avec qui il craignait d'avoir des problèmes.

Une fois rendu à l'église ou chez les religieuses de l'Oratoire, il reprenait ses sens, se redressait de toute sa grandeur, lui qui faisait six pieds, comme si, là-bas, il se sentait aussi à l'abri qu'il l'était à la maison.

Il était arrivé chez nous au milieu de l'hiver. C'est à la cuisine que je le rencontrais ; il y prenait ses repas et, quand il n'était pas de service à l'extérieur, il s'y installait très discrètement, sans rien attendre de personne, toujours prêt à rendre service. Dès que la neige tombait, il s'emparait de la pelle et s'assurait que les abords de la maison étaient nettoyés ; si Marie avait oublié un article dans la commande passée à l'épicier, il était l'homme de la situation : elle lui donnait des sous, il se rendait chez Bégin ou chez Moisan et, quelques minutes plus tard, elle avait en main l'ingrédient qui lui manquait.

C'est ainsi que je m'habituai à la présence de ce grand garçon avec qui je n'échangeais que des bonjours et quelques sourires. Le printemps revint, qui me vit retrouver le chemin de ma vasque. Elle était en partie cachée à la vue par le hangar, si bien que les gens qui arrivaient par la ruelle ne la remarquaient pas, pas plus que ceux qui sortaient de la cuisine. Gigotte, lui, la voyait bien. Elle prenait une toute petite place au fond du jardin, et c'était merveille pour moi de la voir exsurger lentement des glaces qui l'avaient protégée de l'hiver. Plus encore que le cri des corneilles ou l'éclosion des crocus violets et jaunes du voisinage, avant même les rites régénérateurs du mois de Marie, c'était là le premier signal du printemps.

Gigotte avait une dizaine d'années de plus que moi, ai-je dit. Je ne me serais pas attendu à ce qu'il se joigne à mes jeux. Durant les premières semaines, je ne dirais pas qu'il m'ignorait, mais il était évident que mes occupations ne présentaient aucun intérêt pour lui. Il m'observait du coin de l'œil lors de ses allées et venues, sans plus.

À la fin de l'été, sans doute parce que mes jeux avaient évolué à ses yeux, il commença à surveiller de plus près les opérations que je menais sur mon plan d'eau. De loin au début, puis il se rapprocha au point qu'un jour je l'accueillis, à genoux comme moi sur la bordure de pierre. Il se mit à me poser des questions ; je lui expliquais les choses comme je l'aurais fait à un enfant de mon âge, capable par conséquent d'entrer de plain-pied dans mes histoires. En peu de temps, il fut nommé très officiellement grand amiral de Venise et conseiller spécial du doge. Évidemment, il partait de loin et le doge ne pouvait lui en vouloir de mêler certains des noms qu'il entendait. Avec ce grand commis,

Babylone et Jérusalem s'illustraient comme des ports de mer, Rome devenait une île perdue et le Jourdain arrosait tantôt Paris, tantôt Londres. Mais qu'importe, le grand amiral était habile, personne ne savait comme lui fabriquer des bateaux et commander à la flotte.

Une année passa, puis une autre. Le grand amiral était toujours à son poste ; chaque été le voyait revenir au bord de la vasque, à ma grande satisfaction : les vastes entreprises qui s'y amorçaient continuaient de l'intéresser.

Quand il devait quitter nos jeux, j'en éprouvais du déplaisir. Si c'était parce que son travail le requérait auprès des sœurs ou du sacristain, je faisais contre mauvaise fortune bon cœur. Je comprenais mal, cependant, qu'il me quitte parce que des visiteurs se présentaient à la porte du hangar et qu'il se sentait obligé d'y disparaître avec eux. Passe encore que ce soit ma grand-mère, à qui il se devait d'être tout dévoué. Elle avait pris l'habitude, dès que ses muscles la faisaient souffrir pour une raison ou une autre, de se tourner vers Gigotte ; par ses massages, il lui procurait un grand bien-être, disait-elle chaque fois qu'elle sortait du hangar.

« Que ça me fait du bien ! »

Elle ne s'adressait pas à moi, c'est évident, mais j'enviais toujours l'ardeur avec laquelle elle remerciait son jeune bienfaiteur.

Sans doute le mot s'était-il répandu, car de plus en plus de femmes, la plupart assez vieilles, venaient consulter mon grand amiral. De fait, elles étaient quatre à se présenter régulièrement, toutes des dames de qualité de la paroisse, et toutes veuves. Et les séances s'éternisaient souvent, au grand désespoir du doge qui ne comprenait pas trop par quel phénomène son assistant s'était transformé en médecin des corps. Comme grand-maman, ces dames du quartier quittaient « monsieur

Gigotte » sur de grands remerciements, le sourire aux lèvres et la main généreuse, à en juger par les billets que mon amiral fourrait dans sa poche. Il revenait vers notre vaste mer et le jeu reprenait ; l'amiral avait toujours l'air plus requinqué d'une fois à l'autre.

Deux années, c'était le temps qu'il lui avait fallu pour apprivoiser le monde dans lequel il était entré. Gigotte avait maintenant pris de l'assurance. Plus question pour lui de jouer les minus ni de fondre, s'il avait à affronter la foule : il restait timide, mais il ne s'en laissait plus imposer par les autres. Il ne dérangeait pas, et on ne lui marchait pas sur les pieds.

Virginie Truchon avait à peu près l'âge de ma sœur dont elle portait le même prénom. Au cours de l'été 1942, Mme Truchon l'amenait parfois avec elle à la maison, pour mieux la surveiller, avait-elle dit à ma mère. Est-il besoin de le préciser, cette dernière ne permettait pas que sa Virginie à elle fraye avec « la fille-Truchon ». À quinze ans, la pauvre traînait déjà une réputation équivoque, qui ne paraissait pas sans fondement : mince, grande et déjà femme, elle ne dédaignait pas d'ajouter à sa tenue le petit quelque chose qui la ferait remarquer. On la remarquait, en effet, et les mères en avaient peur. À la voir se dandiner en présence des garçons, rouler ses cigarettes avec dextérité et fumer sans vergogne à la face des gens bien élevés, elle était déjà condamnée !

Virginie Truchon avait cependant la permission de venir dans la cour arrière ; il lui suffit d'un coup d'œil pour découvrir les vertus de mon grand amiral. Au début, l'amiral de dix-neuf ans se montra méfiant, mais il ne prit pas de temps à la jeune fille pour amadouer ce haut gradé de nos jeux. Si elle eut la délicatesse de ne pas s'immiscer dans nos histoires, l'inconvénient avec elle, c'est qu'elle en vint très vite à kidnapper parfois mon grand officier, tantôt pour s'enfermer avec lui dans le hangar, tantôt pour prendre en sa compagnie la direction de la rue des Érables, vers des destinations dont on ne m'informait pas.

Je ne lui en voulus pas, car c'est grâce à cette Virginie que je pus m'élancer pour la première fois vers le grand large. Un jour qu'elle arrivait à l'improviste près de la vasque, elle m'entendit parler des Chinois de la rue Saint-Vallier qui allaient attaquer à bord de leur jonque.

« Pourquoi tu parles des Chinois de la rue Saint-Vallier, Jean ? Tu les connais ? »

Un peu pris de court, je dus avouer que non, je ne les connaissais pas et même que je n'étais jamais allé rue Saint-Vallier.

« On y va. Dis pas un mot, Jean, on va t'amener dans le quartier des Chinois. »

Gigotte ne s'y opposant pas, je décidai de sauter sur l'occasion. Ce fut ma première fugue. Elle me laissa un goût de fruit défendu dont je me délectai longtemps. Je venais de découvrir la Chine.

*

Les bonnes ont fait partie de notre vie quotidienne, ai-je fait remarquer ; ma mère en avait toujours une à son service. Il fut un temps, toutefois, où l'on en a vu passer beaucoup à la maison. Aucune ne restait longtemps. Pour ces filles de la campagne, il faut croire que les « bonnes gages » qui les avaient attirées en ville ne suffisaient pas à leur faire accepter la discipline monastique que leur imposait ma mère, ainsi que le port obligatoire du minuscule bonnet de dentelle auquel leurs expériences antérieures de travail les avaient bien peu préparées. Une planche pour les oignons, une autre pour les légumes ; une pour les fruits, une autre pour le pain. Un torchon pour les verres, un autre pour la vaisselle et un plus vil, « une de ces guenilles qui se lavent mieux », pour les casseroles. Face à la frénésie de propreté de ma mère et à ses précisions maniaques sur *la* façon d'accomplir les tâches domestiques, soumises à la corvée de l'argenterie et à l'obligation de tenir les planchers cirés comme dans les couvents, plusieurs préféraient reprendre le chemin de la campagne, troquer le bonnet pour le chapeau de paille et, ayant retrouvé le sourire, s'adonner à la traite des vaches et aux travaux des champs.

À certaines d'entre elles n'avait pas échappé le manège qui se déroulait dans le fond de la cour ; elles pouffaient de rire parfois à voir les clientes de Gigotte venir se faire soigner, et j'entendais sans trop comprendre certains de leurs commentaires assez directs sur ses dons de rebouteux. Puisque l'amiral prenait avec elles ses repas, elles ne manquaient pas de l'interroger sur ses talents, allant même jusqu'à le provoquer ; c'est qu'à tour de rôle elles l'avaient toutes trouvé beau garçon ! Aucune, je pense, n'est retournée dans sa ferme sans avoir goûté aux traitements de cet homme de bien. Dès qu'il les avait reçues, la chose était remarquable, elles ne se payaient plus sa tête…

C'est avec Mariette que la ronde des bonnes prit fin ; elle a changé tout cela et est restée chez nous longtemps.

Mariette ne venait pas de la campagne. Élevée dans un secteur passablement pauvre de la ville, elle rêvait de s'engager dans les maisons des quartiers riches et d'apprendre les belles manières auprès des dames de cette société qui lui en imposait. Ce fut ainsi que, plutôt que d'aller travailler dans les usines de guerre, où le salaire était meilleur, elle entra au service de ma mère à l'automne 1943. Elle avait seize ans. Elle ne partit de la maison que pour se marier, une dizaine d'années plus tard, encore qu'elle ne partit jamais complètement : il n'est pas de semaine par la suite où elle n'est pas revenue aider ma mère. À vrai dire, le rôle de femme de ménage que jouait maintenant Mariette camouflait une relation, entre ma mère et elle, que l'on aurait pu appeler d'amitié s'il n'avait pas été inconvenant qu'une femme de la classe de ma mère admette éprouver un tel sentiment pour une servante, et qu'elle la fréquente en amie véritable.

C'était une femme intelligente que cette Mariette. Elle manifestait un désir d'apprendre qui ne se démentait jamais, comme le montraient la manière dont elle était à l'écoute de ce qui se disait autour d'elle ou les questions toutes discrètes qu'elle ne se gênait pas de poser quand l'occasion s'en présentait. Elle avait la permission de monter à sa chambre les journaux de la veille, qu'elle lisait avec curiosité, comme le démontraient les commentaires qu'elle émettait auprès de Marie ou de l'un de nous. Nos manuels d'écolier retenaient son attention, elle qui n'avait pu aller bien loin à l'école. De toutes les matières que nous étudiions, la géographie et l'histoire la fascinaient le plus et c'était dans ces domaines que paraissaient s'ancrer ses rêves les plus audacieux. Elle me voyait revenir de l'école avec mes livres et me posait des questions, elle s'intéressait à ce que je savais ; ses commentaires sur les pays lointains et même les noms qu'elle me citait – elle les avait lus dans les journaux – aiguisaient ma curiosité et contribuaient à alimenter mes rêves. Sans qu'elle en ait rien su, Mariette avait également déversé dans ma vasque une foule d'images, faites de noms de peuples, de villes exotiques et de mers nouvelles aux abords aussi mystérieux qu'inimaginables.

Elle avait pour Gigotte de la sympathie, se comportant avec lui comme une grande sœur, même s'il était de quatre ou cinq ans son aîné. Jamais je ne l'ai vue rire de cet homme et lui manquer de respect. Si elle avait eu connaissance de certaines des choses qui se passaient dans le hangar, jamais elle ne les avait relevées. Tout comme la vieille Marie, elle n'en parlait jamais ; elle ne portait pas non plus de jugement, pour autant que je peux me rappeler. De temps en temps, elle venait nous rejoindre près de la vasque, le tablier à la main ; elle s'asseyait sur une pierre qui traînait non loin de nous et nous écoutait en silence. Comme c'était elle, et que nous l'aimions bien, nous acceptions sa présence. Elle ne disait jamais un mot. Il était évident qu'elle ne voulait pas rompre le charme d'une histoire qui se déroulait sans elle. Avec moi, jamais elle n'abordait la question de la vasque et de ses vastes personnages ; à Gigotte, toutefois, elle en reparlait par la suite, comme si elle avait voulu compléter sa formation à lui, qui, il faut le dire, était assez rudimentaire. Ce n'était pas inutile ; je sentais que le grand amiral prenait du galon, qu'il maîtrisait mieux la carte du monde et qu'il achoppait de moins en moins sur la liste des grands ports de notre très active Méditerranée.

Mariette s'entendait avec tout le monde ; c'était la Providence universelle, la Notre-Dame du Perpétuel Secours de la maisonnée. Elle avait su se rendre indispensable à tous, y compris à ma grand-mère, avec laquelle la tâche ne s'annonçait pas facile. Avec une patience d'ange, Mariette lui rendait les incessants services que sa condition d'aïeule l'autorisait à demander. La bonne lui montait un thé, accourait pour l'aider à démêler des ballots de laine et répondait à tous ses appels. Elle ne disait jamais non. S'il lui fallait différer de répondre à une demande, Mariette trouvait les mots qui amenaient ma grand-mère à hocher la tête avec un sourire compréhensif :

« Allez, ma fille, vous avez raison, on y verra un peu plus tard. Ça ne presse pas tant que ça de mettre des fleurs dans le bénitier ; il ne sert plus, de toute façon, depuis bien longtemps ! »

Il n'y avait qu'avec mon père que ça n'allait pas ; il ne paraissait pas l'apprécier autant que le faisait ma mère. La curiosité de cette bonne l'agaçait, ses questions aussi. On aurait dit qu'il n'acceptait pas qu'une personne de rang inférieur veuille s'élever jusqu'à son savoir à lui.

Papa ne nous fusillait-il pas des yeux quand il nous arrivait de nous moquer de son ami le docteur Pettigrew ? C'était un homme pédant, plutôt laid, qui arborait un front large comme une charrue sur lequel il faisait descendre avec minutie un accroche-cœur en forme de clé de sol – ou de cédille ! –, ce qui le rendait proprement ridicule. Quand il venait à la maison, le docteur Pettigrew se lançait dans des discours abracadabrants qui nous faisaient pouffer de rire ; lui qui ne s'étonnait pas d'avoir aperçu sur le fleuve des objets « visibles à main nue », il lui arrivait souvent de citer tout de travers des sentences que nous savions désormais être incorrectes.

Par exemple, cet invité pompeux employait à tout bout de champ une phrase latine où il était question de gens comme lui qui dominaient la foule ; ils étaient « primaires inter parus ». Ou encore, lui, l'homme instruit, il adorait prendre à témoin « le Sphinx qui renaît de ses cendres » ou faire montre de son patriotisme en citant le *A mari usque ad mare* de la devise du Canada, qu'il traduisait avec une belle assurance par « À Marie jusqu'à la mort »…

Mais dans le cas de Mariette, s'il l'entendait, par exemple, s'essayer à placer des proverbes qu'elle venait d'apprendre, papa n'hésitait pas à lui faire la leçon :

« Voyons, Mariette, réfléchissez un peu : on ne met pas la roue à l'épaule. On ne donne pas un coup de main à la pâte ; on met la main à la pâte ! On ne tape pas le fer quand il est chaud ; on le bat. Pensez-y, ces expressions ont un sens qu'on ne peut pas dénaturer. »

Mariette baissait la tête, reconnaissant sans mot dire qu'elle s'était trompée. Tous savaient cependant que la leçon avait porté.

Un jour, n'ignorant pas que mon père aimait le mot juste, Mariette, bien modestement, osa lui poser une question, qui eut le malheur de le mettre en boîte. Tel n'était pas du tout l'objectif que la pauvre fille poursuivait, mais le résultat fut désastreux.

Papa venait de dire à maman de ne pas s'en faire à propos de je ne sais plus quoi, de dormir sur ses deux oreilles.

« Si je puis me permettre, maître Lefrançois, est-ce que "dormir sur ses deux oreilles" est une expression correcte ? Est-ce qu'on peut vraiment dire ça ?

– Mais voyons, Mariette, évidemment. C'est une expression on ne peut plus française, qui dit bien qu'on peut dormir sans rien craindre. C'est une image très logique, comme tout ce qui est français.

– Mais pourquoi "sur les deux oreilles" ? »

Il fit une pause, la question l'étonnait.

« Peut-être comme quelqu'un qui s'enroule la tête dans l'oreiller et n'entend plus rien… Heu, voyons… Mais vous êtes trop curieuse, Mariette. La langue, ça ne se discute pas toujours. Vous devriez vous contenter d'apprendre les choses, sans toujours discuter comme vous le faites. Chacun à sa place. »

On sentait qu'il était piqué au vif. Au fond, l'expression lui paraissait subitement insensée à lui aussi, mais il était vexé de n'avoir pas su donner la bonne réponse, surtout devant une bonne. Ce sont là des incidents qu'il lui pardonnait mal. Je suis certain qu'il n'a pas dormi sur ses deux oreilles aussi longtemps qu'il n'a pas trouvé la réponse à l'énigme que lui avait posée Mariette, et que son orgueil l'a retenu de nous dire qu'elle avait eu raison de juger cette image insensée. S'il n'a pas trouvé la réponse, en tout cas, nous, les enfants, l'avons fait, et je fus tout fier de montrer à Mariette ce que j'avais appris en fouillant à la bibliothèque.

J'entrai au Séminaire de Québec à l'automne 1945. J'avais treize ans. S'il m'arrivait de moins en moins de m'allonger le long de la vasque pour y lancer des navires à la conquête du monde, je n'oubliais pas les horizons que m'avaient ouverts ces morceaux de bois que j'éprouvais tant de plaisir à faire flotter autrefois. Avec comme unique bagage les images que m'avait procurées la fontaine d'en arrière, et les périples dont j'avais rêvé sur cette mer de mon jardin, je m'amusais souvent à faire tournoyer la mappemonde de tôle qui occupait dans ma chambre une place dont n'avaient pas eu la moindre idée les femmes de ménage d'avant Mariette, qui ne savaient jamais la remettre là où elles l'avaient prise. Je continuais de naviguer d'un port à l'autre sur ces images remplies de poésie et de rêves. Mais Gigotte ne m'aidait plus. Il avait changé. Il était maintenant amoureux de la Virginie orientale.

III

Est-il besoin de le dire : mon père était un homme tout à fait comme il faut. Il était notaire et tenait bien sa place dans la société locale. Il était notaire, et selon la tradition, il aurait été normal que je le devienne à mon tour. C'était déjà écrit dans le ciel que j'hériterais de son étude, qu'il avait lui-même reçue de son propre père. Quelle fierté pour la famille de marquer ainsi la continuité des Lefrançois tout en leur assurant une vie confortable d'une génération à l'autre, ainsi qu'un estimable patrimoine de respectabilité !

Un an après mon entrée au Séminaire de Québec, le doute avait pourtant déjà commencé à m'assaillir sur cet avenir auquel on m'avait prédestiné : voulais-je vraiment faire comme papa ?

Longtemps la voie m'avait paru toute tracée, à moi aussi. Parce que j'étais l'aîné des garçons, on me voyait naturellement comme le dauphin. De l'avis de tous, qui ne se cachaient pas pour me le faire savoir à tout propos, je paraissais posséder tous les atouts pour devenir à mon tour cet homme de loi respecté qu'est le notaire. Tellement d'ailleurs que mes parents, ayant constaté une baisse dans mes résultats scolaires vers la fin de mes études primaires, avaient décidé d'y ajouter une année supplémentaire à l'école Saint-Louis-de-Gonzague : un futur notaire ne peut être qu'un premier de classe !

De la fonction qui, dès lors, m'attendait je ne connaissais pas grand-chose, mais, à vrai dire, jusqu'à cette deuxième année de collège, je ne m'en souciais

71

guère, encore que les échos qui parvenaient à la maison des gestes de papa, des secrets pas toujours catholiques auxquels il était mêlé et des querelles où des familles entières s'entre-déchiraient pour des bouts de terrain ou des franges d'héritage, que ces échos, dis-je, ne me donnaient pas de l'avenir une image particulièrement attirante. L'hésitation commençait à s'installer.

J'écoutais maintenant avec plus d'intérêt ce qu'il disait lui-même de ses activités ; je recueillais les commentaires que laissaient parfois couler les invités de la maison sur les comportements de mon père face à sa clientèle, sur ses bons coups et ses astuces, bref j'observais papa en me demandant un peu plus chaque jour si j'aimerais pratiquer sa profession plus tard.

De cet exercice d'observation découla rapidement une remise en question d'une tout autre nature. Il ne s'agissait plus seulement de savoir si je pourrais m'accommoder de la profession de notaire, mais encore de déterminer si je voulais vraiment vivre comme lui, embrasser son style de vie.

Mon père était un homme d'ordre, dont la vie m'avait l'air totalement réglée d'avance. Un homme rangé, dont l'emploi du temps ne souffrait aucun écart, n'admettait pas la moindre entorse à un régime aussi prévisible que le tic-tac de l'horloge grand-père qui trônait au salon. Tout était prévu, de la sorte de confitures que ma mère devait mettre sur ses toasts le matin jusqu'à la prière rapidement envoyée dont il accompagnait, le soir, le geste qu'il faisait en éteignant la lumière. Pour toute la maisonnée, le bruit sec de l'interrupteur, qu'on entendait aussitôt résonner le long des murs, annonçait un couvre-feu qu'il ne serait venu à personne l'idée d'ignorer ensuite.

Complet trois-pièces marine ou noir, cravate sobre au point d'en être fade, papa quittait la maison à huit heures après un bref baiser sur la joue de maman, qui lui tendait chaque matin son chapeau et ses gants avant de refermer sur elle la porte du vestibule dont les vitraux coloraient de flammes bleu et pourpre les boiseries et les parquets de l'entrée. Elle franchissait cet espace de lumière et s'engageait dans le grand escalier qui menait à l'étage ; à la première marche, elle touchait de la main la base de la déesse de bronze posée sur le socle de la rampe et, d'un geste automatique, elle éteignait les grappes d'ampoules disséminées dans la brassée de fleurs que cette beauté court vêtue serrait dans ses bras métalliques. Dans beaucoup de maisons bourgeoises, on trouvait de ces bronzes qui n'en étaient pas et qu'il aurait été mal élevé de nommer par leur vrai nom ; d'ailleurs, le terme de « régule » était unanimement banni du vocabulaire de ceux qui en possédaient. Si personne ne s'annonçait, maman ne rallumerait cette gerbe de lumières qu'en fin de journée.

La rampe de l'escalier où maman s'engageait courait vers l'étage en tournant sur un palier qui ne manquait ni de majesté ni de noblesse. Au-dessus du chemin d'escalier à motifs floraux qui protégeait le centre des marches, choisi de toute évidence pour mettre en valeur le vernis bien entretenu du bois de chêne, un vitrail, assurément plus riche que celui de la porte d'entrée, s'étalait avec ostentation. Les ors et les lie-de-vin de la verrière perçaient de leurs couleurs franches le mur de cet espace théâtral, presque spectaculaire, d'où émergeaient, au travers de leurs résilles de plomb, les pièces à peine différenciées d'une image nimbée de lumière, celle de la sainte Famille.

Cette pieuse mise en scène cachait mal, toutefois, l'évidente volonté d'instruire qui guidait ceux qui l'avaient commandée et leur insolente vanité. À la manière de la *Gloire* du Bernin, c'est vers la scène centrale du vitrail que se portaient de manière obligée les yeux du visiteur : au centre même de la maison, sur l'autel des valeurs domestiques, un artiste comme on les aimait avait mis à l'honneur les vertus de la famille unie.

Papa ne revenait qu'à six heures du soir, à temps pour le souper, qui était servi à six heures et quart. Il ne tolérait pas que le repas ne soit pas prêt, tout comme il s'attendait à ce que tous les membres de la famille soient là, surtout quand on avait des invités. La famille, c'était ce qu'il y avait de plus beau à montrer. Papa s'installait dans le fauteuil à bras qui marquait la place du maître de la maison, où, chaque soir, je pouvais le regarder à ma guise. Grand et mince, des épaules carrées que les longues heures d'écriture avaient courbées vers l'avant, papa cachait derrière ses lunettes de broche des yeux qui ne correspondaient pas à l'image de lui-même qu'il aurait voulu projeter. Alors qu'il s'employait à tenir la tête haute et à garder impassible sa figure, comme il sied à un chef de famille, à un père exigeant, et qu'il s'efforçait de ne laisser apparaître sous son étroite moustache qu'un rare sourire, ses yeux étaient comme des têtes chercheuses, toujours en mouvement, comme à l'affût des surprises que le sort pouvait lui réserver d'une seconde à l'autre. Il n'avait pas les yeux d'un chef ; papa n'était pas un homme sûr de lui.

Pour dire vrai, ce n'est qu'à la veillée, avec la ronde de ses visiteurs, que j'ai vu mon père capable de se détendre. C'était aussi le moment où il m'était possible de mieux discerner qui il était et de quoi était faite sa vie professionnelle. Il arrivait que ses familiers le consultent devant nous sur une affaire de succession ou sur un point de la loi touchant la propriété. Souvent, à travers ces conversations j'apprenais ses vues sur la politique ou sur les événements, et j'en venais à me faire une idée sur la sorte d'homme qu'il était. S'il m'arrivait d'admirer sa science et l'autorité dont il semblait jouir pour régler des litiges complexes, je ne pouvais m'empêcher de constater que sa vie n'était pas exempte de frustrations, de compromis et de contrariétés, et qu'elle comptait bien des contraintes et beaucoup de courbettes.

« Je n'ai pas dit un mot, mais… », « J'ai préféré me taire. »

De telles phrases émaillaient toutes ses conversations ; elles revenaient sans cesse, comme un leitmotiv, comme le thème de fond de ses actes. Ce n'était pas le propos d'un homme d'action ni celui d'un être déterminé. Je ne pouvais croire que cet homme, celui qui était pour moi le modèle à suivre, rejoigne là-dessus le comportement d'à peu près toutes les femmes de la famille, y compris ma mère.

« J'suis plus fine qu'elle, je n'ai pas répondu ! » alléguait souvent cette dernière pour bien montrer qu'elle aimait la paix ; « la chicane me rend malade », ajoutait-elle presque automatiquement.

À l'occasion, elle recourait à une autre formule, comme à l'argument suprême qui justifie tout :

« Maman nous a toujours appris à ne pas nous chicaner ! »

Qu'une femme comme maman, qu'une femme de son âge puisse encore s'en rapporter à sa mère pour appuyer sa conduite n'avait l'air d'étonner personne. Moi, si. Était-ce de la pusillanimité ou un manque effroyable de confiance en soi ? Je ne voulais surtout pas porter un jugement sur ma mère. Chose certaine, je n'avais qu'à ouvrir les yeux pour m'en convaincre, ce manque d'audace, elle n'était pas la seule à en souffrir ; à peu près toutes les femmes en étaient affligées, comme si elles avaient contracté une maladie contagieuse : elles s'écrasaient, elles s'aplatissaient pour n'avoir pas à exprimer une pensée qui leur soit propre, à décider elles-mêmes de leur vie.

D'une génération à l'autre, je l'ai compris progressivement, les femmes de la famille – et sans doute celles d'à côté aussi ! – devaient éviter absolument de se singulariser : elles rejoignaient la cohorte de leurs mères et de leurs aïeules, elles entraient dans le rang. Fuir la querelle, ou simplement éviter l'apparence d'une dispute, devenait le premier signe de leur soumission : personne n'aimait les fortes têtes. Elles enduraient tout sans jamais riposter, de peur d'avoir à dire le fond de leur pensée, à avancer des idées que leurs vis-à-vis n'auraient pas partagées. Du reste, rarement abordait-on les sujets fondamentaux et osait-on s'approcher de ce qui aurait pu toucher à l'essence des choses, car les échanges n'allaient guère au-delà de la banalité. On s'en tenait aux lieux communs. On n'avait d'opinion que sur ce qui n'en valait pas la peine. Et même sur ce terrain, on n'avait pas le courage de défendre ses idées.

« Les employés de la ville sont des fainéants », venait d'affirmer sur un mode péremptoire une invitée, qui y alla de sa démonstration tout émotive. Ce soir-là, l'oncle Jules, le greffier de la ville de Québec, sentit le besoin de lever le ton pour marquer son désaccord : c'en était plus qu'il ne pouvait entendre ! Il entreprit de démolir les impressions de cette dame, qui recula aussitôt devant les arguments fermes qu'on lui opposait.

« Ils sont loin d'avoir tous du poil dans les mains. Il faut apporter des nuances : ce ne sont pas des fainéants, conclut l'oncle Jules.

– C'est bien ce que je disais », répondit la dame.

D'un air pincé, elle n'avait pas hésité à nier ses propres vues ! D'entendre une femme affirmer, à quelques secondes d'intervalle, une chose et son contraire n'était pas en soi une situation exceptionnelle : cette dame l'avait fait avec aplomb et personne ne sourcillait autour d'elle.

Il en était de même des règles de la vie en société. C'était clair : il était impoli de contredire ! À table, ma mère était d'ailleurs passée maître dans l'art de changer de sujet dès qu'elle sentait que la conversation risquait de tourner à l'affrontement. Ni elle ni mon père ne s'attendaient à ce que leurs invités professent des opinions qui ne concordent pas avec les leurs ou qu'ils osent exprimer des vues qui aillent à l'encontre des idées reçues. Et pourtant, ils auraient eu beau jeu, me semblait-il : plus j'écoutais ces conversations si convenues, plus me faisaient sursauter l'espèce d'hypocrisie qui liait tout ce beau monde et le silence de la caste. J'ai souvent eu le désir de les provoquer et de les interroger, par exemple, sur leur insensibilité face aux injustices de notre société à étages et sur les innombrables passe-droits que procurait le fait de connaître les bonnes personnes... Là au moins, le ton aurait enfin monté, quelque chose se serait passé.

Chez nous, en fin de compte, on ne souffrait d'aucune façon la confrontation. On ne discutait pas. En passant à l'adolescence, j'ai été bouleversé par cette découverte. Elle m'a profondément troublé.

On écoutait, on approuvait ou, si l'on n'était pas d'accord, on se taisait. Ou mieux, on obéissait. La foi et la morale avaient été définies une fois pour toutes par une Église qui avait établi ce qu'il fallait croire et si bien prévu ce qu'il fallait faire ou ne pas faire qu'on n'avait plus à penser par soi-même ; on n'avait même plus à recourir à sa conscience. Tout était catalogué dans nos vies. Entre le bien et le mal, aucune équivoque possible. Nous avions en tête des commandements pour toutes les occasions, et dans nos missels, la liste jamais close des péchés et des tentations auxquelles on priait Dieu de ne pas nous induire, selon une phrase du Notre Père qui, dans sa formulation, renfermait tout ce qu'il faut pour mêler à fond un esprit adolescent : pourquoi fallait-il demander à Dieu de ne pas nous induire en tentation ? S'il est vrai qu'il est bon et parfait, pourquoi s'amuserait-il à jeter le trouble dans notre esprit, à nous éprouver comme les mères le faisaient avec les bonnes ?

Ainsi donc la souplesse du caractère et le droit à la dissidence n'existaient pas, pas plus que le droit d'en prendre à son aise avec « les manières », ces règles du quotidien que l'unanimité du clan et de la caste en était venue à régir jusque dans leurs moindres détails. Sur ce plan, on était impitoyable. Il y avait des gens qui « avaient des manières », et d'autres, pas. On s'attendait à ne rencontrer en tous lieux que les premiers ; les autres, on ne les fréquentait pas, ils n'étaient pas de notre monde.

Il y avait une façon – et une seule – de faire les lits, de dresser la table, de cuire le poulet, de réciter les prières, de faire ses pâques. Comme il y avait une planche pour les oignons, une pour les légumes et une autre pour le pain. Si la vieille Marie, la cuisinière, avait dû se plier depuis toujours à ces règles qui ne souffraient pas d'exception, je ne m'étonnais guère, en vieillissant, que plusieurs bonnes aient remis leur tablier après quelques semaines passées à la maison, à force de se faire répéter comment laver un miroir. Ou de voir surveillé leur degré d'obéissance. Selon moi, Mariette était une sainte !

Ma sœur Virginie m'avait raconté que plusieurs de ces apprenties bonnes s'étaient ouvertement révoltées devant ces bouts de papier que leur patronne semait sous les gros fauteuils du salon pour s'assurer qu'elles étaient bien passées par là, quand ce n'était pas ces cheveux qu'on avait collés sur les armoires pour vérifier que personne n'y avait fouillé ou le fil invisible attaché à la porte de chambre pour contrôler la discrétion de ces domestiques... À Virginie, qui n'avait pu s'empêcher de commenter ces méthodes stupéfiantes, maman avait fait remarquer que les maîtresses de maison agissaient toutes de même.

« La confiance n'exclut pas le contrôle, ma fille », avait-elle ajouté pour que celle-ci en fasse son profit et veille au grain.

Même nous, les enfants, n'échappions pas à la rigidité des habitudes domestiques. Ainsi, tout le monde devait savoir qu'après la douche il faut bien essuyer les parois du bain pour éviter que ne se forment des cernes ou que les tuiles ne perdent de leur éclat. Parce qu'il était entendu que la bonne lavait la douche tous les avant-midi, mon frère et moi en avions quelque jour déduit qu'il ne nous était pas nécessaire de nous esquinter à cette tâche qui nous était imposée. Mal nous en prit ; nous apprîmes avec force détails que nous avions eu tort de penser cela. Qui prend sa douche la lave, même si la bonne attend à la porte ; on a des principes, auxquels il ne faut jamais déroger.

La perfection, c'était chez nous qu'elle logeait. Il allait de soi que notre médecin de famille était le meilleur de la ville, tout comme l'étaient le boucher, le boulanger et le laitier de la maison. Ce qui avait cours chez nous était la norme universelle, et chacun était convaincu qu'il n'y avait rien de mieux au monde que ce que l'on faisait !

Cela n'était pas sans poser quelques problèmes. Les hommes, par exemple, n'avaient guère le choix : inévitablement, les femmes qu'on marie ne peuvent venir de la famille. À force d'entendre parler de certaines femmes de la famille et de les voir qualifier de « rapportées », comme le disait parfois ma grand-mère sur un ton qui, cependant, savait s'adapter aux circonstances, je m'étais rendu compte de cette évidence un peu stupide : les femmes que les oncles et les cousins choisissaient d'épouser étaient des étrangères ! Pour elles, l'entrée dans la famille constituait un défi de taille.

Une fois que j'eus enregistré cette donne si essentielle à la compréhension de la tribu, je me plus à décortiquer certaines histoires qui se vivaient toujours sous mes yeux. Les allusions des uns et des autres m'aidaient à compléter le récit des événements dont je n'avais pu être témoin. Le dirais-je ? J'ai regretté plus d'une fois d'avoir été trop jeune pour observer les épisodes de cette très balzacienne situation.

Donc, un jour la nouvelle épouse avait eu à s'insérer dans la famille. Bien que tacite, la règle était implacable : quiconque ne se rangeait pas à nos façons de faire était un malappris, un sans-manières. Le sort de ces femmes, si aimables aient-elles été, s'était vite décidé : ou bien elles s'étaient pliées à l'ordre établi et s'étaient laissé absorber par la tribu, ou bien elles avaient commencé à se déclarer malades dès les premières semaines de leur mariage, pour n'apparaître dans les réunions de famille que lors des très grandes occasions.

Au moins, celles-là, les belles-sœurs malades, elles ne troublaient pas l'équilibre, elles ne perturbaient pas la mécanique familiale. On les avait à l'œil, toutefois. On les regardait de haut, on censurait à voix basse tout ce qu'elles faisaient, depuis leur manière d'éduquer les enfants jusqu'aux gens qu'elles fréquentaient. Jamais elles n'avaient été incorporées à la famille, et la part d'héritage à leur laisser devenait un sujet de souci plus vif d'année en année : tout dépendrait de « leur mérite », c'est-à-dire de leur effacement et de leur habileté à ne pas créer de vagues.

Dans les rencontres de famille, je passais à la loupe le comportement des adultes. Je me tournais vers mon père. Je l'examinais, déchiré entre l'admiration que j'éprouvais à son endroit et la crainte que je sentais s'immiscer en moi de trop lui ressembler un jour. En proie à ces sentiments qui trop souvent, hélas, heurtaient de front l'amour que je lui portais, je tentais de comprendre pourquoi tant de détails m'agaçaient en lui. Après un certain temps, j'eus ma réponse : ce n'était que trop vrai, il ressemblait finalement aux femmes de notre entourage. Mais avec un petit quelque chose de différent.

Elles étaient le symbole vivant du milieu amorphe dans lequel j'étais élevé où, à part les règles rigides dictées par l'Église ou les bonnes manières, on ne savait jamais sur quel principe se fixer ni quels étaient les points de résistance au-delà desquels les adultes ne reculaient plus. Comme s'il n'y en avait jamais : tout était affaire de souplesse, d'apparence et d'esprit de corps ! Seul le consentement des autres permettait de s'assurer qu'on existait.

Les femmes avaient toléré en silence d'être écrasées par des règles et des langages imposés. On ne s'était pas chicané, on n'avait jamais regimbé, mais c'était comme si le non-dit avait pris toute la place. À force de ne rien dire ou de n'avoir rien dit, à force de regretter, en vieillissant, de n'avoir pas osé lever le ton, n'en arrivaient-elles pas à ne plus pouvoir cacher l'amertume qui les minait ? Les femmes qui m'entouraient ne me paraissaient pas totalement heureuses. Même pas maman.

Mon père, c'était l'homme de la maison, le seul qui, chez nous, avait le droit de commander et de faire le jars, comme d'ailleurs l'avaient tous les chefs de famille de notre ville. Malgré cette autorité dont ils étaient revêtus, je pressentais que les hommes, papa comme les autres, n'étaient pas épargnés, eux non plus, par ce climat de silence, par cet acquiescement obligé aux mots d'ordre collectifs, de quelque nature qu'ils fussent. Aux affrontements, aux débats ne préféraient-ils pas eux aussi les chuchotements, les conciliabules, les confidences même, comme le faisaient les femmes ?

Il me devint vite évident, cependant, que, leur éducation aidant, les hommes s'en sortaient mieux en général. Ils avaient mieux appris que les femmes à tirer leur épingle du jeu, à ne pas s'effondrer sous cet amas de conventions et de servitudes, voire même à composer avec l'enfer et les condamnations. Ils savaient profiter des avantages de ce milieu mou.

Les années qu'ils avaient passées au collège les y avaient bien préparés d'ailleurs, comme je devais à mon tour en faire l'apprentissage. Il ne se pouvait pas qu'en huit années d'études ils n'aient pas eu le loisir d'acquérir le sens des nuances ! Là encore, à y regarder de plus près, je devais me rendre compte qu'il avait été plus facile aux hommes d'apprendre à naviguer entre les positions contradictoires dans lesquelles on les mettait. De le comprendre était une bien mince consolation, mais la réalité était nette : la formation qu'on me donnait me permettrait un jour d'agir à ma tête tout en « faisant semblant », elle me permettrait de mieux louvoyer dans la société. Je n'étais pas prêt à en payer le prix, si du moins c'était bien ce que j'entrevoyais.

Au collège, je voyais bien qu'on tentait de nous faire faire l'apprentissage de la liberté ; en même temps et du même souffle, on nous martelait qu'il ne fallait ni argumenter ni surtout critiquer ! La grande menace qui pesait sur les élèves, c'était d'être mis à la porte pour « mauvais esprit ». C'était la faute suprême.

Oser mettre en cause l'autorité, se permettre de n'être pas d'accord avec les décisions prises par les autorités qui, elles, savaient ce qui était bien pour nous, c'était faire preuve de mauvais esprit. L'élève qui prenait trop l'habitude de poser des questions, qui ne tenait pas les choses comme allant de soi, portait en lui la graine de la sédition. Celui-là, le directeur des élèves et ses professeurs l'avaient à l'œil ; avant même qu'il ne monte la tête de ses camarades, s'il n'apprenait pas à taire ses insatisfactions ou s'il ne savait pas retenir ses jugements critiques, on décidait de le renvoyer de l'institution : il ne fallait pas laisser un fruit pourri gâter les autres...

Ainsi apprenait-on les vertus du silence. Il faut dire que, pour un grand nombre d'élèves, ne pas se poser de questions allait de soi : ils ne différaient pas de leurs parents, ils frayaient tout à l'aise dans la mécanique bien réglée du monde. Certains, toutefois, étaient au supplice de vivre dans une atmosphère aussi pesante. Deux choix s'offraient à eux : la résignation, qu'on nous enseignait comme l'une des principales vertus des chrétiens, ou la duplicité, la dissimulation. Adhérer ou refuser en silence. Il aurait pu exister une autre option : la rébellion. Elle était impensable.

J'allais comprendre au cours de ma vie que la dissimulation a fait autant d'adeptes que la résignation. Et je découvrais avec de moins en moins d'étonnement que mon père, l'homme fort de la maison, était du camp des hommes faibles. Je n'aurais pas osé utiliser à son égard le terme de « pleutre » que me suggérait mon Larousse. Pourtant, c'était bien le mot qui, de plus en plus souvent, se frayait un chemin dans ma tête. C'était un mou. Ses manières d'agir, certaines de ses attitudes dans les choses les plus banales, son comportement quand il n'était pas en représentation devant la galerie des invités n'étaient pas les façons de faire d'un homme de conviction.

Je le regardais aller. J'essayais de le comprendre, de le situer dans son entourage. Se pouvait-il que même mon père n'ait jamais cessé de courber la tête ? Qu'il se soumette encore à ce cycle des agressivités mal digérées qui caractérisait le monde des femmes ? Qu'il ait été atteint par cette maladie ambiante ? Avais-je raison d'estimer qu'il nageait très à l'aise dans ces eaux où n'habitaient que des êtres équivoques, des poissons incertains qui ne sauraient jamais de quelle couleur ils sont ?

J'avais de plus en plus tendance à le croire. J'en éprouvais un vif malaise. Il est déjà difficile pour un enfant d'avoir à reconnaître que ses parents ne sont pas parfaits et d'accepter qu'ils aient des défauts. Dans le cas de mon père, ce que je voyais de lui me faisait mal.

Le métier qu'il exerçait, c'était de composer avec tout le monde. L'avare du quartier qui n'est jamais satisfait du rendement des prêts que le notaire négocie en son nom ; la douairière, jamais sûre que la dernière version de son testament est la bonne ; la famille en deuil, toute prête à se crêper le chignon pour un lopin de terre ; le ministre ou l'évêque qui acceptent de ne recevoir que les avis qu'ils souhaitent ; le curé et les amis qui le harcèlent pour obtenir ses services sans bourse délier, pour ne pas parler des aventuriers toujours prêts à l'engager dans la bonne affaire… Je voyais bien que l'argent rentrait, mais à quel prix ? Je ne savais pas tout, mais ce que je constatais me suffisait.

*

La seule chose de toute sa semaine qui lui semblait vraiment agréable, à l'entendre, c'était ses dîners au cercle. Tous les midis, il retrouvait là un groupe de professionnels de la ville avec qui il avait l'air de se détendre ; quand il en parlait, c'était toujours en bien. Les bonnes blagues fusaient, mais habituellement, papa ne les retenait pas ; sauf exception, nous devions nous contenter d'apprendre que maître Germain en avait raconté une bien bonne, ou que le docteur Grondin s'était surpassé dans ses taquineries ce midi-là. Sur le contenu, rien ; on en concluait que papa était un homme trop sérieux pour répéter ces balivernes.

J'aurais aimé trouver chez mon père non pas un grain de folie – cela était totalement impensable –, mais au moins un peu de fantaisie. C'était rêver.

Mon père n'était pas un passionné, c'est le moins que je puisse dire. Dans le lot des activités qui s'offrent à un homme sérieux pour le distraire, il n'en avait retenu aucune. Ni la chasse ni même la pêche que son père avait beaucoup pratiquée et qui l'avait tué, disait-on, car c'était au cours d'une excursion de pêche que mon grand-père avait trouvé la mort, en pleine force de l'âge.

Je ne connaissais à mon père qu'un passe-temps : avec son ami de collège, l'abbé Maxime Fréchette, il s'intéressait aux meubles anciens, en particulier à ceux qu'on appelait les meubles victoriens. Les maisons de Québec regorgent d'ameublements de famille qu'on s'est passés de génération en génération. Très en demande aussi, les gravures, les miroirs et les immenses tableaux de genre dont les officiers de la garnison et les commerçants anglais avaient enrichi leurs demeures au XIXe siècle. Ensemble, les deux hommes se rendaient parfois dans les encans le samedi matin et ils y surveillaient les bonnes affaires. Comme maman n'était pas insensible aux charmes de ces meubles aux formes rassurantes, et qu'elle appréciait la grâce non équivoque des œuvres de l'art anglais, le confort de la maison ne cessait d'augmenter grâce aux trouvailles de mon père et de son ami du Séminaire.

Là s'arrêtait, semble-t-il, la part du temps que mon père consentait à consacrer à la récréation. Pas question pour lui de sortir plus que ça du rôle qu'il s'était donné. Il en aurait pourtant eu l'occasion. L'abbé Fréchette, en effet, partait en voyage au moins deux fois par année ; son bagage, limité à l'extrême, était toujours prêt. Vers le Sud aux vacances de Noël – cet esthète n'aimait pas le ministère paroissial, les séances de confession du temps des Fêtes et la procession du petit Jésus de cire l'horrifiaient ; il refusait systématiquement d'y participer –, et, à l'été, vers quelque coin des États-Unis, tant qu'avait duré la guerre et que l'Europe était restée inaccessible. On n'en savait pas plus. Il partait souvent et, avec un peu de chance, on apprenait à son retour vers quels rivages il avait vogué. Même ses confrères du Séminaire ne connaissaient jamais sa destination ; on présumait aussi qu'il partait toujours seul. À son retour, cet homme secret ne disait jamais où il était allé ; c'est par des remarques ultérieures, égrenées goutte à goutte au cours de la conversation, que l'on apprenait qu'il avait de Paris et de New York une connaissance inhabituelle et qu'il n'ignorait rien de la Californie ou de la Sicile.

À quelques reprises, il avait offert à mon père de l'accompagner, de lui faire découvrir des coins d'Europe ou d'Amérique. Ce dernier se contentait des voyages autour de Québec que lui imposait sa profession et il n'en demandait pas plus. Ainsi deux fois par mois partait-il en déplacement pour ses affaires ; il passait habituellement deux jours à Rivière-du-Loup et une ou deux journées à Montréal. Jamais maman ne l'accompagnait ; elle ne se mêlait pas de ce qui se déroulait à son bureau et n'aurait su dire ce qu'il allait régler là-bas.

*

Les années avaient passé. À la fin de mon année de Versification, en juin 1949, c'était décidé : je ne serais pas notaire.

J'avais prêté attention aux gestes de mon père. Je m'étais livré à un examen toujours plus critique de son comportement, de sa manière d'être et, plus globalement, du monde qui était le sien. Et conséquemment le mien. Les résultats de cette évaluation me sautaient aux yeux maintenant. Je ne serais pas notaire et je ne vivrais pas la vie de papa. La cause était entendue.

Être notaire pour ne ressembler qu'à mon père, pour reprendre à mon tour les gestes, les expressions, les costumes de sa respectabilité obligée ? Pour entrer dans notre société empesée et y apprendre le petit rôle que me désignaient les souffleurs, nombreux autour de moi ? Être notaire pour proclamer bien haut le primat de l'avoir et pour cultiver publiquement la passion de la propriété, agir comme grand-prêtre consacré de cette avidité de posséder qui était la vertu première du milieu auquel nous appartenions ? Être notaire pour me contenter de me tailler une place dans ce monde usé, pour faire le coq dans une basse-cour aussi pitoyable ? La réponse était claire : c'était non.

Je rejetais ce modèle, je le méprisais un peu ; l'envie me venait de secouer, délicatement et du bout des doigts au moins, la vie qui était nôtre, de déranger d'une façon quelconque la routine de notre milieu. Un grain de révolte pénétrait mon esprit. Un grain seulement, car je n'ai rien d'un révolutionnaire : je ne suis pas l'homme des grands chambardements. En disant non à la vie de mon père, j'avais toutefois la ferme conviction d'accomplir un grand geste : je me refusais de prendre parti pour la médiocrité. À seize ou dix-sept ans, ce n'est pas là une vaine décision.

Le soir même où ma famille s'était réunie pour fêter mes succès de fin d'année, un événement avait à cet égard rivé le clou pour moi.

Une des lois de la tribu était de ne jamais dire qu'on était riche. Et encore moins de le penser ! De fait, je savais bien que, dans notre monde, on n'était jamais riche. Jamais assez en tout cas pour s'en vanter, chacun étant convaincu qu'il possédait bien peu par rapport à ce qu'il méritait et que le meilleur était toujours à venir.

Tout au plus acceptait-on de passer pour des gens à l'aise. Rien n'horripilait davantage ma mère ou mon père que d'entendre quelqu'un vanter notre fortune ; le fiancé de Virginie l'avait d'ailleurs appris à ses dépens.

Ce soir-là, alors qu'il avait été invité à prendre part à ce souper familial dont j'étais le héros un peu malgré moi, il avait osé glisser dans la conversation que bien des gens de la ville enviaient la richesse de notre famille.

« Les gens disent toutes sortes de choses », s'était écriée maman sur un ton sec que je ne lui connaissais pas. Elle était toute menue et ne nous avait jamais habitués à la voir s'imposer de la sorte.

« Peut-on être riche quand on gagne sa vie comme tout le monde ? Sachez, monsieur Côté, que la famille Lefrançois n'est pas une famille riche. Ce n'est pas non plus une famille qui pète plus haut que le trou. »

Pauvre maman ! Cette expression faisait tellement partie du vocabulaire courant qu'elle ne se rendait pas du tout compte de son caractère vulgaire et certainement incorrect dans les circonstances. Elle ne baissa pas le ton et poursuivit :

« Ce sont d'honnêtes gens, monsieur Côté, qui ne prétendent pas à être autre chose que ce qu'ils sont ! »

Le pauvre Jean-Louis n'avait pas voulu déclencher la tempête ; penaud, il ne savait quelle contenance prendre ni comment ramener sa future belle-mère sur un terrain moins explosif. Il cherchait quoi dire, mais maman ne lui laissa pas le temps de prendre la parole.

« Vous-même, Jean-Louis, vous ne diriez pas, j'en suis certaine, que votre famille est riche. »

Elle le regardait comme on regarde la bête à qui on va passer la corde.

« Pourtant, votre père est un honnête commerçant de la rue Saint-Jean, un homme de bonne réputation qui a réussi dans les affaires. »

Mon père, visiblement inquiet de la tournure des choses, décida d'intervenir pour que le repas ne soit pas gâché. Il jeta un œil sur Virginie. Elle comprit qu'il allait sauver la situation.

« Tu as raison, Sophie, M. Côté père est un homme on ne peut plus respectable, un citoyen qui fait honneur à sa famille et à sa ville. Pour ce qui est de savoir s'il a du bien, regardons notre futur gendre : la mercerie que son père lui donne est la plus fréquentée de la haute-ville. Pour le reste, ajouta-t-il en partant d'un grand rire à peine forcé, pour ce qui est de la richesse, je ne voudrais pas me prononcer : les bons chrétiens et les hommes mariés savent que l'on ne compare pas... »

Il fit une pause et reprit :

« ... que l'on ne compare pas les saints entre eux ! »

Rouges de confusion face à des propos aussi verts, des propos auxquels notre père ne nous avait jamais habitués, Virginie et mes deux autres sœurs ne savaient comment se mettre. Ma mère non plus. Jean-Blaise, lui, n'avait pas suivi la conversation, occupé qu'il était à tuer le temps en pensant à ses affaires. Le silence gêné qui s'était établi le réveilla, mais, visiblement, il ignorait ce qui s'était dit. Pour ma part, j'eus un haut-le-cœur. Au-delà du mot d'esprit, cette phrase sentait la suffisance ; fort de mes dix-sept ans, je la jugeais hypocrite et de bas étage. Elle accompagnait bien, d'ailleurs, la tartufferie de ma mère.

Je me tournai vers Jean-Louis ; le fier propriétaire de la mercerie L'Homme racé, la figure défaite, s'inquiétait à l'idée de perdre l'affection d'une famille où il lui était utile – et honorable – d'entrer. Il avait pris la main de sa fiancée sous la table, tous deux échangeaient un regard qui me fit pitié : ils consentaient à entrer dans le rang, ils signaient de leur silence leur adhésion à ce monde pour lequel j'éprouvais un dégoût de plus en plus difficile à supporter.

Ce genre de blagues n'était pas chose courante chez nous ; elles ne convenaient pas du tout à l'image de lui-même que mon père avait l'habitude de nous offrir. La manière même dont il avait lancé cette saillie ne donnait pourtant pas l'impression qu'il avait fait une erreur ; il s'en était même fallu de peu qu'il n'accompagne son propos d'une grande claque sur la cuisse, comme le faisaient les livreurs quand ils amusaient les bonnes, dans la cuisine.

Je pensai soudain à ce que m'avait raconté un camarade du Séminaire quelques semaines auparavant. Il m'avait mis sur une piste qui m'avait laissé tout pantois ; j'avais complètement refusé de croire ce qu'il m'avait dit, si bien que je n'y avais à peu près plus repensé.

Le père de François rencontrait souvent le mien au Cercle universitaire. Un soir, il avait raconté à sa femme qu'au cours du lunch, ce midi-là, Rodolphe Lefrançois avait parlé de son « baise-en-ville ».

« Qu'est-ce que c'est ? avait demandé la mère, sans trop se soucier, apparemment, de certaines oreilles qui pouvaient entendre la réponse.

— Assez régulièrement, Rodolphe doit se rendre à l'extérieur pour son travail de notaire. Des petits voyages d'une journée, deux au plus. "Ce sont mes petites vacances, a-t-il dit ce midi, mon congé matrimonial !" »

La mère de François était stupéfaite, s'empressa de me dire ce dernier ; elle le fut plus encore quand elle entendit la suite :

« Puis, il a ajouté : "C'est pour ça, d'ailleurs, que j'ai toujours non loin de moi mon baise-en-ville." Il avait réussi son effet, avait poursuivi le père de François. Nous étions là à le regarder en silence, un peu estomaqués, ne sachant pas trop ce que c'était que ce "baise-en-ville". »

Papa aurait rétorqué : « Voyons, bandes de naïfs, n'allez pas me dire que vous n'avez pas continuellement sous la main votre petit sac, avec tout ce qu'il faut pour passer une nuit hors de la maison de temps en temps ! C'est l'outil indispensable de l'homme marié, non ? »

Si François s'était amusé en me narrant cette bonne farce de mon père, je n'avais eu aucun plaisir à l'entendre. Tout cela m'avait paru totalement invraisemblable.

Aujourd'hui, j'en étais moins sûr. Je n'étais pas sans me rendre compte qu'un autre homme se cachait derrière le personnage de mon père. Celui-là, je ne le connaissais pas.

II

LES EAUX TRANQUILLES

I

Les Plaines d'Abraham faisaient partie de notre vie. Enfants, nous y étions emmenés en promenade. C'est là que l'on faisait ses premiers pas en plein air et que s'imprégnait en nous, pour la vie, le plaisir incomparable que l'on éprouve à marcher pieds nus dans l'herbe humide. C'est là où l'on apprenait à s'émerveiller devant la majesté des ormes et la poésie des bosquets, que l'on découvrait le spectacle à jamais renouvelable des érables versicolores, dont le plumet bat au vent dans l'un des plus prestigieux décors du monde. Écoliers, on y venait à pied en toute saison, ou encore en raquettes ou à bicyclette, selon le moment de l'année, pour de longues promenades qui n'avaient pas pour nous d'autres buts que le plaisir d'errer à travers ces vallonnements dont l'histoire ne nous impressionnait pas encore.

Maintenant que je fréquentais le Séminaire, j'étais plus libre de mes mouvements et n'avais plus à demander la permission pour aller sur les Plaines. Souvent, c'est avec des copains que je m'y rendais. Chose étonnante, quel que fût le groupe d'amis avec qui j'y allais, nous choisissions constamment le même port d'attache, si je puis nommer ainsi ce coteau, tout près de l'observatoire de la tour Martello, qui était en quelque sorte notre point de ralliement. À son sommet se trouvait un banc de bois sur lequel des générations d'amoureux avaient gravé leurs serments en les entourant de cœurs que les intempéries achevaient d'effacer. De superbes érables donnaient de l'ombre à ce lieu de verdure, des arbres dont la plupart étaient certainement centenaires. Quelques bouleaux blancs s'étaient également installés tout autour ; la solidité de leurs troncs et l'aisance avec laquelle ils offraient aux caprices de l'air leur folle chevelure montraient qu'ils s'étaient bien acclimatés aux vents du fleuve. Tel n'était pas le cas des plus jeunes parmi ces espèces ; ils luttaient ferme pour se tailler une place au soleil, et rien n'était acquis pour eux.

Au cours de ces balades sur les Plaines d'Abraham, j'avais remarqué en particulier un bouleau esseulé dont le tronc était déjà ferme ; j'avais commencé à le surveiller vers l'âge de dix ans, sans prendre conscience encore du fait que nous étions tous les deux à peu près jumeaux. Régulièrement je m'arrêtais le voir quand je passais par là ; avec le sérieux d'un chercheur, j'assistais à son combat pour la survie et c'est avec une sincère satisfaction que je le voyais connaître, lui aussi, des poussées de croissance et résister sereinement aux assauts de tout genre dont il était l'objet. J'avais en quelque sorte tissé avec cet arbre exemplaire des liens qui, pour être insolites, n'en devinrent pas moins d'un grand secours les jours où la tempête se mit à s'engouffrer dans mon existence trop étroite.

Il avait maintenant belle allure, mon bouleau, avec sa chevelure romantique, sa tête altière à laquelle le vent du fleuve tentait de faire peur et son tronc encore jeune, si solide déjà et si bien enraciné que rien dorénavant ne paraissait pouvoir l'arracher du sol. Il était là pour rester, il allait défier les siècles. C'était surtout à cause de son tronc qu'il m'était devenu cher. Parce qu'il avait choisi de vivre, de croître, son écorce craquait de toutes parts et l'avait déjà marqué de meurtrissures qui lui allaient bien : ces blessures de l'adolescence lui donnaient de la noblesse. Il ne craignait plus les vieux bouleaux des alentours, ses congénères bien installés qui s'étaient serrés pour qu'il vive. Il narguait maintenant les érables orgueilleux et les ormes à panache de son entourage, et lui aussi, il était promis à un brillant avenir. C'était déjà presque un ami. Je me retrouvais en lui ; son histoire, c'était la mienne. J'en fis mon compagnon de combat, mon totem personnel.

Maintenant, j'avais dix-sept ans. Je sentais que c'était mon tour, que la vie s'offrait à moi, tout ouverte à mes rêves. J'avais dix-sept ans et je sentais la nécessité de faire craquer les choses. De sauter à pieds joints dans l'existence, de la prendre avidement, d'autant plus que j'avais conscience d'en être maintenant capable. Oui, mais avec quelles hésitations !

Quand arrive enfin le moment où l'on sait avoir confiance en soi, malgré ce que l'on connaît de soi-même, il est toujours un peu trop tard. À cause aussi de ce que l'on a appris à connaître des autres. Je tâtonnais. Je ne parvenais pas à croire proprement en mes capacités, en mon pouvoir. Un jour, je me préparais, comme il sied à cet âge, paraît-il, à me contenter benoîtement de bonheurs tranquilles. Le lendemain, l'horreur me prenait des destins tracés d'avance et je n'éprouvais aucun goût pour les chemins nettoyés. J'étais Thésée et j'avais du cœur. Mais un Thésée coincé, au cœur fragile.

J'avais pris la décision de mener ma vie, dans un milieu qui honnissait l'indépendance sous toutes ses formes. Comment faire, comment en sortir ? Il était quand même là, ce milieu confortable, et je n'y étais pas malheureux. N'en étant pas à un paradoxe près, j'y étais à l'aise et savais qu'il n'avait pas que des défauts ; c'était le moule qui m'avait formé jusque-là. Et au fond de moi-même, je me surprenais à découvrir que je n'étais pas du tout à l'abri, moi non plus, de l'intolérance, de l'étroitesse d'esprit et de l'assurance fanatique des gens qui croient posséder la vérité. Je pouvais moi aussi être doué pour le mutisme et la duplicité, pour la servilité autant que pour la suffisance, comme tous ceux-là que je jugeais autour de moi ; le tout dépendait de l'auditoire et des intérêts en jeu...

Je n'étais pas non plus homme à tout balancer brusquement, à rompre les amarres à coups de hache. Rien autour de moi ne me portait à cultiver la révolte et je n'avais pas en moi le terreau où puissent pousser l'hostilité agressive et le refus violent. Après bien d'autres qui avaient été aussi bien élevés que je l'étais, je me rendais compte qu'il est toujours difficile de dire oui à ses révoltes, et même à ses envies ; j'en faisais à mon tour la pénible expérience. Pactiser me semblait une meilleure voie.

Il suffisait donc que je décide de composer avec les miens et que j'accepte d'en payer le prix. C'était un moyen terme, qui n'était pas sans danger. La chose, en effet, n'allait pas de soi ; si je n'y prenais garde, je me laisserais envelopper par le confort et les habitudes, et la médiocrité ambiante, je m'en accommoderais : il est si facile de fermer les yeux sur la bêtise, de ne pas s'offenser de la mesquinerie et, en triste caméléon, de ne plus savoir s'insurger contre rien.

Malgré l'ardeur de mes rêves et la vigueur des mots que j'aurais souhaité dire, j'étais bien conscient d'avoir en moi une tendance malheureuse à sous-estimer mes propres ressources ; le Thésée que j'étais se laissait facilement obnubiler par sa propre fragilité. Dans les plus petites choses, particulièrement dans le domaine encore tout neuf des choses du cœur, je touchais du doigt à chaque instant la vulnérabilité dans laquelle me projetaient mon ignorance et le manque de foi en mes talents. À quinze, à seize ou à dix-sept ans, on est beau et on ne veut pas le croire.

Qu'il est embêtant, par exemple, d'être incapable de deviner l'objet du compliment que cette cousine plus âgée avait fait un jour, lorsque, à son arrivée, cette femme que j'admirais en secret s'était écriée en m'embrassant :

« Oh, que ça sent bon ! »

Faisait-elle allusion aux odeurs de la cuisine qui se répandaient jusque dans le vestibule ou à cette eau de toilette que, pour l'une des premières fois, je venais d'utiliser après avoir coupé ma barbe naissante ? Je ne savais pas décoder le message, et cela m'enrageait, car cette femme exerçait sur moi une fascination que j'avais peine à m'expliquer.

J'étais attiré par elle, cette Luce Courtois qui était la plus jeune des cousines de mon père. Elle habitait le Bas-du-Fleuve et venait souvent chez nous, accompagnée quelquefois de son bizarre de mari de qui la tribu ne se privait pas de se moquer quand on était entre nous ; c'était un homme d'idées, un farfelu dont jamais aucun plan n'aboutissait, si bien que sa femme le faisait vivre.

Bien qu'elle ait un fils de mon âge, Luce Courtois me troublait. Charmeuse, elle savait comme personne d'autre me marquer de l'attention et trouver pour me plaire les mots qu'il fallait. Elle avait de surcroît une façon de me regarder qui me faisait littéralement fondre ; je me serais jeté à l'eau pour elle. J'en étais secrètement amoureux. Curieuse situation, certes, où la mère du cousin avec lequel j'étais le plus lié était ma flamme secrète. Personne ne le savait. Il ne pouvait être question non plus que j'en parle à qui que ce soit : ce type de sentiment devait entrer dans la catégorie « des choses qui n'ont pas de bon sens », celles-là justement dont s'offusquait à tout instant mon entourage. C'était l'amour impossible, la blessure romantique dans laquelle aime parfois se complaire l'adolescence.

La chose qui, en moi, créait le plus de confusion dans ce bouillonnement des sens dont j'éprouvais la force tranquille, c'était le comportement des filles de mon âge. Je les trouvais ambiguës, difficiles à saisir ; avec aucune d'entre elles je n'avais jusque-là réussi à percer ce qui m'apparaissait comme le mystère des femmes. Elles étaient des dizaines avec qui j'avais été élevé ; on avait joué ensemble, on s'était chamaillés, on avait fait des coups, et puis, oups ! presque à l'improviste, elles s'étaient mises à changer. Les gars, nous étions devenus moins intéressants pour ces demoiselles qui ne se cachaient pas pour nous laisser entendre qu'elles avaient évolué, avec leurs petits seins en émergence et les bonnes manières dont elles découvraient soudainement l'importance. On était des rustres, des gamins. Elles nous ignoraient, au profit des plus vieux que nous. Nous leur en voulions.

Un fil avait été rompu dans nos relations, qu'il prit bien du temps à renouer. Les mois passèrent, et puis, avec nos grosses voix et nos moustaches encore cotonneuses, et sans doute à cause d'un vernis neuf que le Séminaire posait sur nous, nous recommençâmes à trouver grâce aux yeux des filles des Ursulines. Une complicité d'un genre nouveau s'installait entre nous, qui était la chose la plus agréable du monde. Elles étaient de plus en plus belles, avec leurs yeux pétillants et leur spontanéité coquine. On ne se chamaillait plus, mais toutes les occasions étaient bonnes pour avoir le plaisir de les toucher, de flairer l'odeur fraîche de leur peau, de leur manifester notre émoi de jeunes mâles. Des idylles naissaient, que j'observais avec envie, car ce n'était jamais mon tour. Ou bien j'étais malhabile, ou bien il me manquait quelque chose. Mais quoi ?

Quel naïf j'étais ! J'aurais aimé qu'une de ces amies avec qui je me sentais si bien me tienne la sorte de discours que j'avais toujours entendu de la bouche des femmes plus âgées qui fréquentaient la maison. Les compliments dont elles m'abreuvaient depuis mon enfance m'avaient habitué à être l'objet d'une attention spéciale de la part des femmes. Avec l'adolescence, la réaction de ces amies de la famille avait perdu toute mesure, me semblait-il. On me détaillait, on me congratulait pour tout ; je devenais une espèce d'objet d'admiration pour ces dames qui, en fin de compte, n'ont jamais manqué d'accompagner dans une parade de fleurs et de flambeaux mon passage à la vie presque adulte.

Pourquoi plaisais-je tant aux vieilles dames ? Comment se faisait-il qu'elles étaient si prodigues de bons mots, qu'elles n'hésitaient pas à souligner, parfois de manière presque indécente, ce qui les charmait chez moi et qu'en leur compagnie je me sentais si bien, petit coquelet invincible et tout prêt à dominer le poulailler ? Même si le ton doucereux de leurs compliments me faisait presque toujours enrager, au point de m'amener parfois à regretter le temps où la vieille Marie, parlant de moi, affirmait : « Si les cochons ne le mangent pas, il va faire un beau garçon », il n'était pas du tout désagréable de me voir traité comme un Apollon en puissance et de cueillir les regards avec une apparente indifférence. Dieu sait cependant que cette indifférence n'avait rien d'olympien tellement j'avais le cœur en émoi de m'entendre dire de si belles choses !

Avec les amies de mon âge, tout était différent. Je ne pouvais résister au désir de leur souffler à l'oreille qu'elles étaient belles, ce qui ne me venait pas à l'esprit, bien entendu, avec les femmes qui m'avaient tant encensé. De souligner le bon goût d'un foulard neuf, l'à-propos d'une boucle d'oreille. Elles y prenaient plaisir, c'était évident. Jamais cependant elles ne me rendaient la pareille : j'étais un gars et j'aurais dû comprendre que, pour certaines choses, on se situait sur des planètes différentes. Il m'a fallu du temps pour me rendre compte, d'ailleurs, qu'il n'y avait aucune mesure entre les jeux de la séduction et ces commentaires de « ma tante ». Le duel qui mène à l'amour est fait de tout autre chose, qu'il est plus long à un garçon d'apprendre.

Malgré mes hésitations et le temps qu'il me prit pour m'extraire de ma chrysalide, il se mit à ressortir, dans le lot de nos copines, des Claire et des Françoise qui ne me regardaient plus du même œil ; avec elles s'opérait un rapprochement qui n'allait pas tarder à me virer l'âme à l'envers. J'avais le goût de les toucher, de les cajoler ; avec elles je découvrais des formes du désir qui me lançaient dans tous les coins, me poussaient à des élans aussi contradictoires que de vouloir faire le jars et de me montrer un vrai homme, en même temps que de serrer avec tendresse ces jeunes filles dont le corps m'ensorcelait. J'étais sous le coup de leur charme, sans aller jusqu'à penser que je pouvais pénétrer avec elles dans des paradis qui n'étaient pas pour moi : j'étais trop jeune…

*

Les classes s'étaient terminées en juin ; quelque peu inquiets des signes de révolte qu'ils croyaient déceler chez leur fils, mes parents me voyaient mal passer l'été à Québec. Il n'était pas dans la tradition familiale de prendre des vacances ni non plus de partir pour une maison de campagne que l'on n'avait jamais senti le besoin de posséder. Et les colonies de vacances, c'était pour les enfants pauvres des quartiers déshérités. Sans doute papa et maman avaient-ils pesé le pour et le contre avant de m'annoncer, un soir, qu'ils avaient pris les dispositions pour que j'aille passer quelques semaines chez la cousine Luce, à Kamouraska.

« Cela te fera du bien, Jean. Le grand air, les bains de mer et du monde nouveau. Luce t'attend avec plaisir, et ton cousin Bernard fait dire qu'il a plein de projets pour vous deux. »

Avais-je le choix ? Tout semblait avoir été décidé sans que je le sache. Une fois de plus, on me traitait comme un bébé ; j'étais la chose de mes vieux. L'idée me vint de faire monter d'un cran ma révolte et d'en profiter pour montrer à mes parents à quel point j'en avais assez. Le beau drame qui en résulterait !

« Monte dans ta chambre, va réfléchir un peu. Non mais, te rends-tu compte ? On essaie par tous les moyens de t'aider, on se fend en quatre pour que tu en sortes, de ta crise d'adolescent, et monsieur fait la fine bouche. Monsieur veut jouer les durs, monsieur refuse de collaborer. C'est ce qu'on va voir… »

On en aurait eu pour une dizaine de jours de faces de carême, de passes d'armes et de sous-entendus amers, entrecoupés de quelques tentatives – qui seraient venues essentiellement d'eux, cela allait de soi –, pour hisser le drapeau blanc, pour suggérer la trêve.

Finalement, je jugeai qu'il serait beaucoup plus amusant de partir pour Kamouraska ; pourquoi ne pas en profiter ? Bernard était de mon âge, c'était mon cousin préféré et nous aimions nous voir. Et puis, la beauté de la cousine Luce m'épeurait moins maintenant que j'étais sorti de ma coquille.

« Je suis d'accord. Quand est-ce qu'on part ? »

Papa et maman en restèrent bouche bée. Ils se regardèrent, puis m'adressèrent un sourire comme je n'en avais pas vu depuis bien longtemps sur leurs lèvres.

Luce Courtois faisait vraiment partie de la famille. Plus jeune que mon père d'une dizaine d'années, ils ne s'étaient jamais perdus de vue, même si leur milieu familial à chacun différait beaucoup. Sans que cela ait créé de vagues, elle considérait notre maison comme étant un peu la sienne.

« Ma seconde famille », aimait-elle à clamer.

Luce avait en effet été élevée à Rivière-du-Loup, où son père, le frère de ma grand-mère paternelle, avait pris en main le commerce de bois dont sa femme avait hérité, lequel eut tôt fait de péricliter sous sa direction. C'était un rêveur. On se retrouva dans la dèche en peu de temps. Luce n'était pas douée pour la pauvreté, comme je l'avais entendu dire à la maison : ce n'était pas dans sa palette ! Elle prit tous les moyens pour la fuir, et rapidement. Elle avait fait des études plutôt sommaires et n'eut bientôt qu'une idée en tête : se marier pour sortir de cette maisonnée que le mauvais sort avait frappée. Entreprenante et fort jolie, à dix-sept ans elle épousa le garçon le plus en demande du canton, Albert Viger. Un bel homme de cinq ans son aîné, dont elle découvrit vite qu'il ne pourrait être le prince charmant auquel elle rêvait tant. Elle l'aimait cependant, mais elle avait compris assez tôt qu'il lui faudrait mener elle-même sa vie si elle voulait arriver à quelque chose, et surtout donner un avenir à leurs trois enfants.

Ils quittèrent Rivière-du-Loup pour Kamouraska, où le cousin Albert trouvait plus commode de faire des affaires, comme il disait. Sa femme en convint d'autant plus facilement qu'elle avait tout un cercle d'amis à Saint-Pascal et à la Pocatière, et que Kamouraska serait pour tous un lieu de rendez-vous agréable : de partout on aimait venir vers ce village qui, sans conteste, était le plus beau de tout le Bas-du-Fleuve, et même du pays du Québec, selon certains. Luce était mondaine. Elle adorait recevoir et rassembler autour d'elle des gens qu'elle aimait, d'autres qu'elle admirait, pour leur nom ou pour leur situation, certains aussi qu'elle cultivait de manière particulière pour l'une ou l'autre de ces raisons, en ayant toutefois à l'esprit qu'ils sauraient lui rendre service. Ce qu'Albert Viger ne pouvait lui offrir, elle devait l'obtenir par d'autres voies. Le réseau de Luce Courtois s'étendit. Elle qui prenait plaisir à se faire appeler par son nom de fille, comme s'il s'était agi d'un nom de plume, elle eut bientôt des relations qui lui ouvraient des portes partout, dans le Bas-du-Fleuve, mais plus encore à Québec.

Contrairement à ce qu'on pourrait penser, mes parents ne la jugeaient pas ; ils s'amusaient plutôt de la voir naviguer dans ce monde qu'elle s'était fabriqué. Ils l'accueillaient à la maison aussi souvent qu'elle le voulait, au point qu'elle en était venue à faire partie des meubles ; quand Bernard l'accompagnait, il partageait ma chambre.

Deux jours après cette tempête qui n'avait pas eu lieu, la Pontiac noire de mon père s'arrêtait devant le perron des Viger, sur la rue Morel.

L'été 1949 fut en fin de compte formidable. Bernard avait un groupe d'amis avec qui je me sentis vite à l'aise : des étudiants du Collège de Sainte-Anne, des filles de l'Institut familial de Saint-Pascal, des jeunes du village et des alentours, qui se préparaient à exercer le métier d'agriculteur et n'enviaient en rien les gens de la ville. Dans le groupe entraient aussi quelques jeunes fils et filles d'estivants – les gens du village les appelaient « les touristes » ; la plupart venaient de Québec, quelques-uns de Montréal.

Le citadin que j'étais apprit à traire les vaches (« T'as jamais vu de vaches ! » m'avait lancé le jeune voisin de Bernard la première fois qu'il me fit entrer dans l'étable de ses parents ; il était un peu ahuri, je dois le dire) ; j'appris à faire les foins, à conduire le tracteur et à mener les chevaux. Le club de balle molle s'enrichit d'un joueur de champ gauche un peu malhabile au début, mais qui fut bientôt jugé digne d'occuper le poste d'arrêt-court de l'équipe. Les après-midi se passaient souvent sur la petite plage municipale, que notre gang avait décidé de nettoyer pour son agrément ; les vacanciers et plusieurs parmi les villageois venaient s'y baigner, tout en nous regardant plonger du bout du quai à marée haute, jouer au ballon en arrosant de sable ou d'eau tout ce qui bougeait autour de nous ou nous enduire le corps de cette argile généreuse qui, les lendemains de tempête, donne à l'eau du fleuve l'aspect parfois dégoûtant d'une mer de boue.

Filles et garçons se retrouvaient, le soir venu, au Château, un hôtel à la réputation bien établie, où la vertu des uns et des autres était protégée : il fallait voir aux premières rangées les tables où avaient l'habitude de s'installer les touristes de la ville, qui s'y donnaient rendez-vous soir après soir, moins pour surveiller leur progéniture que pour avoir le plaisir de jaser. À dix heures cependant, tous devaient aller se coucher bien sagement. Pendant une heure encore, les groupes de jeunes s'attardaient dans le village, assis sur les galeries ou étendus sur les galets de la grève. Sauf les soirs de très grande chaleur, ce qui est assez rare dans le Bas-du-Fleuve, où les vents de l'estuaire réduisent les écarts du temps, il était rare qu'après onze heures on rencontre encore du monde dans la rue.

La cousine Luce me traitait comme son fils. Elle qui m'avait vu grandir, et qui s'était peut-être amusée de l'admiration malhabile que je lui vouais, elle eut la délicatesse de n'en rien laisser voir et de ne pas me mettre mal à l'aise. Et disons que j'avais l'intelligence de ne pas me rendre ridicule. Je l'observais à la dérobée, content de constater que, maintenant, elle m'apparaissait davantage comme la mère de mon ami Bernard. Peu de temps après mon installation chez elle, elle ne me troublait plus ; le malaise que je ressentais en sa présence s'était estompé.

Dans le passé, j'étais déjà venu la visiter avec mes parents ; c'était toujours des visites de quelques heures.

Cette fois, je vécus chez elle ; ce fut une découverte ! Celle de la liberté.

S'il y avait des règles dans cette maison, jamais elles ne tenaient à un code imposé par les « convenances » et les « bonnes manières », et encore moins par le souci de ne pas altérer la valeur éternelle des choses que l'on possède. Quel changement pour le jeune garçon de la rue des Érables, dont tous les gestes n'avaient jamais été réglés que par une longue séquence d'interdits commandés par l'avarice de caste (« Mon tapis ! Essuie tes pieds », « Ne te mets pas à genoux sur les fauteuils, tu vas les défoncer », « N'accroche pas tes pieds aux montants de la chaise, tu l'égratignes », « Ne dépose pas ton verre sur cette surface vernie, prends-toi un sous-verre ») ou déterminés par on ne sait quelle vieille tradition dont les religieuses qui prenaient en charge la formation des futures mères de la haute-ville se faisaient fort de transmettre jusque dans le fin détail les inutiles préceptes.

Luce, toute mondaine qu'elle ait pu être, faisait les choses simplement. Même si elle était à mes yeux du même âge que mes parents, elle ne laissait pas paraître ses trente-neuf ans. Dégagée, toujours à l'aise dans ses robes claires qui lui donnaient l'allure d'une toute jeune femme, elle ne se déguisait pas pour recevoir et ne criait pas à la catastrophe si on la surprenait dans l'ordinaire de sa maison, elle qui savait tirer parti d'un rien pour créer une atmosphère d'accueil exceptionnelle. Elle cultivait une simplicité que plusieurs de ses amies de la ville lui enviaient de savoir imposer, et l'on était bien chez elle.

Cet été fut l'un des plus beaux de ma vie. Les souvenirs se bousculent dans ma tête, mais les plus vifs tiennent à ces longues balades en voiture que l'on faisait de temps à autre. Quelques-uns d'entre nous étaient plus vieux et venaient d'avoir leur premier permis de conduire ; parfois, leur père leur prêtait la « machine » pour une promenade avec leurs amis. Nous nous entassions à sept ou huit dans ces belles automobiles d'après-guerre ; cheveux au vent, toutes fenêtres ouvertes, nous prenions à deux ou trois voitures les routes de la campagne en chantant, arrêtant tout d'un coup de nous égosiller le temps d'un grand salut aux gens que nous rencontrions, un bonjour sonore que l'on ponctuait d'un solide coup de klaxon au cas où le vacarme que nous faisions n'aurait pas suffi à souligner notre passage.

Les filles avaient préparé le pique-nique – on ne fréquente pas l'Institut familial pour rien, non ? –, que l'on dégustait à l'orée d'un bois ou sur les bords d'un ruisseau, tout en offrant au soleil la joie de notre jeunesse. Quand tous avaient bien mangé, on s'étendait sur l'herbe ; le silence s'installait, comme si nous avions voulu laisser le champ libre aux roulades des oiseaux et aux cris des insectes. Un moment délectable, où chacun éprouvait le simple plaisir d'être heureux. Pendant de longues minutes, personne n'avait le goût de bouger tant on était bien. Un œil averti aurait toutefois remarqué que les places prises par chacun étaient rarement le fruit du hasard, ce que confirmaient ces mains qui se cherchaient en silence ou ces corps qui faisaient de discrets efforts pour se rapprocher, dans une pudeur entendue. Il fallait toujours, trop tôt hélas, qu'un ostrogoth du groupe pousse un cri pour sonner la charge.

« Allez, ouste, assez dormi, les enfants. On va aux cerises », ou encore, s'il faisait bien chaud :

« Un baiser de Jeannette au premier à se jeter à l'eau. »

Audacieuses, les filles répliquaient :

« Non, les beaux bruns, la corvée des vidanges à ramasser ! Un prix de civisme au premier à remplir la boîte à déchets. »

Les rires recommençaient à fuser, et la vie était belle.

À quelques reprises, nous eûmes droit à la décapotable du marchand général. M. Hudon était un homme à l'aise. Vieux garçon, il aimait cependant la jeunesse. Quand il eut assez observé le groupe que nous formions, suffisamment en tout cas pour lui faire confiance, il suggéra à Philippe, son commis et son homme à tout faire, de nous offrir une balade dans sa grosse La Salle couleur de vin ; cette limousine était son seul luxe à cet homme à la vie tout à fait rangée.

Philippe Maurice, son employé, n'était pas vraiment des nôtres ; sérieux comme un pape et difficile à faire sourire, sa timidité et son air de chien battu le tenaient souvent éloigné de notre groupe. Tout de même, ce gars de dix-neuf ans se joignait parfois à nous à la veillée ; nous lui faisions une place sans hésiter, car c'était vraiment le type même du bon diable. Sans prendre part à nos jeux, sur la plage ou sur le terrain de balle, il en était un spectateur de premier rang, un spectateur qui aurait été incapable d'ailleurs de cacher à quel point il semblait nous envier, surtout ceux d'entre nous qui venaient de la ville. Il demeurait à Saint-Pascal ; sa mère et la cousine Luce étaient amies, et l'on avait en lui une grande confiance. Un jeune homme sérieux, quoi.

Jamais le rang de l'Embarras ou celui du Petit-Village n'ont vu passer d'aussi agréables cortèges que celui de ces jeunesses qui chantaient à tue-tête leur joie de vivre, leur chemin étant ouvert par une rutilante voiture bordeaux qu'avaient envahie pas moins d'une dizaine d'amazones et de lascars, assis tout de travers sur les dossiers noirs des banquettes et sur les portières écrasées de soleil de cette voiture de tête, que nous surnommions le Paquebot.

Vers la fin de juillet, l'idée nous vint de nous rendre pique-niquer dans l'État du Maine, qui n'est pas très loin, à l'est de Kamouraska ; c'était l'affaire d'une journée. M. Hudon avait consenti à nous prêter Philippe et le Paquebot.

« Assurez-vous bien d'avoir en poche votre baptistaire quand vous franchirez la frontière ; les Américains vont sûrement vous contrôler », avait-il dit.

Philippe nous avait transmis le message.

« M. Hudon a bien insisté là-dessus ; c'est aussi important pour traverser les lignes que d'avoir les papiers de l'automobile bien en règle. »

On s'était passé le mot. Pour les gens de la place, pas de problème : chaque famille avait dans sa boîte à papiers le baptistaire des enfants, intercalé entre le contrat de mariage, les vieux testaments, les hypothèques acquittées et les reçus des petits montants laissés entre les mains du notaire pour qu'il les prête sans que ça se sache. La mère de Bernard avait sorti de la garde-robe de sa chambre une boîte de métal noir dans laquelle anciennement on vendait le thé. C'était là qu'elle rangeait tous les papiers importants. Les vacanciers qui séjournaient en famille au village avaient pour la plupart pris soin d'apporter ce genre de document – « on ne sait jamais, ça peut servir » ; nous étions cependant quelques-uns à ne pas avoir de baptistaire sous la main. C'était mon cas, mais la cousine Luce eut tôt fait d'arranger les choses ; deux jours après, une enveloppe arrivait de Québec par le train de cinq heures vingt-deux, que nous étions six à être allés chercher à la gare de Saint-Pascal.

« Un baptistaire ? *What's that ?* »

Ann Burns était de Montréal. Anglophone, mais bien à l'aise en français, elle passait tous ses étés à Kamouraska, comme des dizaines de Montréalais qui, souvent depuis le XIXe siècle, y possédaient une maison et s'y réfugiaient été après été, pour fuir les chaleurs de la ville. Ann était ma préférée parmi les filles, celle avec qui je me tenais le plus souvent. J'allais jouer au tennis avec elle chez ses parents, faire de l'équitation chez sa tante Pauline, une célibataire colorée qui avait toujours préféré les chevaux aux hommes. Malgré tout, elle m'accueillit amicalement dès la première fois : j'étais le copain de sa nièce et grâce à celle-ci, mon anglais n'était pas trop pénible ; et pour ce qui est des chevaux, je crus comprendre qu'à ses yeux je ne manquais pas de talent.

La tante Pauline nous prêtait son canot d'écorce ; nous en profitions pour filer vers l'île aux Corneilles, la plus importante de l'archipel qui s'étend dans le fleuve devant Kamouraska. C'était notre secret à nous deux, Ann et moi. Sans jamais nous être concertés, il allait de soi que personne ne devait nous accompagner quand il nous prenait la fantaisie de voguer vers l'île. Elle nous appartenait. Elle nous permettait de prendre nos distances par rapport aux autres et d'être ensemble. Sûrs de ne rencontrer personne sur cette bande de terre accrochée au fleuve – du moins, c'était ce que nous pensions –, nous mettions le canot à l'abri sur la pointe ouest de l'île, puis, par des sentiers que d'autres avant nous avaient tracés, nous traversions les quelque deux arpents de bois touffu pour déboucher dans un décor que n'aurait pas renié Robinson Crusoé.

Sur la plage de sable et de roche remplie d'arbres morts, de morceaux de quai et d'une multitude de débris de toutes sortes qui venaient s'y échouer, nous nous amusions à faire l'inventaire des trésors que la mer avait ainsi charriés. À tout prendre, des choses de peu d'intérêt. Avec de la chance, les lendemains d'orage nous faisaient cadeau d'objets d'une certaine originalité, comme une bouée de navire, une chaise de pont, une casquette de marin. Il est même arrivé que l'on récupère une porte de bois verni arrachée d'une goélette fatiguée ou quelque grande toile abandonnée par un de ces cargos qui sillonnaient le Saint-Laurent. De ces offrandes apportées par le courant, nous ramassions ce qui nous intéressait et nous nous en servions pour donner corps à notre refuge.

Car nous avions commencé à nous faire une cabane à quelque distance de la grève, sous la première ligne de pins qui couvraient le cœur de l'île. Rien de bien élaboré, évidemment, et aucune ressemblance avec une maison de poupée ; un simple espace bien à nous, où nous rangions nos provisions du jour et où nous nous retirions pour nous mettre à l'abri ou pour observer sans être vus la faune qui osait s'avancer jusqu'à notre repaire. Les jours de mer calme, nous nous laissions fasciner par les marsouins qui, pas très loin sur l'eau, multipliaient les évolutions devant nous. Ils arrivaient deux à deux, parfois en nombre plus élevé, sur l'espace liquide qui s'ouvrait en face de nous et, comme des soubrettes bien élevées, ils nous saluaient par des courbettes bien rondes qu'ils prenaient plaisir à répéter, inconscients de l'heure qui passait et n'attendant rien de leur auditoire.

Le foin de mer, abondant en ces lieux, s'étendait à perte de vue sur la grève sablonneuse et se laissait caresser par les vagues que le vent venu de Charlevoix y dessinait. C'était beauté de voir cette mer d'épis onduler devant notre cachette. À l'occasion, nous nous en servions pour allumer le feu du pique-nique ; très souvent, nous en coupions de larges brassées pour faire une couche où nous nous étendions en prenant le soleil.

Quand nous en avions assez de ce jeu, nous nous jetions à l'eau et nagions jusqu'à l'île Brûlée, à vingt minutes de brasse ; souvent des loups-marins nous y attendaient, que nous approchions en silence pour ne pas qu'ils aient peur de nous et qu'ils se sauvent. Quand ils n'étaient pas trop nombreux, nous réussissions à nous faire une place sur un coin de leur plage. De ce poste d'observation, nous les regardions vivre ; nous suivions de près leurs jacassements, leurs querelles, leurs amours même. Parmi le troupeau des adultes qui soudain, sans raison apparente, quittaient leur quiétude ensoleillée pour se mettre à s'agiter et à faire les beaux sur les rochers, nous tentions de deviner quels avaient bien pu être les géniteurs de la dizaine de tout jeunes loups-marins qui, un peu foufous, avaient encore peur de leur ombre. Pour les femelles, la chose était vite évidente. Les mâles, eux, une fois leur coup tiré, ne s'étaient plus intéressés aux conséquences ; à les regarder se pavaner, nous avions acquis la conviction qu'ils étaient par nature polygames et complètement dépourvus d'instinct paternel.

J'avais donc informé Ann qu'il nous faudrait avoir en main notre baptistaire pour nous rendre dans le Maine.

« Un baptistaire ? *What's that ?* » m'avait-elle demandé.

Il me fallut expliquer à ma presbytérienne d'amie ce qu'était le baptistaire. On n'est pas étudiant pour rien ; sûr de ma science, j'ouvris le dictionnaire Larousse pour lui lire la définition de ce mot si clair : « Baptistère : édifice que l'on construisait jadis près d'une cathédrale pour y baptiser. Chapelle d'une église où l'on baptise. » Je cherchais la suite ; il n'y avait plus rien. Sur le coup, j'eus l'air un peu fou : le mot que nous utilisions n'existait pas en français !

Plus j'étudiais, moins les choses allaient de soi, c'en était un nouvel exemple. Un autre ordre de certitudes avait commencé de s'écrouler lui aussi : celui des mots et de leur sens véritable. Si hier il n'y avait que des oiseaux et des moineaux, je découvrais le raffinement de l'espèce et j'apprenais à différencier le merle et l'hirondelle du chardonneret ou de la tourterelle triste. Il en allait de même des couleurs, et davantage encore des mots. Ils se précisaient. Les vitres qui, jusque-là, étaient blanches, je prenais conscience du fait qu'elles étaient incolores. Voilà qui n'a l'air de rien, mais ce fut une autre de ces révélations dont ce tournant de ma vie se nourrissait. J'étais stupéfait : comment peut-on ne pas voir une telle évidence ? Comme tout le monde autour de moi parlait toujours de vitres blanches, je n'avais jamais douté du fait qu'elles étaient blanches.

Comme pour le baptistère, m'apparaissait-il, et pour tant d'autres mots avec lesquels on se comprenait. On s'entendait bien entre soi dans cette langue imprécise.

L'étonnement d'Ann me servit de leçon. Je retombai sur mes pieds en lui expliquant que notre langue comportait bien des particularismes. Le baptistère en était un :

« C'est notre extrait de baptême, qui nous sert en même temps d'acte de naissance. Chez nous, tout le monde est baptisé ; c'est à ce moment que le prêtre inscrit nos noms dans le registre de l'État ; et c'est à l'église qu'ensuite on doit aller chercher le papier officiel qui fait foi de notre état civil. Au Canada français, on appelle ça un baptistère.

– Pour nous, c'est moins compliqué, je pense. Viens, on va demander à mon père. »

M. et Mme Burns n'étaient pas à la maison, et nous finîmes l'après-midi sans parler davantage du baptistère. Cette appellation pourtant me chicotait. Le soir même, je repris le vieux Larousse de Bernard pour en avoir le cœur net : le terme « baptistaire » y figurait en toutes lettres, quelques lignes plus haut, et je ne l'avais pas vu. « Qui constate le baptême ; extrait de baptême », ajoutait-il. Donc, notre mot n'était pas fautif ! Je l'avais simplement confondu avec l'autre mot.

J'eus un moment de honte. Était-ce ma suffisance qui était en cause, ou mes préjugés, mais je me rendais compte qu'une fois encore je venais de m'appuyer sur une fausse vérité pour porter un jugement négatif sur mon univers. Ma réaction de fond, je ne la regrettais pas. Mais j'étais confus d'être tombé dans un piège si grossier, d'avoir laissé mon ignorance, ma spontanéité m'y enferrer si bêtement. Même pour les causes nobles, je n'échappais pas à la petitesse.

« Voilà comment on apprend à devenir nuancé », me dis-je en guise d'absolution. Et je confessai mon erreur à Ann, qui n'eut pas de peine à me pardonner.

M. Burns eut moins de difficulté à saisir ce qu'était ce papier des *Frenchies* qu'il n'en avait eu à comprendre certains des jeux auxquels on avait initié sa fille. Les jours de pluie, on se réunissait chez l'un ou l'autre pour s'amuser et jouer aux cartes. Allez donc expliquer à un Écossais de Montréal qu'en plus du canasta, le jeu le plus populaire auquel s'adonnaient les amis de sa fille portait le nom tout à fait inconvenant de « trou de cul » ! Heureusement pour lui, il avait le sens de l'humour et il faisait confiance à sa fille.

Jamais, par exemple, lui et sa femme ne s'étaient inquiétés des fréquentations de leur fille avec la colonie des vacanciers du village. Tout comme la cousine Luce, ils prenaient plaisir à nous voir faire des plans et inventer des jeux, Ann et moi ; de mille et une façons, ils nous manifestaient leur approbation. Les balades à bicyclette, les randonnées dans les rangs aux noms qui sonnaient comme des chansons – rang des Coteaux, du Mississipi, du Petit-Village, de l'Embarras –, les escalades que l'on faisait de la montagne à Coton et de toutes ces collines de roche grise qui pointent un peu partout dans la plaine, entre les basses Appalaches et le fleuve, aucune de ces activités de la bande n'avait de quoi les inquiéter. Rien ne les étonnait, pas même les journées que nous passions ensemble dans l'île, Ann et moi, pour nous reposer de la vie de groupe. Et ils avaient raison.

Nous avions dix-sept ans, mais, d'une certaine façon, nous n'avions pas encore fait l'expérience du mal. Nous étions innocents, comme des enfants « qui n'ont pas encore été blessés par la seizième année », selon une phrase qui ne m'a plus quitté depuis que je l'ai lue, plusieurs années plus tard, tellement elle illustre avec justesse l'état d'esprit dans lequel nous vivions ces semaines extraordinaires.

Bien sûr, nous étions attirés l'un vers l'autre et nous étions bien ensemble, Ann et moi. Il faisait bon nous étendre l'un à côté de l'autre sur notre plage secrète, nous rapprocher amoureusement en échangeant baisers et caresses qui nous comblaient de bonheur. À l'occasion, nous poussions un peu plus loin l'exploration de nos corps adolescents ; jamais cependant il ne nous serait venu à l'esprit d'« aller trop loin », comme nous nous l'étions dit dans les premiers temps de nos escapades. Pour reprendre une expression chère aux miens, « ça ne se faisait pas ».

Notre éducation à tous les deux – et ce n'était pas propre à nous : toute la bande de nos copains agissaient de même – faisait qu'il nous paraissait invraisemblable d'« aller trop loin ».

Même si elle venait d'un milieu très différent du mien, je me rendais compte qu'Ann et moi étions sur la même longueur d'onde à ce propos. Toujours un peu jeunes coqs, les garçons osaient, en sachant bien toutefois qu'il n'était pas question de dépasser les bornes. Les filles, de manière on ne peut plus subtile, attisaient la flamme ; elles adoraient qu'on rende un culte à leur féminité, mais elles savaient défendre les barrières de cette forteresse inexpugnable qu'était leur corps. La virginité était une valeur absolue, que filles et garçons respectaient de manière totale. Pour les filles, c'était le présent qu'elles offriraient un jour à celui qui deviendrait leur mari ; les garçons savaient très bien de leur côté qu'ils auraient été les premiers à lever le nez sur la jeune fille qui aurait eu la sottise de coucher avec l'un d'eux avant le mariage. C'était comme ça.

« Pensez toujours à vos sœurs quand vous fréquentez une jeune fille, disaient les prédicateurs de toute espèce. Pensez à votre maman et dites-vous qu'elle a eu l'âge de cette jeune fille, et que vous ne voudriez pas qu'en la rencontrant alors des jeunes gens ne l'aient pas respectée. »

Une pareille règle, répétée mille fois depuis des années, en vient à vous couler dans le sang et à ralentir la concupiscence. Ou du moins à calmer les ardeurs des jeunes mâles trop bien élevés.

À cela s'ajoutait, dans toute la société environnante, un culte de la virginité qui nous confortait dans nos convictions. Comment aurait-on songé, ne serait-ce qu'une fraction de seconde, à déflorer une jeune fille quand tous les soirs le village entier, y compris les touristes et même les protestants, venait dire le chapelet au pied de la statue de la Vierge Marie ?

*

Mon cousin Bernard et moi étions inséparables. J'avais cependant plus de liberté que lui, car, durant les vacances, Bernard devait travailler pour gagner son argent de poche. Il en profitait aussi pour se mettre quelques sous de côté en vue de l'année scolaire, lui qui était pensionnaire au Collège de la Pocatière. Tous les matins de l'été, il se rendait pour sept heures et demie chez M. Hudon, où il donnait un coup de main jusqu'à midi. Il préparait des sacs de sucre, de cassonade, de riz, montait du sous-sol des boîtes de biscuits qu'il répartissait en plus petits contenants après les avoir pesés. De temps à autre, il sautait sur le triporteur pour aller « livrer les ordres » aux gens du village. À l'occasion,

M. Hudon le gardait pour l'après-midi, mais heureusement, c'était exceptionnel. On avait donc de belles heures devant nous.

Comme je le faisais de temps en temps lorsque je passais à bicyclette devant le magasin général de M. Hudon, je m'y arrêtai la veille de notre excursion dans l'État du Maine ; cette fois, c'était l'excitation qui m'y poussait. Philippe, le commis principal, était derrière le comptoir et finissait de servir une cliente. Il me fit un bonjour discret.

« Attends-moi un instant, Jean. J'ai quelque chose à te montrer. »

La cliente partie, Philippe entra dans le bureau vitré où M. Hudon se tenait le plus souvent quand il était au magasin ; il ouvrit une armoire qui devait lui servir de rangement pour ses choses à lui et revint vers moi, une enveloppe à la main.

« Regarde, j'ai mon baptistaire. »

Il retira le document et me le tendit pour que je le lise. Je le parcourus des yeux.

« Ah, c'est drôle, Philippe, tu portes le nom de ton père, mais lui, il avait son nom en anglais, Philip Morris. On dirait que tes parents ont décidé de franciser ton nom.

– Je pense que c'est ça. Je n'ai pas connu mon père. »

Sans doute fut-il incité à aller plus loin dans ses confidences par le regard plein de curiosité que je fixai sur lui. Après un instant de silence, il poursuivit :

« C'était un soldat de la Citadelle de Québec, et il est mort plusieurs mois avant ma naissance. Ma mère a tenu à ce que je porte son nom ; ça me paraît bien correct.

– Oh, le prêtre qui t'a baptisé, je le connais, c'est l'abbé Hébert, un ami de mes parents. Roméo Hébert, c'est bien lui qui a signé au bas de la feuille. »

Un fermier entra, à qui sa femme avait donné une liste d'épicerie qui avait l'air bien longue.

« Bon, je te laisse à M. l'Anglais. Je vais aller voir Bernard dans le hangar. J'ai hâte à demain, Philippe. Ça va être une belle journée. »

L'histoire de Philippe m'avait touché. Je ne le connaissais que depuis quelques semaines, mais l'espèce de tristesse qu'il traînait avec lui m'avait frappé. Ce qu'il venait de me raconter augmentait la sympathie que j'éprouvais à son endroit.

« Que ce doit être difficile de ne pas avoir connu son père et, en plus, d'être fils unique », pensais-je en moi-même.

On m'avait dit aussi que sa mère, Jeanne Paradis, avait été un temps secrétaire de mon père ; je conclus immédiatement que c'était durant cette période qu'elle avait marié ce militaire anglais, dont personne cependant n'avait jamais évoqué le nom devant moi dans les conversations familiales. Je me dis qu'à la première occasion je devrais interroger Bernard puisque sa mère et celle de Philippe étaient amies. Bernard l'appelait même tante Jeanne.

Ce n'est que plusieurs jours plus tard que j'abordai la question avec Bernard ; en fait, ce fut trois jours après notre promenade vers les lacs du Maine. Toute la journée, j'avais observé Philippe avec une curiosité nouvelle, comme si j'avais voulu comprendre ce qui se passait en dedans de lui. Je ressentais le désir de percer chez lui ce qui m'apparaissait comme un mystère. Son mystère. En tout cas, ce garçon n'était pas pareil aux autres, et j'en étais d'autant plus intrigué que son histoire rejoignait la mienne au moins sur un ou deux points : il était de Québec et sa mère avait été la secrétaire de mon père.

Bernard connaissait des bribes de l'histoire de Philippe. Par sa mère un peu, mais aussi par des allusions faites devant lui par la tante Jeanne ou par des intimes de la maison, comme l'abbé Hébert, le curé de Saint-Joseph qui avait baptisé Philippe. Bernard me fit un clin d'œil :

« Quand il prend un coup trop fort, il est bien bavard, cet abbé Hébert. »

Toujours est-il que j'appris de la bouche de Bernard que la mère de Philippe avait un jour tout lâché pour suivre son beau militaire de la Citadelle, qui venait d'être envoyé au Nouveau-Brunswick. Cela s'était fait très rapidement ; elle n'avait même pas pris la peine d'aviser son patron, c'est-à-dire mon père.

« Elle s'est enfuie avec son bel Anglais, qui est mort quelques mois plus tard, avant même la naissance de Philippe. Par la suite, elle s'est installée dans la région, où elle a fait des travaux de dactylographie pour les bureaux d'avocats et de notaires, et même pour les juges de Rivière-du-Loup. Sais-tu une chose ? ajouta Bernard. Philippe n'a jamais vu son père, évidemment, mais il n'a même pas une photo de lui. Tout s'est passé si vite que la tante Jeanne n'a pas eu le temps d'avoir de photo de son… »

Il hésita un instant, comme s'il cherchait le bon mot à employer, puis continua d'une voix faible :

« … de son cavalier. »

Il resta songeur.

« Tu trouves que Philippe a l'air triste ; moi aussi. C'est un fils sans père, qui n'a vraiment pas l'air heureux dans sa peau. Ma tante aurait souhaité qu'il étudie ; il n'a jamais voulu se faire instruire. Peut-être l'as-tu remarqué, mais si tu regardes bien, tu verras qu'il n'est pas doué non plus pour les travaux manuels. C'est comme s'il n'avait pas d'idée au juste sur ce qu'il voudrait faire dans la vie. L'abbé Hébert disait, l'autre jour, que Philippe est une espèce d'inadapté, un déraciné qui traînera toujours son mal-être avec lui.

– C'est là un jugement sévère, tu ne penses pas ?

– Ça m'a paru sévère, c'est vrai, mais, chose certaine, ça vient d'un homme qui le connaît bien. »

Je ne pus m'empêcher de remarquer :

« Il exagère, ton abbé Hébert. On n'a qu'à regarder Philippe faire son boulot chez M. Hudon. Et puis, penses-tu qu'un homme comme le marchand général lui ferait confiance, à Philippe, s'il était, comme tu dis, un inadapté, un déraciné ?

– C'est un grand timide, Philippe. Il a quelques années de plus que nous, et il est moins à l'aise en société, moins audacieux avec les filles ; peut-être que ça va venir, tu ne crois pas ? »

Dans le fond, on l'espérait bien tous les deux, car ce grand gars là ne nous était pas indifférent ; on aurait même bien aimé l'aider, sans trop savoir comment.

Il y avait quand même quelque chose de louche dans son attitude, quelque chose qui me tracassait. Était-ce sa façon de me regarder, avec des yeux qui n'osaient jamais croiser directement les miens ? Ou la retenue que lui imposait la présence d'Ann, devant laquelle il figeait net si nous n'étions que tous les trois ensemble ? C'est avec nous, pourtant, que Philippe semblait le moins intimidé ; il faisait pour nous deux des gestes qu'il n'avait pas pour les autres, comme de nous réserver une place au Château lorsqu'il savait que nous viendrions avec le groupe, ou de prendre nos serviettes humides pour les étendre au soleil sur les pagées de clôture qui longeaient la route de la grève. Il se serait fendu en quatre pour nous rendre service et il ne paraissait pas du tout s'apercevoir que son empressement nous mettait mal à l'aise vis-à-vis de nos compagnons.

Dans les premiers temps où nous nous rendions à l'île aux Corneilles, Ann et moi, si nous avions la conviction d'être seuls, il ne nous prit pas de temps pour croire que nous nous trompions. Cela devint net le jour où, au retour d'une course à la nage vers le large, nous trouvâmes dans notre cachette deux pommes, quelques biscuits Village et deux coca-cola. Ann et moi nous regardâmes, surpris et même un peu gênés de cette intrusion dans ce qui nous semblait devoir être et rester notre intimité. Une rapide tournée dans le bois ne nous permit pas de voir les traces du visiteur. Nous courûmes par le sentier jusqu'au côté sud de l'île : aucune trace de pas, et sur l'eau, aucun canot en vue.

L'incident se reproduisit à deux autres reprises, mais jamais nous fut-il possible de surprendre le zoulou qui nous épiait. Dans notre esprit cependant, nous étions convaincus qu'il s'agissait du grand Philippe. Malgré nos efforts pour le prendre sur le fait, ou même pour saisir sur sa figure un signe de gêne ou de curiosité quand nous nous trouvions en sa présence, il nous fut impossible de savoir si notre impression était juste. Nous ne nous empêchions pas de nous rendre dans l'île, certes, mais nous n'étions plus aussi libres que dans les premiers jours.

*

Les vacances tiraient à leur fin. Mes parents avaient annoncé leur venue pour le dernier dimanche d'août ; ils s'en venaient chercher leur fils.

« J'ai bien collé chez vous, Luce. Ça fera deux mois bientôt que je suis ici. Vous pourrez dire à mes parents que je ne me suis pas ennuyé. Quel bel été ! »

J'avais conscience d'avoir changé au cours de ces semaines de liberté. Ce que papa et maman appelaient ma « crise d'adolescence » était passé, mais pas tout à fait de la manière dont ils l'auraient souhaité. Assez étonnamment pour moi, je sentais que mon agressivité était tombée. Que je pourrais supporter la pesanteur de la famille sans m'y laisser étouffer. Certes, le volcan qui menaçait sans cesse de faire éruption s'était calmé, mais il était loin d'être éteint.

Durant ces semaines d'éloignement, j'avais acquis le net sentiment qu'il ne me serait plus utile de multiplier les affrontements avec mes parents. Il me suffirait de les laisser dire, de baisser la tête parfois s'il le fallait, de m'arranger pour être atteint le moins possible par leurs diktats et leurs cent dix commandements. L'important était pour moi de prendre ma vie en main, de m'organiser pour vivre à ma façon sans trop bouleverser l'ordre du monde. Il me semblait que c'était possible, et que tout le monde y gagnerait, moi le premier bien évidemment.

Et puis, il y avait eu Ann Burns.

II

Novembre est un mois d'attente longue. Un mois qui n'en finit pas de finir. Les arbres sont désormais dégarnis de leurs feuilles, ne laissant dans le paysage esseulé de l'arrière-saison que des membres morts. Par myriades, ils lancent leurs formes décharnées dans toutes les directions, squelettiques moignons qui assombrissent la vue et qui, de toutes parts, brisent l'horizon si net de l'automne. En novembre, le ciel est souvent triste ; les jours sont courts et noirs. La pluie, le vent du nord viennent régulièrement nous rappeler que l'hiver est à nos portes. Même les jours de soleil, les bourrasques s'amènent et semblent s'amuser de nous. Les feuilles mortes qu'elles déplacent avec désinvolture nous envahissent et nous fouettent en tourbillonnant, comme si elles entendaient nous offrir un prélude aux tempêtes de neige qui s'en viennent. Seules les odeurs de l'automne tardif nous sauvent de la lassitude. Celles de ces monceaux de feuilles dans lesquelles se jettent les enfants avec de grands éclats de rire. Par brassées, ils les lancent dans les airs et s'amusent aussitôt à les recueillir comme on cueille les gouttes de pluie chaude de l'été, puis, sans crier gare, ils se précipitent sous l'amas de feuilles déjà sèches ; pendant quelques instants, ils y retiennent leur souffle, le temps de s'imprégner de ces senteurs fortes que jamais plus au cours de leur vie ils n'oublieront. Les parents, attendris, contemplent cet ensevelissement dont chaque génération, chaque enfant d'ici a éprouvé le rite générateur. Chacun peut dorénavant affronter l'impatience des neiges non encore arrivées.

Cet automne de l'année 1949 avait été pour moi particulièrement long. Les souvenirs de l'été me hantaient. Pas au point de m'empêcher de vivre, oh non ! L'automne avait été long, mais novembre et décembre n'allaient pas être monotones.

J'étais revenu chez moi avec plaisir, content de mes vacances et conscient que je ne verrais plus les choses de la même manière. Tout s'était d'ailleurs bien passé avec mes parents, qui se félicitaient d'avoir eu cette bonne idée de m'envoyer à Kamouraska. Ils ne regimbaient pas devant certains de mes silences ; ils acceptaient même, sans mot dire, l'indépendance que j'avais acquise et que j'entendais bien faire respecter à mon entourage, tout en veillant à ne pas en indisposer les membres. Ce *modus vivendi*, à mon étonnement, s'établit sans trop de difficulté.

Il était important, par exemple, que j'aie envers ma mère la même attitude déférente qu'avant et que je lui parle à tous les jours de moi, de mes études, tout en lui livrant un ou deux détails de ma vie quotidienne. Que je sois fidèle au rendez-vous du repas du soir et que je paraisse devant les invités aux grands jours ; tant mieux si je faisais acte de présence aussi auprès de la parenté qui était venue veiller, mais si j'estimais avoir quelque raison de ne pas me présenter pour saluer ces gens, on ne m'en voulait plus : l'essentiel, pour mes parents, était que j'avais fini par passer ma crise et que j'étais redevenu « parlable ». En échange de quoi ils étaient prêts à me pardonner quelques gestes d'indépendance.

Il faut dire que l'on excellait, chez nous, à bien choisir les sujets de scandale : on ne jetait pas les hauts cris à propos de n'importe quoi et, sur bien des choses, on préférait fermer les yeux. « Ce qu'on ne sait pas ne fait pas mal », alléguait-on couramment, et c'était vrai. Même si on n'allait jamais jusqu'à le dire, il paraissait encore plus vrai, et plus commode aussi, de penser que

« les choses dont on ne parle pas n'existent pas » !
Ainsi, par exemple, choisissait-on d'ignorer le va-et-vient
qui animait le hangar bleu depuis l'arrivée de Virginie
Truchon dans la vie de Gigotte.

Il y avait maintenant une dizaine d'années que le
protégé de grand-maman vivait près de nous. Au début,
les manœuvres de cette grande fille de quinze ans amusaient la galerie ; on eût dit que les paris étaient ouverts,
dans la cuisine comme dans le boudoir, pour déterminer la suite des événements. Virginie en arriverait-elle à
attirer l'attention de Gigotte ? Se laisserait-il prendre
aux charmes de cette « grébiche » qui me paraissait
susciter autour d'elle autant d'admiration que de
mépris ? Des bords de ma Méditerranée, quand j'avais
neuf ou dix ans, je m'étais vite accoutumé à cette valse
de la grande libellule, dont les succès s'intégrèrent sans
heurt dans le rythme de mes jeux : en plus d'être sacristain et commissionnaire, l'Amiral avait ajouté à ses
tâches les soins d'une femme.

Heureusement pour moi, Gigotte prit du temps
pour devenir amoureux de Virginie et pour vouloir en
faire sa femme. Les fréquentations – si je puis appeler
de ce nom les heures que venait passer la jeune fille
auprès de ce grand gars qui lui faisait de l'effet –, les
fréquentations, dis-je, furent longues, très longues.
Gigotte n'était pas insensible aux charmes de la libellule ; méfiant par nature, il était évident qu'il n'était
pas pressé de répondre à ses avances. Il commença par
la laisser tourner autour de lui, puis en vint progressivement à s'ouvrir à ses approches. Si bien qu'à seize ans
Virginie couchait avec Gigotte. Toute une révélation
pour un jeune observateur !

L'aventure durait maintenant depuis quelques
années. Tout le monde le savait dans la maison ; personne n'en parlait. Gigotte vivait dans le péché, il
concubinait – à temps partiel, il est vrai – avec la fille

de Mme Truchon et personne n'intervenait ? Je dois admettre que le rôle de grand-maman dans toute cette histoire avait assuré aux amants une protection blindée. La grand-mère Lefrançois s'entendait bien avec Virginie depuis les tout débuts ; elle avait même convaincu Gigotte de donner raison à Virginie, qui tenait absolument à se faire appeler Violette.

« C'est là le prénom que Mlle Truchon souhaite porter, celui qu'elle aime se faire donner par ses proches ? N'hésite pas, fais-lui plaisir, appelle-la Violette. Tu n'as pas, toi, à faire comme sa mère, qui, évidemment, ne veut rien entendre de cette autre folie de sa fille ! »

« Au moins, si jamais elle a commencé à préparer un trousseau pour cette Violette, Mme Truchon n'aura pas à reprendre les initiales qu'elle a brodées sur les taies d'oreiller », avait commenté pour sa part ma très réaliste maman.

Elle n'avait jamais fait de latin, cette chère elle. Elle ignorait que, dans cette langue modèle, on a trois sortes d'adjectifs démonstratifs : une première pour ce que l'on a immédiatement sous le yeux (le *hic*), une deuxième pour montrer du doigt l'objet ou la personne que l'on distingue à une certaine distance (le *ille*) et, enfin, l'adjectif *iste, ista, istud* que l'on réserve à l'expression du mépris que l'on a pour la chose ou la personne en question. « Cette Violette ! » Le ton sur lequel étaient lancés ces mots compensait la pauvreté de la langue française en matière de démonstratifs. *Ista Violetta* ou *ista Virginia !* mon professeur de latin aurait joui devant une application aussi parfaite des nuances latines.

Si grand-maman pouvait avoir, avec son protégé, une relation qui eût pu paraître équivoque aux yeux de certains, l'arrivée de Violette dans le hangar ne fit rien pour atténuer cette perception : un œil exercé était en mesure de comprendre qu'il s'y passait des choses secrètes. Mondaine à sa manière, Violette fréquentait bien du monde. Elle invitait parfois des gars de sa connaissance qui, la plupart du temps, venaient la voir quand Gigotte était de service à la paroisse ou chez les bonnes sœurs. À l'occasion, grand-maman s'amenait pour prendre le thé avec l'un de ces invités de Violette ; sur la vasque où je ne jouais plus, les felouques avaient franchi plusieurs fois les vastes mers avant que je la voie sortir du hangar, manifestement heureuse de l'accueil qu'on lui avait ménagé. Avec le temps, les felouques allaient cesser de traverser le Nil et les autres masses liquides de la terre ; la cérémonie du thé, elle, restait sacrée pour grand-maman. Je ne l'en aimais que plus.

*

Le retour aux études n'avait pas été plus compliqué, non plus, en cet automne de mes dix-sept ans. Les cours avaient recommencé au Séminaire de Québec dès le lendemain de la fête du Travail. D'entrer en classe de Belles-lettres m'excitait. Enfin allais-je aborder des études sérieuses, avec toute la liberté qu'assurait le fait d'être maintenant compté dans le groupe des plus grands, des *Seniores* ; c'était là un avantage qui n'était pas mince pour moi, puisque, chaque année depuis mon entrée au Séminaire, je vivais l'inconvénient d'être l'un des plus âgés de ma classe.

De surcroît, j'avais un professeur à mon goût : l'abbé Fréchette, l'ami de mon père, avait la réputation d'un pédagogue extraordinaire. Les élèves appréciaient ce professeur pétillant, chez qui l'amour de la littérature se doublait d'expériences personnelles : il avait visité les lieux mêmes où avaient vécu les auteurs qu'il commentait ; il arrivait même qu'il ait lui-même arpenté les routes et les boulevards qui servaient de cadre aux grands romans auxquels il nous initiait. Hélas, dans presque tous les cas, nous étions condamnés aux seuls morceaux choisis ; avec lui, cependant, certains élèves obtenaient la permission de lire Balzac et Flaubert, à condition, bien sûr, de ne pas s'en vanter : une foule de censeurs rôdaient aux alentours. Maxime Fréchette allait devenir pour moi un éveilleur comme je n'en ai pas rencontré beaucoup au cours de mes études.

Cet homme avait vu le monde. Ce qu'il appelait devant nous son « culte des ailleurs » ne pouvait mieux tomber pour moi qui trouvais bien étroit notre petit univers. De voir que, tout autour de moi, on avait la conviction qu'en dehors de la ville de Québec il n'y avait rien qui compte me faisait râler. Rien de plus beau au monde, rien de plus ordonné ; la même perfection que l'on avait établie chez soi, dans son mode de vie et dans sa propre maison, chacun était convaincu qu'elle caractérisait également la ville entière, du moins cette partie de la ville où vivent les gens bien. Rien n'existait qui vaille la peine d'être vu et connu en dehors de cette ville. Le cap Diamant et le château Frontenac, la Citadelle, la Grande-Allée, les portes de la ville et les Plaines d'Abraham figuraient parmi les lieux les plus exceptionnels du monde, c'était bien connu. La haute-ville faisait l'objet de l'attention centripète des esprits satisfaits qui l'habitaient.

> Le pont de Québec et les yeux de ma blonde
> Sont deux des merveilles du monde.

Lorsqu'on entonnait cette comptine, personne en tout cas ne doutait que ces vers puissent ne pas tenir de la vérité absolue.

L'abbé Fréchette plaignait ses confrères de ne prendre leurs idées que dans *L'Action catholique* et le *Notre Temps* de Léopold Richer, un journal d'extrême droite dont il disait devant nous le plus grand mal. S'il feuilletait en vitesse *L'Action catholique* et *Le Soleil*, Maxime Fréchette parcourait religieusement *Le Devoir*. Chaque samedi, il se rendait à la tabagie Giguère où on lui réservait la sélection hebdomadaire du *Monde* et une copie du *New York Times*. Il était abonné au *National Geographic Magazine* et conservait la collection *Pays et Nations* dans la bibliothèque basse, à gauche de son pupitre de travail, dans laquelle s'alignaient également les plus précieux de ses livres de référence. Cette collection, c'était aussi sa lecture de chevet ; il n'acceptait pas d'en prêter les volumes, mais, comme j'eus bientôt chez lui mes entrées, il me permettait de passer des heures dans le coin de sa chambre, qu'il avait aménagé en salon, à m'imprégner d'images qui soient le reflet d'un univers ouvert, à lire les descriptions de contrées inconnues qui cessaient soudainement d'être pour moi des pays imaginaires.

Il me parlait parfois de ses voyages et répondait à certaines de mes questions. Jamais il n'allait jusqu'à la confidence – peut-être s'est-il échappé une ou deux fois, pas davantage – et rarement faisait-il le récit d'un événement qui le mettait lui-même en cause, même devant ses élèves. L'abbé Fréchette était un homme d'une extrême discrétion quand il s'agissait de sa vie privée. Ses confrères du Séminaire disaient de lui qu'il était toujours prêt à partir, mais ils ne savaient jamais eux-mêmes où il entendait se rendre ; c'était toujours le matin même du départ qu'ils apprenaient qu'il serait absent dix jours, trois semaines, voire deux mois si la fin des classes était venue. Dès qu'il en avait le loisir, en effet, Maxime Fréchette partait ; on eût dit un voyageur sans bagages tant il limitait les *impedimenta*, mot qu'il avait pris plaisir à commenter longuement en traduisant *La Guerre des Gaules* avec nous.

« César emploie souvent ce mot pour désigner les bagages de l'armée qui le suivait dans sa traversée des Gaules. C'est un terme précis dans le langage militaire.

Remarquez cependant le premier sens de ce mot, qui vient du verbe *impedio* : il signifie « ce qui entrave ». Vous verrez dans le texte, un peu plus loin, comment César l'utilise également pour affirmer à quel point les *impedimenta* ne cessent d'être un embarras pour lui, un véritable empêchement. Sénèque, Cicéron, tous deux plus philosophes que César, n'est-ce pas, l'emploient aussi, ce mot, et s'attachent à nous démontrer qu'on se charge toujours de trop d'*impedimenta* dans tout ce qu'on a le désir d'entreprendre. Il faut apprendre à voyager léger, au sens propre et au figuré. »

Dès les premières semaines de cours, je m'emballai pour les matières qui étaient au programme ; je n'eus aucune difficulté à replonger dans les études et à me gaver de lectures, entraîné, ou mieux, séduit que j'étais par la liste des auteurs qu'on nous proposait au programme. Qui n'a pas eu la chance d'entendre l'abbé Fréchette réciter des poèmes de Lamartine ne sait pas l'enchantement que procure la poésie.

> *Ainsi toujours poussés vers de nouveaux rivages,*
> *Dans la nuit éternelle emportés sans retour,*
> *Ne pourrons-nous jamais sur l'océan des âges*
> *Jeter l'ancre un seul jour ?*

Notre professeur disait ces vers avec flamme, avec une ardeur contagieuse ; ses yeux se remplissaient de larmes quand il en arrivait à ce passage fameux :

> *Ô temps ! suspends ton vol ; et vous, heures propices,*
> *Suspendez votre cours ;*
> *Laissez-nous savourer les rapides délices*
> *Des plus beaux de nos jours !*

Nous pleurions avec lui l'impuissance des hommes à retenir le bonheur et découvrions comme chose nouvelle la magie de la poésie et sa force d'évocation. Au dernier quatrain, toutefois, toute la classe fondait avec lui, dans un silence qui en disait long sur nos émois :

Que le vent qui gémit, le roseau qui soupire,
Que les parfums légers de ton air embaumé,
Que tout ce qu'on entend, l'on voit ou l'on respire,
Tout dise : ils ont aimé !

À quoi pensaient les autres en écoutant ces vers, je ne saurais le dire. Pour ma part, j'oubliais totalement qu'il s'agissait d'un lac ; les évocations du poète s'appliquaient sans réserve au paysage soudainement ressuscité de notre île et du fleuve, et je sentais intensément auprès de moi la présence d'Ann Burns, je revivais, les larmes aux yeux, « les rapides délices des plus beaux de nos jours ». J'en avais pour des heures ensuite à répéter tout bas la finale de Lamartine, « ils ont aimé », « ils ont aimé ».

*

J'avais peine à me l'avouer, mais ce qui m'était le plus difficile, en cette nouvelle année scolaire, c'était le contact avec le milieu de l'école : je me sentais curieusement étranger parmi les miens. Après quatre années de vie commune, il est normal qu'on se soit fait de bons camarades et quelques amis plus proches. C'était évidemment mon cas. Je ne sais trop pourquoi, cependant, cette rentrée différait des autres ; le regard que je posais sur mes meilleurs copains n'était plus tout à fait le même, j'éprouvais comme une distance par rapport à eux et ne pouvais me défendre d'un certain jugement critique face à leurs habitudes et aux intérêts très limités qu'ils manifestaient. Et pourtant, rien n'avait changé dans leur conversation, dans leurs projets, dans les modes vestimentaires auxquelles ils se soumettaient.

C'était moi qui avais changé. J'en éprouvai d'abord un peu de crainte : à l'âge que j'avais, on veut bien être personnel, mais on tient encore beaucoup à son groupe d'appartenance, à sa « gang ». Jamais je n'avais été snob ni hautain non plus ; pourquoi m'arrivait-il tout d'un coup de ne plus rire à toutes les blagues de mes copains et de juger sévèrement certains de leurs badinages ? Je sais que je suis d'un tempérament réservé et que je n'ai pas la confidence facile ; les quelques amis plus proches que j'ai me connaissent assez bien, mais jamais, je crois, je ne les ai laissés entrer dans mon intimité. Il n'était donc pas question pour moi de leur faire part du changement que je ressentais.

Qu'aurais-je eu à dire à ce propos, d'ailleurs ? Que j'avais eu un moment de révolte contre mon milieu ? À peu près tout le monde dans ma classe venait de ces familles bourgeoises de la haute-ville et en respirait à l'aise l'abondance et la sécurité. Je ne suis pas certain qu'ils auraient compris à quoi je voulais faire allusion si je leur avais parlé de révolte. À bien y penser, je n'étais pas entouré que de fils de famille. Il y avait, dans ma classe, chez les pensionnaires surtout, un certain nombre de garçons qui avaient été élevés à la campagne ou dans les petites villes des alentours ; parce qu'on est toujours plus attiré par le connu sans doute, mes amis ne venaient pas de ce groupe. Qui d'entre ces compagnons moins nantis aurait pu comprendre qu'un fils de famille comme moi vienne se plaindre ? Qu'il fasse la fine bouche en déplorant l'univers régressif de sa famille et la surprotection dont il pouvait être l'objet ? Eux qui ne connaissaient guère le luxe et n'avaient pas de bonnes à leur service, qui, au dortoir, roulaient leurs cravates démodées sur le métal arrondi de leur pied de lit pour les garder lisses, qui plaçaient leur unique pantalon du dimanche sous le matelas afin de lui garder le pli, oubliant de voir que s'y imprimaient aussi les traces du sommier, mes malheurs ne les auraient pas fait pleurer.

Aurais-je pu clamer devant mes amis que je venais de vivre un été inoubliable, qui m'avait ouvert les yeux sur d'autres facettes de la vie ? Ce genre de choses ne se dit pas, il se vit. J'avais peu parlé de Kamouraska. Et dans ma réserve, à peine avais-je évoqué l'existence d'Ann, alors que tant de souvenirs m'y auraient poussé.

D'autre part, chacun de mes camarades était à même de constater, je pense, que j'avais « forci », comme disait ma mère. Plus que les autres, j'en suis sûr, qui pourtant avaient avec moi en commun cet âge où l'on acquiert sa vraie stature d'homme. À lire dans leurs maisons de campagne et à se promener calmement sous l'œil régulateur de leurs parents, mes amis n'avaient pas manqué de connaître un bon été, cela se voyait, mais à les entendre, je n'avais aucune difficulté à me convaincre que mes expériences avaient été uniques. J'avais fait plus que forcir ; j'avais évolué, me disais-je non sans un certain contentement. Je ne regrettais pas leurs vacances protégées.

En définitive, je ne les jugeais pas ; j'avais tout simplement le goût d'être moi-même, sans me soucier de me comparer à eux.

À mesure que les jours passaient, l'été que j'avais vécu continuait de meubler mes rêves. Je m'étonnais cependant de constater que mes souvenirs prenaient, selon les jours, une dimension et, le dirais-je, une coloration changeantes. Il m'arrivait de croire que ces images n'avaient pas existé, que cette sortie du cercle clos de la rue des Érables, de ce milieu réglé sur ses obsessions et son culte des apparences, que cet envol hors des temps et des lieux qui avaient été miens depuis ma naissance, je l'avais inventé de toutes pièces.

Dans les premiers jours d'octobre, j'avais reçu une lettre de mon cousin Bernard. Il me parlait de la rentrée au Collège de Sainte-Anne-de-la-Pocatière et des projets qu'il entrevoyait pour les mois à venir et s'informait de ce qu'il advenait de moi ; pas un mot, dans sa lettre, de notre merveilleux été, sinon la phrase qui ouvrait sa missive : « Après un été où il a été agréable d'être ensemble, j'ai retrouvé avec beaucoup de plaisir mon collège. » Comme phrase plate, on ne pouvait faire mieux ! C'était tout ce qu'il avait à dire de nos balades, de nos jeux, de nos aventures. Des couchers de soleil qu'on aurait voulu accueillir à genoux tant on les sentait venus d'un autre univers. Pas un mot de nos amis, et même pas d'Ann ! Il savait bien, lui, combien j'avais été ébloui par elle. Il aurait pu au moins mentionner son nom.

Cette lettre de Bernard, par un curieux effet des choses, avait concouru à me fortifier dans cette espèce d'impression dont j'étais enveloppé, qui avait pour effet de me laisser penser que je n'avais pas vraiment vécu tout ce bagage d'images qui se bousculaient dans ma tête. Oui, j'étais allé à Kamouraska, oui, j'avais passé un été qui sortait de l'ordinaire, mais cet état de fait tenait maintenant dans une bulle de rêve qui n'était plus mienne ; elle s'éloignait progressivement de moi, dotée qu'elle était d'une existence à laquelle je ne paraissais pas avoir contribué. Cet épisode d'un été avait dorénavant sa vie propre. Il me restait précieux, mais je ne pouvais m'empêcher de le voir comme le livre qu'on a lu avec passion et qui, une fois terminé, nous habite pendant quelques semaines jusqu'à ce que son souvenir s'estompe. On se souvient d'avoir été enchanté par une belle histoire, dont le détail a disparu ; seul nous reste le plaisir vivement ressenti des heures heureuses qu'il nous a procurées.

La page était tournée, croyais-je, ou presque. Seule émergeait encore de ce monde de rêve la figure d'Ann, dont je savais pourtant dès la fin de l'été devoir me séparer, et pour longtemps. Elle repartait pour Montréal, et entrerait de nouveau dans son univers, qui n'était pas du tout le mien. Si nous étions conscients d'avoir vécu ensemble des heures de bonheur, une certaine lucidité nous avait fait voir, de part et d'autre, qu'il s'agissait d'une aventure, d'un intermède dans nos vies. Quand même, nous ne pouvions nous cacher le fait que le feu était pris entre nous.

Nos dernières rencontres n'avaient pas été faciles. Ses parents m'avaient laissé entendre que c'était le dernier été qu'Ann passerait à Kamouraska ; à la fin de l'automne ou du printemps suivant, elle se rendrait à Édimbourg pour y poursuivre ses études ; il restait à décider de la date avec les autorités de son collège. Ann m'en avait bien sûr déjà dit un mot ; ce n'était pas son choix à elle. C'est sans enthousiasme qu'elle partirait pour l'Écosse, ajoutait-elle, pour faire plaisir à sa famille et respecter une tradition de son milieu.

Quant à moi, je voyais mal comment je pourrais lui faire une place dans ma vie ; j'avais dix-sept ans, et l'audace n'était pas la qualité que j'avais le plus cultivée depuis ma naissance. La veille de son départ, nous étions allés faire notre dernier pique-nique à l'île aux Corneilles. Ce ne fut pas une sortie triste ; je la qualifierais plutôt de grave. Comme si nous tenions à donner un caractère sacré à cette dernière rencontre, à tout mettre en œuvre pour que nous puissions garder l'un de l'autre un souvenir sans taches. Ce fut la rencontre de Paul et Virginie, l'évolution de deux danseurs pour qui chaque pas est un signal lancé à l'autre, la conversation de deux cœurs qui s'aiment et acceptent de ne plus se revoir que dans un au-delà indicible.

La bulle de rêve s'estompait, et j'avais mille raisons de tout faire pour la maintenir à distance. N'empêche qu'Ann continuait de me hanter. Il m'a pris plusieurs mois pour me guérir de ce mal d'amour. Pour oublier sa peau douce, ses longs bras que j'aimais tant sentir enlacés à mon cou, l'ovale de sa figure rayonnante et cette chevelure rousse dont la tache, sur le sable ou dans les champs, n'avait d'égale pour moi que la splendeur du soleil. Pour tracer finalement d'Ann Burns un nouveau portrait, celui de la femme toujours adorable et désormais inaccessible. Les heures de tendresse que nous avions vécues ne pouvaient cependant tomber dans l'oubli.

*

« J'aimerais parler au colonel Rémi Pépin, s'il vous plaît. »

La lettre de Bernard avait eu un autre effet : j'avais souvent repensé à notre ami Philippe depuis mon retour à Québec, mais je n'avais pas bougé le petit doigt pour m'enquérir de son histoire. Aussi décidais-je d'agrémenter ce mois de novembre un peu tristounet en me lançant à la recherche des racines de Philippe Maurice.

« Le colonel Pépin ? Est-ce qu'il vous attend, jeune homme ? Avez-vous pris rendez-vous avec lui ? »

Jusque-là, j'étais plutôt fier de moi ; j'avais franchi sans problèmes toutes les portes de la Citadelle sans que personne me fasse de difficultés.

« Je viens rencontrer le colonel Pépin ; c'est un ami de mon père. »

Les plantons ne m'avaient pas posé de questions : trois arrêts, trois fois cette même phrase, trois saluts militaires, et je passais mon chemin, aidé par les indications que chacun de ces jeunes soldats me donnait sur la route à prendre. Il faut dire que les murailles de cette forteresse ne m'étaient pas très familières et qu'il n'est guère facile de s'y reconnaître quand on les voit pour la première fois de l'intérieur. Je sais maintenant que c'est un défi de vouloir se frayer une voie dans ce labyrinthe de pierres, entre ces palissades toutes en angles d'où l'on n'aperçoit finalement que des morceaux de ciel.

Devant moi se dressait enfin l'édifice gris qu'on m'avait indiqué. J'entrai, après avoir récité une fois encore la formule magique :

« C'est un ami de mon père. »

J'espérais que ce serait la dernière.

J'eus toutefois un moment d'affolement. Ce haut gradé allait-il accepter de me recevoir, alors même que je n'avais pas annoncé ma venue ? Allait-il me faire voir d'entrée de jeu que je le dérangeais avec mes questions qui n'avaient rien à voir avec ses préoccupations d'officier responsable de l'armée à Québec ?

Je frappai à la porte d'un bureau sur laquelle figurait le nom du colonel. « Entrez », me lança une voix chantante, celle de son secrétaire, un jeune officier qui m'accueillit avec le sourire, malgré l'étonnement qui se lisait sur sa figure.

« Pardonnez-moi, monsieur. J'aimerais voir le colonel Pépin, si c'était possible. »

Je lui expliquai que non, je n'avais pas de rendez-vous.

« Vous savez, ce dont je veux lui parler, ce n'est pas facile de l'expliquer à une secrétaire…, ou à un homme qui lui sert de secrétaire, si je comprends bien. »

Il s'amusa de mon embarras et me fit signe de poursuivre.

« Le colonel Pépin est une connaissance de mon père. Il m'a été présenté à la maison et j'ai eu l'occasion de causer avec lui, de lui poser des questions sur l'armée, sur sa fonction, sur la Citadelle. Très aimable, il m'avait dit alors que si jamais j'avais besoin de recourir à lui pour quoi que ce soit, cela lui ferait plaisir de m'aider.

– C'est un homme très occupé, vous savez, un militaire de haut rang. Il est difficile d'arriver chez lui comme ça. »

Il se leva.

« Quel est votre nom, monsieur ? »

Je lui dis mon nom ; il frappa à la porte du bureau qui communiquait avec la pièce où nous nous trouvions. Quelques instants plus tard, il était de retour :

« Vous en avez de la chance, le colonel Pépin accepte de vous recevoir, monsieur Lefrançois. »

C'était un bureau impressionnant, tout en boiseries et en tentures, avec d'immenses fenêtres qui donnaient sur le fleuve ; j'eus le temps de constater que la vue qu'on y avait sur les falaises de Lévis était unique : j'avais l'impression d'avoir sous les yeux deux immenses tableaux d'artiste, deux tableaux insérés dans des cadres gigantesques qui auraient été taillés par des ébénistes qu'on aurait choisis dans un peuple de géants.

Le colonel Pépin venait à ma rencontre, l'attitude accueillante. Après m'avoir souhaité la bienvenue, il ajouta :

« Vous en avez du cran, vous ! Que vous ayez réussi à franchir toutes les portes de la Citadelle pour arriver jusqu'à moi sans jamais montrer patte blanche est un exploit, jeune homme, un exploit qui, en soi, mérite que je vous écoute ! Qu'est-ce que je peux faire pour vous ? »

Il m'avait invité à m'asseoir dans l'une de ces causeuses de cuir clouté, d'un magnifique vert émeraude, qui meublaient le coin salon de son bureau. Je lui exposai alors l'objet de ma visite.

« J'ai un ami qui demeure dans le Bas-du-Fleuve et qui m'a demandé de l'aider à trouver des informations sur son père. Ce pourquoi je m'adresse à vous, monsieur Pépin… »

Je sentis le besoin de me reprendre :

« … mon colonel, c'est que son père était un soldat de la Citadelle, un Canadien anglais, qui est mort pas longtemps après avoir été transféré au Nouveau-Brunswick. La mère de mon ami l'a suivi là-bas ; elle est malheureusement devenue veuve presque au moment de son arrivée. C'est comme ça d'ailleurs que l'ami en question ne sait à peu près rien sur son père. Je voudrais l'aider ; voilà pourquoi j'ai pensé m'adresser à vous, en espérant que vous excuseriez mon audace.

– Votre ami, quel est son nom ?

– Philippe Maurice.

– Comme la marque de cigarettes américaines ?

– Pas tout à fait. Lui, il écrit son prénom Philippe, en français, et Maurice s'épelle M-A-U-R-I-C-E. Mais son père l'écrivait M-O-R-R-I-S, je pense.

– Si votre ami a votre âge, jeune homme, ce n'est pas une histoire récente. »

Il se tut un moment, puis se leva d'un saut, comme j'imaginais que devaient le faire tous les militaires. Debout devant le portrait du roi George VI, il prit la direction de la sortie.

« Je veux bien vous donner un coup de main. Venez, nous allons en dire un mot à mon secrétaire, le capitaine Larue ; c'est lui qui va faire la recherche et qui vous dira ce qu'il a trouvé sur le père de votre ami. »

Je le suivis dans le bureau du capitaine Larue. Il lui expliqua en deux mots ce que je lui avais demandé, me salua et me laissa entre les mains de son secrétaire. Celui-ci me fit asseoir à son tour ; il m'interrogea sur le père de Philippe, prenant des notes sur les quelques réponses que je pouvais lui donner. On s'aperçut vite tous les deux que je ne savais pas grand-chose.

« Je vais voir ce que je peux trouver. Où puis-je vous joindre pour vous donner le résultat de mon enquête, monsieur Lefrançois ? »

Je lui laissai notre numéro de téléphone. En le lui donnant, j'eus subitement un doute : était-ce une bonne idée de le laisser appeler à la maison pour parler du soldat Philip Morris ? La mère de Philippe était une fille-mère, d'après ce que j'avais deviné, et en plus, elle avait été la secrétaire de papa, puis l'avait laissé tomber sans un mot pour suivre son soldat. Puisque jamais personne à la maison n'avait osé évoquer cette histoire, c'est qu'il y avait du mystère dans l'air.

« Puis-je vous demander, capitaine Larue, de ne pas vous identifier comme soldat quand vous m'appellerez ? Je souhaiterais que vous me disiez simplement que votre recherche est terminée et que nous n'en parlions pas au téléphone : avec les sœurs que j'ai, la maison est une maison de papier, et je ne veux pas les mêler à mes affaires !

– Entendu, mon ami, répondit-il, à la manière d'un homme du monde qui pouvait comprendre mes craintes. Je vous dirai que je suis prêt à vous parler de notre affaire et nous nous donnerons rendez-vous. »

Une quinzaine de jours plus tard, à l'heure du souper, ma sœur Betty me dit :

« Jean, tu as reçu cet après-midi un téléphone d'un M. Larue ; il demande de le rappeler ; j'ai laissé son numéro sur la table de l'horloge, dans l'entrée. »

Comme je m'y attendais bien, elle ajouta :

« Est-ce un Larue de la famille du sous-ministre ? »

Je me contentai de répondre par un « Non, je ne pense pas » qui n'invitait pas ma sœur à aller plus loin dans son interrogatoire ; elle savait d'ailleurs que je n'étais pas très friand de ces placotages : cette manie de toujours vouloir trouver des liens entre les gens m'agaçait au plus haut point.

Le lendemain, entre deux cours, je me rendis à la loge du portier du Séminaire.

« J'ai un téléphone important à faire, monsieur Ladouceur. Me permettez-vous d'appeler ? »

Comme je n'étais pas de ceux qui abusaient de son amabilité, le portier m'ouvrit la cabine téléphonique et me donna une ligne. Le capitaine était au bout du fil et ne prit pas de temps pour m'informer qu'il n'y avait jamais eu de soldat dont le nom de famille était Morris à la Citadelle.

« J'ai aussi, par curiosité, regardé s'il y en avait eu un qui portait le nom de Maurice ; je suis remonté jusqu'à la fin de la guerre de 14, monsieur Lefrançois, et je n'ai trouvé personne de ce nom, non plus. Vous savez, on a eu peu de soldats anglais dans notre régiment ; j'ai repassé tous les dossiers en prêtant attention aux hommes qui avaient un nom anglais qui sonne comme le Morris ou le Maurice dont vous m'avez parlé : aucun soldat de ce nom, je vous le garantis. »

Ce qu'il me disait me paraissait difficile à croire ; j'insistai, je posai quelques questions pour bien m'assurer qu'il avait pensé à tout ; il était évident qu'il avait tout fait pour répondre à ma demande. Un peu penaud, je le remerciai de son aide, en le priant de transmettre aussi mes remerciements à son colonel.

Ainsi, Philip Morris n'avait jamais séjourné à la Citadelle. Pourquoi alors avait-on raconté cette histoire à Philippe ?

Le soir même, au souper, profitant du fait que nous n'avions pas d'invités, je demandai à mon père s'il avait connu un soldat anglais de la Citadelle du nom de Philip Morris. Papa resta figé un instant en entendant ma question.

« Pourquoi me demandes-tu ça, Jean ? »

Il se reprit et parut se détendre.

« Je n'ai jamais beaucoup fréquenté les militaires, tu sais. Je crois me souvenir de ce nom, pourtant ; j'ai eu jadis une secrétaire qui a sorti avec un soldat qui portait ce nom. Elle l'a même suivi quand il a été muté dans une autre base de l'armée.

— Est-ce que tu l'as connu personnellement ?

— Euh… je pense que oui, je pense que je l'ai rencontré : c'était un jeune Irlandais, aux cheveux roux ; il avait bon genre, si mon souvenir est bon. Mais pourquoi me demandes-tu ça ? »

Avec ce que j'avais appris au cours de la journée, je me trouvais très embarrassé par les souvenirs qu'évoquait papa. Le capitaine Larue m'avait assuré que Philip Morris n'existait pas, et papa croyait l'avoir connu un peu… Je n'avais pas du tout le goût de pousser plus loin la conversation. Et surtout pas de dévoiler ce que je savais du Philippe de Kamouraska.

« Pour rien, papa. J'ai entendu des copains faire des blagues sur ce nom ; ils parlaient d'un soldat anglais qui portait le nom d'une marque de cigarettes, une espèce de fantôme qui avait bien fait rire leurs pères quand ils étaient jeunes. Ce ne doit pas être celui dont tu parles.

– En effet, ce ne doit pas être celui que j'ai connu », conclut mon père, la figure impassible. Et l'on passa à d'autres choses.

Quelques jours plus tard, la cousine Luce vint à la maison. Profitant d'un moment où j'étais seul avec elle, je l'interrogeai.

« Luce, quand j'étais à Kamouraska, cet été, le commis de chez Hudon, Philippe Maurice, m'a parlé de son père – en tout cas, du peu de choses qu'il en savait. Tout ça m'a beaucoup impressionné, et beaucoup intrigué. Vous êtes une amie de Mme Paradis, sa mère ; vous en savez peut-être un peu plus sur Philippe ?

– Oh, Jean, pas beaucoup, pas beaucoup. Philippe était déjà d'âge à aller à l'école quand j'ai connu Jeanne Paradis ; elle arrivait de Rivière-du-Loup. Sur ce qui s'est passé avant, je ne sais pas grand-chose, moi non plus. Pauvre Philippe, je ne serais pas étonnée qu'il souffre de n'avoir pas connu son père. Personne ne l'a connu, d'ailleurs, parce qu'il eut le malheur de mourir alors que Jeanne était enceinte de ce fils que le père n'allait pas pouvoir ni connaître ni aimer.

– Qu'est-ce que vous diriez, Luce, si je vous apprenais que ce père, il n'a jamais existé ?

– Qu'est-ce que tu racontes là, Jean ? C'est impossible. Comment peux-tu dire que Philip Morris n'a jamais existé ? Sur quoi te bases-tu pour affirmer une chose aussi grosse ? »

J'avais confiance en Luce Viger. Je lui racontai alors ce que j'avais fait pour aller aux nouvelles et lui fis part du résultat de mes recherches.

Elle me regardait avec un air horrifié et ne savait où se mettre à mesure que je lui narrais cette histoire. Je ne reconnaissais plus Luce ; elle perdait cette belle assurance qui faisait sa force, elle se décomposait devant moi, au point que je commençais à ressentir non pas tant un malaise qu'une certaine pitié pour elle. Le dirais-je ? c'était même une sorte de jouissance amère qui montait en moi tout d'un coup. Comme si je voyais soudain se fissurer les murs d'un décor de carton-pâte, s'écrouler, à travers cette femme que j'aimais bien pourtant, un de ces échafaudages mensongers qu'on se plaisait à utiliser en espérant ainsi étayer ce qui n'était plus que les ruines d'un monde tout en façades.

Luce finit par se ressaisir.

« Tu ne devrais pas te mettre le nez dans toutes ces affaires-là, Jean ; ça ne te regarde pas, permets-moi de te le dire affectueusement. En fouillant ces vieilles histoires, tu risques de remuer de la boue, qui pourrait éclabousser des gens, peut-être même des personnes de ton entourage, mon Jean. »

Elle se fit insistante.

« Arrête ça, Jean, arrête tes enquêtes. Je t'en prie, je t'en supplie, Jean, ne va pas plus loin. »

Elle s'approcha de moi et me serra dans ses bras. Est-ce parce que je ne pouvais pas résister à sa force sensuelle, ou parce que je me rendais compte qu'elle savait des choses terribles qu'il était préférable que j'ignore pour l'instant, pour ne pas me détruire moi-même, peut-être ? Je ne le sais trop, mais je consentis à la fin à lui promettre de ne pas pousser plus loin ma recherche pour le moment.

« Tu viendras me voir un peu plus tard, Jean, et je te promets de te raconter tout ce que je sais de Philip Morris. En attendant, je vais te confier un secret : c'est vrai que Philip Morris n'a jamais fait partie de l'armée ; il n'était pas militaire, mais seulement un employé civil de l'armée. C'était plus honorable pour Jeanne d'annoncer qu'elle partait avec un soldat muté plutôt qu'avec un journalier. Ça ne s'est jamais su ici. Je t'en reparlerai plus tard. Entre-temps, motus et bouche cousue ; cela doit rester entre nous. Essaie de n'y plus penser, ce sera mieux pour toi. »

Cette histoire m'avait un peu ébranlé. Et les embrassements de la cousine Luce ne m'avaient pas convaincu. Il me fut facile d'en rester là cependant, car les choses allaient se précipiter pour moi : les derniers jours de novembre, et surtout le mois de décembre 1949 n'eurent rien de la quiétude des mois précédents.

*

Depuis septembre, l'arrivée prochaine de l'année sainte faisait beaucoup de bruit. Les journaux en parlaient abondamment, les curés organisaient déjà des voyages pour leurs paroissiens aisés : le voyage à Rome était sur toutes les lèvres. Le Séminaire de Québec n'était pas en reste : il n'était pas de prières communes qui ne se terminent par des oraisons pour le succès de cet an de grâce 1950, et les classes, les corridors, les chapelles s'étaient couverts de portraits du pape Pie XII et de la porte sainte que ce saint homme s'apprêtait à ouvrir, au temps de Noël.

À l'instigation de la section locale de la Jeunesse étudiante catholique, la JEC, un pèlerinage s'organisait pour ceux des élèves des classes avancées qui voulaient s'y inscrire. Au programme : Rome en juillet – ce qui ne devait pas être trop mal ! – et Padoue, et Lourdes, et Paris, et La Salette, dans les Alpes françaises, et enfin Fatima. Le voyage amènerait les participants en Europe ; il importait peu que ce soit une tournée des lieux de pèlerinage puisque la seule Europe que connaissaient les élèves – et leurs parents –, c'était l'Europe catholique.

Partir pour l'Europe, prendre un bateau ou sauter dans un avion pour franchir l'Atlantique et enfin toucher du doigt ce monde qui me faisait envie depuis des années, j'avais tout à coup le sentiment que la réalisation de ce rêve était à portée de main. Un soir, après avoir bien réfléchi à la manière dont je présenterais mon projet à papa et à maman, je les pris à part, après le souper ; il n'était pas question pour moi de faire ma demande devant mes sœurs et devant mon jeune frère, et j'avais choisi un jour où l'on n'avait pas d'invités. J'avais bien préparé mes arguments. S'ils m'écoutèrent, ils ne furent pas convaincus par ma démonstration. Même sous le couvert de la JEC, un voyage en Europe à mon âge leur paraissait prématuré.

« Tu es jeune encore, Jean, et tu auras bien le temps d'aller voir la France un peu plus tard, quand tu seras installé et assez à l'aise pour te payer une pareille fantaisie. Regarde-nous : comme toi, nous avons été tentés de nous inscrire au groupe que notre curé, monseigneur Lafrance, a commencé à former ; finalement, nous avons décidé que ce n'était pas encore le temps de partir. »

Papa avait tranché. La rencontre avait été brève, et je sortis du boudoir assez déconfit.

C'est l'aide de l'abbé Fréchette qui a tout fait basculer ; son intervention fut décisive.

Le lendemain, j'avais à me rendre à sa chambre pour satisfaire au rite de la confession obligée. En effet, au Séminaire, tous les élèves devaient se choisir un directeur de conscience parmi les prêtres de la maison, comme on se plaisait à nommer l'établissement. Heureusement pour moi, j'avais pris un bon confesseur. C'était l'abbé Fréchette. Dès ma première année, ce choix s'était imposé : c'était le seul prêtre que je connaissais. J'avais peu à lui dire, lui également, et cela faisait notre affaire à tous deux.

J'avais de la chance, d'ailleurs. À la différence de beaucoup de ses collègues, si j'en crois ce que nous nous racontions entre nous quand nous parlions de ces directeurs spirituels que nous étions tenus de rencontrer, il ne cherchait pas à venir fouiller dans mon intimité, il n'avait pas de fixation sur ma vie sexuelle, il ne se passionnait ni pour le « vice solitaire » ni pour les amitiés particulières. Il se tenait là, prêt à m'écouter si j'en avais senti le besoin. Pour le reste, il ne m'achalait pas.

Aussi continuais-je de me rendre régulièrement à sa chambre de curé pour « satisfaire au précepte », comme il s'amusait à qualifier ma visite, ce qui en l'occurrence prenait la forme d'un billet de confession que je devais solliciter deux fois par mois. En entrant chez l'abbé Fréchette, toujours le même accueil amical m'attendait : une salutation cordiale, quelques phrases échangées, puis la formule standard qu'utilisait l'abbé :

« Ça va à ton goût, Jean ? Pas de problème particulier ? »

Ma réponse ne variait jamais. De cette séance obligée qui, en tous points, contrevenait aux règles, on aurait dit qu'il s'agissait d'une pièce de théâtre qui en aurait été à sa centième représentation ; une fois nos rôles joués, nous pouvions passer à autre chose. Bien calé dans mon fauteuil, je prenais habituellement un livre de la collection *Pays et Nations* que je feuilletais lentement, pendant que mon confesseur continuait sa correction de copies ; quand j'étais prêt à repartir, il me signait mon billet. Je revenais à la salle d'études, l'âme aussi en paix qu'elle l'était quand j'en étais parti.

Ce jour-là, cependant, j'avais un problème. Un gros problème, que je n'hésitai pas à lui exposer. S'il y avait un homme capable de comprendre ce goût de partir qui m'habitait depuis longtemps, c'était bien lui ! Je lui parlai de mon entretien avec mes parents. Évidemment, il était au courant de ce voyage qui s'organisait au Séminaire.

« Pour un premier voyage en Europe, Jean, tu ne peux pas trouver meilleure occasion, c'est certain. L'itinéraire fera voir à ceux qui partent de grandes capitales comme Rome et Paris, et les lieux de pèlerinage où on les amène leur feront traverser de grands morceaux de pays. »

Nous causâmes de l'itinéraire, je l'interrogeai sur quelques lieux qui me faisaient particulièrement saliver : je n'eus guère à me forcer pour lui démontrer que ce voyage arrivait à point nommé dans ma vie.

« Je ne peux pas contredire tes parents, Jean, mais laisse-moi y réfléchir ; peut-être serait-il pertinent que je leur en parle, si tu n'y vois pas d'inconvénient. »

Ma figure épanouie me servit de réponse.

« Oui, voilà à mon avis une expérience qui serait heureuse pour toi. D'autant plus que l'encadrement de ce voyage sera très bien adapté à des jeunes de votre âge. »

Quelques jours après – c'était le lendemain de ma conversation avec Luce –, papa me demanda de le rejoindre au salon en sortant de la salle à manger. Maman le suivait. C'est alors qu'ils m'annoncèrent que mon professeur les avait convaincus que le voyage du Séminaire ne pouvait que m'être profitable. Je fus transporté de joie, je ne tenais pas à terre en entendant papa ; j'aurais eu envie de lui sauter au cou, mais sus bien me retenir : ça ne se faisait pas ! Même si je n'étais pas du tout à la veille de partir – le groupe ne s'envolait que le 22 juin –, j'eus droit à une foule de recommandations qui m'amusèrent plus qu'elles ne me rendirent service. J'entendis d'une traite la kyrielle de toutes les peurs qui hantent l'esprit de ceux qui ne sont bien que chez eux, de ceux qui ne partent jamais et qui jamais ne partiront tant le monde est rempli de dangers de toutes sortes.

Le jour suivant, grâce à Maxime Fréchette, je m'inscrivais au voyage, en remettant au responsable un chèque libellé avec beaucoup d'amour !

« On fait un grand sacrifice pour toi, Jean. Il faudra que tu t'en souviennes. »

III

Chaque jour vers les quatre heures, je descendais la côte de la Fabrique, parfois avec des camarades, souvent seul. C'était pour moi une façon de me reprendre, après six ou sept heures de cours. Aussitôt la côte Sainte-Famille franchie, si j'étais seul, j'adoptais un rythme de marche assez rapide et je sentais tomber progressivement de moi les encombrements de tout genre qu'accumulent les petits riens d'une journée, ces brindilles qui s'attachent au cerveau ou au cœur comme la poussière aux basques du voyageur. Peu porté sur la compétition avec les autres et pas du tout malheureux de n'être pas le premier en tout, je me débarrassais vite des tensions dont avait pu être parsemée ma journée. Je reprenais contact avec les idées et les êtres que m'avait fait connaître ou que m'avait rappelés la journée ; je m'absorbais dans une méditation qui ne prenait fin qu'à la porte de la maison, trente minutes plus tard.

Combien de fois n'ai-je pas été accompagné dans mon trajet par quelque dieu, quelque déesse, sortis tout droit de l'*Iliade* ou de l'*Énéide* ? Par une cour de héros chargés d'histoires, par de fascinantes créatures auxquelles je me confondais en entier, sans mesure ? Comme Pallas Athéna pour Achille, les déesses prenaient pour moi la figure de l'une ou l'autre de ces femmes que je croisais sur mon chemin ; quand j'avais moins de chance et que le temps était gris, c'étaient les nuages qui me servaient de rêve. Thésée m'habitait, qui me faisait rechercher d'incertains labyrinthes, tendre la main à des Ariane étonnées et combattre sans faiblesse les Procuste de mon imagination.

J'étais au début de mes Belles-lettres et je nageais en plein bonheur. Du moment que l'on savait mordre à ce qui y était enseigné, la littérature nous sortait par les pores de la peau. Or j'étais parmi les élèves que cette étape tant attendue du cours classique rendait heureux, et mes lectures me donnaient des ailes.

Imprégné un jour du sacrifice d'Abélard, je trouvais sublime le geste de ce moine châtré au nom du Verbe ; le lendemain, la pensée luisait de feux moins brûlants, et je transformais en quartier latin les rues que je traversais comme ces moines gyrovagues que décrivaient mes livres. Mes vers en montraient au ministre-poète Lamartine et au père Hugo, et j'ai plus d'une fois tenté de battre Flaubert au jeu des attaques. Sans succès, je l'avoue. Les auteurs que j'aimais ou qui m'avaient charmé par le truchement des morceaux choisis qu'on nous en présentait, j'essayais de trouver leurs œuvres pour connaître les phrases avec lesquelles ils avaient choisi d'ouvrir leur ouvrage. Ces incipit, je les transcrivais dans un cahier que je traînais avec moi, surtout quand j'allais à la bibliothèque de l'Institut littéraire, dans la rue Cook ; ainsi pouvais-je pendant des heures caresser les formules heureuses par lesquelles ils avaient débuté leurs grands romans, que je répétais encore au moment de me mettre à table pour le souper familial. « C'était à Mégara, faubourg de Carthage, dans les jardins d'Hamilcar. » « Le père et la mère de Julien habitaient un château au milieu des bois, sur la pente d'une colline. » « La terre nous en apprend plus long sur nous que tous les livres… » Bien que je n'aie pas été très loin dans la lecture de Proust, je me reconnaissais pleinement dans les premiers mots de son œuvre : « Longtemps je me suis couché de bonne heure », en attendant de m'y plonger, dans une autre vie.

De telles divagations ne m'empêchaient pas de jeter les yeux sur certaines vitrines, comme celles de Kerhulu ou de Birks et de me laisser distraire par les pâtisseries de l'un ou les anneaux de mariage de l'autre. À peine avais-je le temps d'ailleurs de rêvasser aux jeunes filles que j'aimerais épouser – est-il besoin de dire qu'Ann Burns figurait toujours au premier rang des Marie, des Françoise et de toutes celles auxquelles je pouvais songer – que j'arrivais devant les affiches du cinéma Empire, dont certaines me projetaient, par la magie, en quelque France lointaine. Si le titre du film ou les images affichées étaient le moindrement frappants, la fiancée de l'instant d'avant, loin d'être évacuée par ces nouvelles images, embarquait dans ma rêverie ; en temps normal, elle pouvait espérer s'y maintenir jusqu'au cabaret de la Porte Saint-Jean. Là, en effet, le danger était grand que cette fiancée un peu floue en soit chassée par les tentations que faisait scintiller le bandeau lumineux, qui était allumé de jour comme de nuit, et qu'elle tombe soudainement dans l'oubli, selon le nom de l'artiste dont on annonçait la présence. Si Trenet n'avait pas de quoi évincer l'élue de mes pensées – au contraire, n'ajoutait-il pas à mes rêveries une touche de romantisme ? –, les chansons guillerettes de Colette Renard, dont je connaissais quelques couplets, rejetaient dans les limbes l'anneau de chez Birks, et la fiancée avec ! Colette Renard me laissait penser qu'il existait autre chose que la vie rangée et les dix commandements. J'avais presque envie de croire qu'elle m'invitait à m'encanailler, encore que le mot fût trop neuf pour moi et que je n'eusse pas trop su comment y parvenir.

La foule bigarrée de la place d'Youville créait en toutes saisons un mouvement toujours assez vif pour me sortir de mes rêves, sauf peut-être dans les très grands froids de la mi-janvier ou des premiers jours de février. Il m'arrivait alors de sauter dans un tramway jusqu'à la Jonction de Sillery ; il ne me restait que cent pas à faire et j'étais chez nous.

C'est par un bel après-midi ensoleillé du début de novembre que j'ai remarqué pour la première fois Esther Garneau.

Je l'avais pourtant croisée à maintes reprises, sans avoir jamais été frappé outre mesure par son élégance, par sa démarche de déesse placide, et ce pli léger des lèvres qui lui tenait lieu de sourire quand elle me voyait approcher. Aux « Bonjour, madame » distraits que je lui avais donnés régulièrement à chaque rencontre, elle m'avait répondu par un hochement de tête, un « Bonjour, Jean » amical, justifié par le fait qu'elle et son mari connaissaient mes parents ; ils avaient même soupé à la maison à quelques reprises, certains dimanches. J'avais d'ailleurs trouvé assommant son avocat de mari, qui n'avait su parler que de lui et de la carrière politique qui, manifestement, occupait toute son existence. Elle ne m'avait pas frappé plus qu'il ne fallait.

Dans la soirée, j'eus des distractions. Aux prises avec une page du traité philosophique de Cicéron sur l'amitié, que le professeur nous avait donné à travailler en version latine, alors même que, dans la mêlée des chars et des chevaux dont les termes latins des versions parlaient plus souvent qu'ils ne parlaient des amis, je me battais avec les mots et que j'éprouvais quelque difficulté à distinguer les contours de l'affection et les figures de la beauté, je me rendis compte avec étonnement que l'image de Mme Garneau surgissait à chaque détour de phrase, à chaque coup de dictionnaire. Je me surpris à essayer de reconstituer son allure, ses traits, son sourire. Et je découvris soudain qu'elle était belle !

Un peu troublé par cette pensée où n'aurait pu entrer le moindre désir tant cette dame était loin de moi à tous égards, je fis un effort pour me ressaisir. Le texte de Cicéron s'éclaircissait, et je me sentis tout à fait rassuré quand j'en fus rendu à traduire le début du paragraphe 63 : « La prudence demande donc que l'on modère l'élan de son affection comme on retient la course d'un char… » Je tins donc avec la plus grande vertu les cordeaux de mon char et je pus ainsi finir sans trop de mal mon devoir de latin.

Pourtant, au lieu de la saluer distraitement le lendemain, j'attendis avec une certaine fébrilité d'être à sa hauteur et je levai vers elle des yeux qui se voulaient pleins d'assurance. À vrai dire, l'effet Cicéron n'avait pas duré longtemps ; j'avais songé, non sans plaisir, à ce moment presque inévitable où je la rencontrerais en revenant du collège, le jour suivant, et je m'étais attaché à en prévoir le déroulement. J'avais même cherché une formule de salutation qui soit originale et me fasse remarquer de cette dame, qui venait de jeter en moi un trouble si agréable. Il m'était même arrivé de me lever durant la nuit pour demander au miroir, devant lequel je me faisais la barbe, le matin, quel sourire, quelle mimique conviendraient le mieux dans les circonstances !

J'ai lieu de croire que ma salutation fut perçue comme moins automatique qu'à l'accoutumée ; Mme Garneau parut de fait légèrement surprise de cette innovation dans ce qui n'était jusque-là qu'une civilité routinière. Elle tourna la tête, me sourit en baissant lentement les yeux et poursuivit sa marche. Je fus tellement saisi que je ne pus reproduire aucune de ces attitudes que j'avais préparées dans l'intimité de ma chambre.

Le lendemain, je compris qu'elle me regardait venir avec une curiosité amusée. Elle s'attendait à ce que je lui prête attention. La figure enflammée et les jambes menacées de paralysie, j'esquissai en la regardant un sourire si raide, si emprunté, que j'eus honte de ma balourdise. J'avais passé devant le miroir une partie de la soirée précédente ; non pas mon petit miroir à barbe, mais celui de ma mère, beaucoup plus grand, que j'avais été emprunter dans son cabinet de toilette. Installé devant cette glace, je m'étais évertué à m'inventer une physionomie qui ne trahisse pas mes débordements intérieurs, et m'empêche également de passer à ses yeux pour un arriéré mental.

Que m'arrivait-il pour que je me sente tout à l'envers à la vue d'une femme beaucoup plus âgée que moi, une femme mariée, de surcroît ?

De toute façon, ce n'est pas que j'étais un don Juan, que non ! Et encore moins un libertin. D'ailleurs, personne ne l'était ou n'aurait osé imaginer qu'on puisse l'être. Nous portions allègrement nos seize ou dix-sept ans, dans un milieu où nous avions tendance à croire, comme les adultes qui nous entouraient, que nous étions encore des enfants. Tout nous inclinait à penser, au contraire, que ces épithètes venues droit des livres avaient été inventées pour la littérature et le théâtre et que n'existaient pas dans la vraie vie des êtres à qui donner ce titre de libertin qui nous faisait frémir, dans les bouquins tout comme dans les sermons. C'était un mot de Français de France, un autre de ceux qui ne convenaient pas du tout à notre réalité ; ils permettaient à nos maîtres de nous redire la chance que nous avions eue d'échapper à la Révolution et à la débâcle des mœurs qu'avait connue la Fille aînée de l'Église.

Des libertins, il n'en existait surtout pas autour de nous, c'était évident : il n'était qu'à voir nos parents, les parents de nos amis, nos connaissances. La ville entière respirait la vertu, une vertu exigeante et sans faille. La preuve ? Personne ne manquait la communion du dimanche, qu'on ne peut recevoir, chacun le sait, qu'exempt de toute faute. Et des fautes, nous croyions fermement qu'il ne s'en commettait pas dans notre ville. Pas dans notre milieu, en tout cas. S'il en avait été autrement, cela se serait su.

Les notables en *morning coat* se succédaient au banc des marguilliers de la paroisse, exemples vivants de la réussite à laquelle mène une vie vertueuse. Un cadre à moulure dorée, installé bien en vue au-dessus de leur banc de charge, prenait soin d'expliquer à ceux qui ne l'auraient pas compris pourquoi ces hommes accomplis, ainsi offerts en exemple tous les dimanches matin, avaient réussi : « Dieu – Famille – Patrie », était-il écrit en lettres d'or sur la première ligne, « Honneur et Travail » sur la seconde.

Au moment de la quête, d'autres hommes bien en vue de la paroisse se levaient des premiers bancs, s'avançaient dans la grande allée ; arrivés à l'autel, ils s'inclinaient d'un seul mouvement devant le prêtre et, un plateau d'argent dans leur main gantée de gris, ils se retournaient de concert pour recueillir dans les allées qui leur faisaient face les offrandes du peuple, ayant eu soin auparavant de déposer leur propre aumône, qui se devait de n'être pas celle du pauvre.

Il ne se pouvait pas que ces personnages auréolés de gloire connaissent le péché, pas plus que leurs amis de même rang qui ornaient le sanctuaire, chevaliers de Malte ou du Saint-Sépulcre, ou, dans une classe que tout le monde savait inférieure, les chevaliers de l'ordre équestre de Saint-Grégoire-le-Grand. Tous, ils étaient enveloppés de velours noir, et leurs corps étaient tout entiers ornés de croix aux couleurs resplendissantes. Dieu était avec eux, c'était certain. Les seuls sur lesquels pouvait planer un doute, ai-je compris avec le temps, c'étaient les chevaliers de Colomb du quatrième degré. Avec leurs capes d'un rouge tapageur et leurs bouilles d'hommes du peuple, ils faisaient figure de parvenus quand on les comparait aux autres ; ces épiciers enrichis, ces plombiers à la réussite voyante n'avaient pas appris à être à l'aise dans de tels costumes qui n'étaient pas faits pour eux. Ils ne savaient pas encore paraître. À les voir se pavaner si malhabilement, ces notables aux ongles noircis et aux manières lourdes, ces personnages tout au plus destinés au bas-chœur, on était moins certain de leur vertu ; peut-être étaient-ils des pécheurs, ceux-là, au même titre que la plèbe anonyme des fidèles. C'était à eux que s'adressaient les paroles souvent sévères du curé, que l'on commenterait ensuite à table en remerciant le Seigneur de n'être pas comme le reste des hommes…

La bonne société ne se devait-elle pas, en outre, de donner l'exemple – qu'on appelait le « bon exemple » tant on était convaincu que, venant d'elle, il ne saurait être mauvais ? Formée à l'ombre des pouvoirs établis et selon les enseignements de l'Église, bien élevée, nantie d'une solide formation classique et cultivée, selon son expression chérie, la société de notre ville se sentait une vocation d'élite. Elle était la classe supérieure, la classe dirigeante ; son existence même la rendait indispensable aux masses, peu instruites et par conséquent peu conscientes, entièrement préoccupées celles-là par un mieux-être qui leur eût suffi, n'eussent été certains agitateurs étrangers, porteurs de doctrines révolutionnaires, à qui on aurait bien aimé fermer les portes de la ville.

*

Je n'avais rien du don Juan, c'est très net. Mes expériences de l'été avaient certes avivé mes sens. Bien que j'aie cru avoir été sage avec Ann Burns, j'étais à même de savoir maintenant à quel point les jeux de l'amour m'avaient bouleversé, surtout que, cette fois-ci, je venais de dépasser un peu les chatteries propres à mon âge : j'avais aimé Ann, et malgré mes efforts pour l'oublier, je me rendais bien compte que je l'aimais encore.

Sa tendresse me manquait terriblement. La vie rangée qui était la mienne depuis septembre cachait un débordement de l'imagination, que je m'évertuais à refréner : je faisais tout pour garder le couvercle bien fermé.

Je n'avais rien d'un don Juan, mais je ne manquais pas d'idées. J'en avais même trop à mon goût. Étonnamment, je n'étais pas loin de penser que j'étais seul dans ce cas. Les autres autour de moi semblaient tellement bien dans leur peau. Étaient-ils donc à l'abri du doute, de la coche mal taillée, du faux pas ? Comment parvenaient-ils à convenir si facilement avec eux-mêmes d'une paix dont l'absence en moi m'était si lourde à porter ? Je sentais quand même que mes camarades vivaient les mêmes angoisses en tentant de n'en rien laisser paraître. Cette paix appartenait aux seuls adultes, me disais-je, elle était en fin de compte leur prérogative ; c'est même par elle que se définissait à mes yeux cet état qu'il m'arrivait de tant leur envier, dans ma candeur.

Les sens mis à vif par les souvenirs de l'été, je me voyais ballotté par des désirs la plupart du temps contradictoires et je ne cessais de découvrir, au détour de mes pensées, d'inquiétantes nouveautés qui n'acceptaient pas toutes de se laisser enfermer dans les cases que leur ménageait ma bonne éducation. Je m'étonnais aussi de l'incessant volcan qui m'habitait et ne savais plus s'il fallait me réjouir de sa richesse et des plaisirs que j'en tirais ou me laisser ébranler par les secousses violentes qu'il m'assenait.

Encore tout près de l'innocence d'hier, je n'aurais pu dire si j'étais fort ou faible, je ne voyais pas si j'étais aigle ou serpent, je ne me prononçais pas sur qui, de l'ange ou du démon que je sentais vivre en moi, l'emporterait. L'image de Mme Garneau, cependant, me poursuivait. Elle me tarabustait, elle faisait en moi beaucoup de bruit, y engendrait un peu d'inquiétude, une grande agitation et un trouble qu'il me fallait bien qualifier de délicieux. Cet émoi rejoignait l'excitation que j'avais si agréablement connue avec Ann ; pourtant, je me refusais à y voir quelque ressemblance. La tendresse d'Ann, nos souvenirs communs, c'était autre chose. Perturbé par l'irruption d'Esther Garneau dans ma vie, je préférais trouver ailleurs que dans mes amours de l'été un point de comparaison qui puisse expliquer mon excitation. Ann était sacrée. Dans la situation où je me trouvais embarqué un peu par ma faute, il ne me paraissait pas permis de laisser remonter à la surface sa figure, et encore moins de la lier à une matière qui aurait pu flétrir même un tantinet ce qu'elle représentait pour moi.

« À y regarder de près, me disais-je, tentant ainsi de me convaincre pour me libérer d'Ann, pour me donner meilleure conscience peut-être, l'émoi que je ressens en pensant à cette femme n'est quand même pas une nouveauté totale. »

Il me venait des bouquets d'odeurs qui sentaient bon la Luce d'avant l'été dernier, celle qui avait incarné pour moi la femme idéale et dont la seule présence me rendait tout chose. D'autres effluves aussi accouraient à mon aide : c'était quand même plus rassurant de me reporter à mes premiers flirts, à mes premières amourettes. À des moments de grâce dont j'aimais bien me souvenir. Malgré le trouble dans lequel me jetaient ces premières brûlures de l'amour, à ces images trop filtrées réussissaient quand même à se mêler des traits qui me venaient d'Ann.

J'avais beaucoup en tête, par exemple, la belle Marie Létourneau, à qui je m'étais abstenu de donner des nouvelles depuis mon retour de Kamouraska, et que, du reste, je ne verrais plus par la suite. Marie, une élève du collège Bellevue, était la fille d'un collègue de papa, qui demeurait sur l'avenue du Parc ; c'est avec elle que j'avais fait mes premières découvertes amoureuses. On disait de son père qu'il était un homme d'œuvres. L'année d'avant, un dimanche de juin, le club Richelieu avait organisé un grand pique-nique à la colonie de vacances que ce club social patronnait. M. Létourneau étant président du Richelieu pour l'année 1948, il convenait donc que ses collègues, ses amis et leurs familles lui fassent l'honneur d'être présents. Pour faciliter le transport, des taxis avaient été mis à la disposition de ceux de ses invités qui n'auraient pu faire monter tous leurs enfants dans la voiture familiale.

C'est ainsi que je partis pour le lac Saint-Joseph avec Marie. Comme ils étaient du genre turbulent, ses deux jeunes frères étaient assis près du chauffeur, tandis que Marie et moi occupions la banquette arrière en compagnie d'un garçon de la rue Belvédère que nous ne connaissions que de vue ; il s'appelait Jérôme, et sa timidité le rendait muet.

Ce Jérôme ne bronchait pas ; il gardait les yeux rivés sur le paysage, comme s'il avait été chargé d'en cartographier les détails. Marie, cependant, parlait pour deux ! Enjouée, intéressée à tout, elle avait une énergie qui remplissait l'auto. Nous nous connaissions un peu, mais sans plus ; notre rencontre du matin donna le ton à la journée, que nous passâmes ensemble avec beaucoup d'agrément. C'est au retour que l'incendie devait éclater.

Vers neuf heures, en effet, le signal du départ avait été donné par les parents. Fourbus, les deux jeunes Létourneau s'étaient assoupis près du chauffeur. Jérôme, que nous n'avions pas revu de la journée, s'était allongé dans le coin de la voiture et paraissait dormir.

« Jean, tu n'as pas froid, toi ? Moi, j'ai des frissons.

– Attends une seconde, j'ai ici la couverture de pique-nique. Je l'avais oubliée dans l'auto ; elle est toute propre. »

Je la dépliai et la mis sur elle, prenant soin de m'en couvrir aussi, même si je n'avais pas froid. Deux secondes plus tard, nos mains s'étaient nouées. Puis nos genoux se collèrent, nos mains se détendirent pour se laisser aller à des caresses de plus en plus enflammées. Nos voisins ne nous inquiétaient plus, et le chauffeur semblait un homme des plus discrets, se contentant de jeter parfois un œil dans son rétroviseur : le sourire qu'il esquissait montrait bien qu'il en avait vu d'autres ! Jusqu'à Québec, ce ne fut entre nous qu'enlacements et baisers, jeux de mains au bord de devenir jeux de vilains ! Ce soir-là, je me couchai heureux comme je l'avais rarement été. Nous nous étions donné rendez-vous pour le lendemain.

Marie m'enchantait. Elle aimait la vie, qui le lui rendait bien. Pas très grande et un peu trop grassette à mon goût, elle était l'image même de la vigueur adolescente, qui ne demande pas mieux que de s'exprimer dans les bras d'un garçon. C'était plus que ce que je souhaitais, avec ma réserve naturelle et la retenue qu'on avait instillée dans mon sang dès les toutes premières gouttes du lait maternel. Marie n'était pas mon genre, je ne pouvais dire qu'elle était ma blonde, même si je prenais plaisir à l'inviter aux *parties* organisés par mes camarades : sa présence faisait fureur auprès de mes amis, et je m'amusais de voir la face ahurie des filles des Ursulines, qui cachaient mal l'impression de se sentir trahies.

Marie Létourneau n'était pas ma blonde, mais nous cherchions les occasions de nous voir. À dire vrai, nous étions surtout à l'affût des occasions d'être seuls ensemble. Dès que nous nous retrouvions, nos mains s'emballaient, nos corps se rapprochaient. Nous étions comme deux jeunes chats, deux chiots un peu fous ; nous sentions entre nous une attirance physique qui rendait nécessaire à chacun la présence de l'autre.

Marie était faite d'une matière inflammable ! Elle avait quelque chose d'animal, qui la transmuait en aimant. Qu'il était merveilleux de l'approcher, de la sentir toute chaude, toute vibrante, de me coller le nez dans sa chevelure brune.

Marie fleurait le lilas du mois de mai ; son parfum me rappelait les odeurs les plus fortes que j'avais connues jusqu'alors. Dans ses cheveux, je retrouvais notamment une senteur qui était pour moi le summum de ce qui peut sentir bon ici-bas, celle des seringats. L'exhalaison divinement discrète de ces fleurs blanches était pour moi le signe du printemps, depuis ces jours de ma prime jeunesse où j'avais eu à remplacer un copain qui servait chaque matin la messe de six heures et demie. C'était au mois de mai. Pendant deux semaines, je m'étais jeté très tôt en bas du lit et je partais en courant, tant j'avais hâte d'arriver au bas de la rue des Érables pour avoir le plaisir d'y longer une haie d'où émanait ce parfum qui me chavirait le cœur. C'était au printemps de mes huit ans, et depuis, l'odeur des seringats est pour moi chose sacrée.

Je me collais à Marie. Je me rapprochais silencieusement de ses lèvres, certain qu'elles laisseraient sur les miennes une trace de framboise, et peut-être de cerise bien rouge. Du bout des doigts, j'effleurais la peau de son cou, plus douce et plus blanche que le marbre fin qu'on voyait sur les statues grecques de nos manuels. Marie était brûlante. À peine nous étions-nous touchés que je la sentais fondre dans mes bras. Que se prolongent les jeux de l'amour et elle devenait toute molle, prête à tout, aurais-je pu penser ; mais nous avions su jusque-là nous contenir.

Avec un étonnement qui me dérangeait, je m'apercevais maintenant que j'étais tenté de faire avec cette femme plus âgée, avec cette inconnue qu'était Mme Garneau, les mêmes gestes que ceux que j'avais l'habitude d'entreprendre avec Marie, assuré d'y trouver le même plaisir, le même bien-être ; en même temps s'insinuait en moi, d'une façon que je n'aurais su décrire avec des mots, une intuition, un sentiment confus qui il me faut bien confesser m'apparaissait un peu ambigu, un peu pervers même : l'heure était venue pour moi d'être un homme.

Emmêlés à ces réminiscences somme toute superficielles se glissaient maintenant une fanfare de phantasmes souterrains, dont la soudaineté et la violence n'étaient pas sans m'effrayer tant leur débordement m'étourdissait ; difficile pour moi de reconnaître que ces images sulfureuses, c'était moi qui les fabriquais, c'était de moi qu'elles venaient ! J'avais peur de ce monstre mal enchaîné dont je sentais si vivement la présence.

D'un geste, je repoussais la déroute qui me guettait, la débandade à laquelle les turbulences du volcan qui bouillonnait en moi risquaient de me conduire. « Fais un homme de toi, Jean. Laisse tomber l'introspection et fonce ! » Encouragé par mon goût d'une aventure, je replongeais dans cette mer de désirs que j'avais failli quitter, retrouvant avec délice le flux des images et le reflux des impressions pleines de promesses qui me laissaient deviner, et espérer sans que je l'admette complètement, que je pourrais enfin connaître ce que les autres voulaient dire quand ils parlaient de faire l'amour.

Avec Mme Garneau, qui sait ? il me serait possible de me laisser aller, de la serrer dans mes bras comme un homme, pour vrai ; de fouiller à mon goût dans la forêt de ses cheveux, d'oser ouvrir la bouche et tâter avec ma langue le grain de ce cou de calcaire blanc et me coller à son corps, tout en me gavant d'effluves de framboises et de cerises, plus à point celles-là que toutes celles auxquelles il m'était arrivé de rêver jusque-là.

Je brûlais de désir pour la femme mûre que j'avais croisée. Je rêvais de faire l'amour avec elle, cette femme attirante dont je ne risquais pas de briser l'hymen, dans tous les sens du mot. Elle était mûre et belle, ses seins offraient au regard autre chose que des petits fruits qui n'avaient pas atteint leur taille ; elle, elle saurait sans inquiétude me dévoiler la toison sacrée, le triangle d'or auquel jonglent les fils pubères, et m'initier aux joies un peu troubles de la première rencontre d'amour.

Mon esprit s'envolait facilement vers cette stratosphère interdite, de laquelle toutefois je retombais brusquement, comme si j'avais été un Messerschmitt abattu tout d'un coup par une DCA cachée, embusquée là exprès pour me faire tomber.

« Qu'est-ce qui m'arrive ? Où ai-je la tête ? » me demandai-je.

Une femme de trente ans, une femme mariée, une notable, une amie de la famille ! Pour qui est-ce que je me prenais, moi, le p'tit gars qui n'avait même pas le nombril sec, comme les oncles le disaient en me regardant de haut ? Chaque fois que ces rêves s'infiltraient entre les lignes de mes devoirs ou de mes leçons, ou qu'ils faisaient se relâcher subitement l'attention avec laquelle je suivais les explications du professeur en classe, un mot me tombait dessus, un mot à deux volets qu'on connaissait trop bien parce qu'on nous l'assenait depuis toujours : MAUVAISES PENSÉES. Dans ce cas-ci, je n'en doutais pas, c'était vraiment une mauvaise pensée, tant elle était ridicule chez un garçon de mon âge. De penser à « tout ça » était déjà un péché, mais en plus, de rêver à Mme Garneau, quelle folie ! Pas de doute, j'étais malade.

*

On disait d'Esther Garneau qu'elle était l'une des plus jolies femmes de la haute-ville. Pas très grande et remarquablement racée, elle ne passait jamais inaperçue :

où qu'elle paraisse, on remarquait sa présence. Des yeux de feu illuminaient sa figure. De prime abord, on ne voyait qu'eux, subjugué que l'on était par le regard intense de cette femme ; un seul coup d'œil de sa part et l'on se sentait déjà reconnu, accueilli, salué avec une amabilité peu coutumière. Brune de peau et le visage agréablement arrondi, une chevelure courte qui ne se gênait pas pour aller à l'encontre des modes et, par-dessus tout, un sourire dont l'éclat accompagnait avec grâce l'ardeur de son regard, elle était belle. De manière toute naturelle, elle savait tenir la pose, avec sa démarche à peine nonchalante et ce port de tête qui, lorsqu'elle se déplaçait dans un groupe, lui donnait l'allure d'une déesse en visite chez les humains. Sans qu'il y ait eu chez elle quoi que ce soit de recherché ou d'artificiel, elle offrait aux regards une beauté naturelle, une sérénité de traits dont devenaient captifs ceux à qui elle était présentée.

De manière toute naturelle, par conséquent, chacun se laissait prendre à ses charmes ; il n'était personne qui pût lui résister. On l'admirait. Elle aurait pu être de toutes les réceptions et de tous les cercles si elle l'avait désiré ou y avait consenti ; on n'ignorait pas, toutefois, qu'elle tenait à sa liberté comme à la prunelle de ses yeux. En somme, elle réussissait le tour de force de se faire pardonner de n'être pas comme tout le monde !

Dans une ville où tout est réglé par les conventions sociales, cette femme, en effet, affichait sans l'avoir recherché tout ce qu'il aurait fallu pour qu'on la mît au ban des gens bien. Sa beauté aurait pu paraître agressive aux yeux des autres femmes, et il eût été naturel qu'elles la considèrent comme une rivale, une voleuse de maris. Si les hommes tournaient la tête sur son passage, s'ils s'empressaient de lui présenter leurs hommages lorsqu'ils la rencontraient, s'ils allaient même jusqu'à pratiquer, le plus malhabilement du monde, un baisemain qui n'était pas du tout dans leurs habitudes – ceux d'entre eux qui, se considérant comme bien nés, s'y étaient essayés s'étaient lamentablement cassé les dents : ils avaient été aussitôt déclassés auprès des belles par l'aisance de certains visiteurs européens, lesquels, par ce geste courtois d'une autre époque, avaient littéralement séduit les femmes de ces messieurs ; elles en parlaient encore, et leurs maris ne se brûlaient plus les doigts à jouer les marquis ; si les hommes, donc, multipliaient les signes d'admiration à son endroit, aucun d'entre eux n'aurait osé pousser bien loin le flirt et tenter d'obtenir ses faveurs. Ils préféraient continuer à faire semblant de la courtiser comme ils courtisaient par jeu les femmes de leurs amis, dans des duels d'opérette qui tenaient plus du jeu de société que d'un désir de conquête. Ils auraient été bien embêtés, tous ces messieurs, s'il avait fallu qu'une de ces femmes prenne au sérieux cette parade de bon ton et qu'elle ait tout d'un coup la naïveté de répondre pour vrai à leurs avances.

J'ai compris assez tôt que les hommes de notre monde étaient souvent lâches. Qu'ils ne cultivaient que bien peu l'esprit de conquête, la combativité, la compétition, le désir de vaincre et de l'emporter qui, depuis l'aube de l'histoire, sont la marque des mâles. Pas rien qu'en amour. En tout, et même en affaires, on n'osait pas prendre de risques : une vie calme et aisée, appuyée sur un pécule qu'on devait faire profiter, comme l'y invite la parabole des talents dans l'Évangile. Mais la gloire, mais l'audace, mais l'élan créateur ? « Mieux vaut mourir jeune et rempli de gloire que de vieillir sans gloire parmi les siens », disait depuis des siècles l'éducation élitiste dans laquelle j'étais à mon tour baigné. « Ou vivre noblement, ou noblement périr, voilà la règle pour qui est d'un bon sang », répétait le Sophocle de nos livres. Pindare intervenait également pour stimuler notre enthousiasme et réjouir nos cœurs de jeunes chevaux fringants. À mon grand regret, peu d'hommes parmi ceux que je voyais évoluer prenaient à leur compte les leitmotivs de leur jeunesse ; ils optaient toujours pour la sécurité, ils préféraient s'asseoir à l'ombre et « traîner un vieil âge inutile et sans gloire… » Je trouvais le spectacle désolant.

Comme il convenait à une éducation chrétienne, à ces désirs de gloire qu'on leur avait enseignés, qu'on nous enseignait à nous aussi, on avait ajouté un peu de Bon Dieu : n'était-ce pas là des désirs malgré tout inspirés de très païens principes, comme on ne manquait pas de nous le rappeler ? *Deo favente, haud pluribus impar*, proclamait la devise conjointe de l'Université Laval et du Séminaire. « Avec l'aide de Dieu, nous nous comparons aux meilleurs. » « Avec l'aide de Dieu, il n'est à peu près personne que nous n'égalons. » « Avec l'aide de Dieu, nous sommes supérieurs aux autres. » Quelle que soit la traduction que leurs maîtres aient tentée devant eux, de la même manière qu'ils le faisaient pour nous maintenant, la réalité restait la même : on était appelé à être la classe supérieure, à former l'« élite ».

Sotto voce, on ajoutait aussitôt, toutefois, que ce rôle d'exception, il convenait de l'accepter avec humilité. Voilà ce qu'entendait indiquer le *Deo favente* qu'on avait mis en tête de la devise pour en modérer l'orgueil. Ce bel ablatif absolu qui faisait la joie des professeurs de latin avait pour fonction de nous mettre à notre place. De se glisser en nous pour nous convaincre à jamais de notre indignité et de la modestie de notre existence si Dieu n'était pas à nos côtés, nous qui étions destinés à être la « crème de la société ». C'était l'avertissement lancé à la race choisie, l'antidote fourni chaque jour à des âmes que guetteraient toute leur vie les fautes d'orgueil ; en quelque sorte, la poignée de poussière que, jadis, l'empereur de Byzance faisait coudre à la frange inférieure de ses somptueux habits, pour lui rappeler qu'il n'était que cendres et poussière. Et qu'il devait compter avec les ministres de Dieu.

S'ils ne sortaient pas des murs bien apaisants de la ville, s'ils ne faisaient face qu'à des réalités aussi peu menaçantes que celle de leur vie bien ordonnée, nos notables ne doutaient jamais de leur rang tout en oubliant vite les grains de poussière du *Deo favente*. Hélas, de la conquête et de la victoire à tout prix, ils perdaient aussi mémoire.

On avait eu beau leur enseigner pendant de longues années cet amour de la gloire et la nécessité, pour un homme, d'être le premier en toutes choses, y compris dans le cœur des femmes, rien n'y faisait, ils se comportaient en esclaves. Ils ne paraissaient pas du tout se souvenir qu'un jour ils avaient, eux aussi, vibré au message des Anciens et rêvé de changer le monde. Les héros dont on avait semé l'exemple sur eux pendant huit années de collège, ces Ulysse, ces Achille, ces Énée du monde antique, les Cid et les Roland de leurs grandes épopées, les Alexandre, les César, les Louis XIV et les Napoléon à qui l'on pardonnait tout, car ils étaient vainqueurs, ils les avaient tous oubliés.

S'il existait encore chez eux un peu de goût pour la lutte, peut-être l'exerçait-il dans leur profession, mais encore, à quelles fins ?… Pour se faire un nom, probablement, et surtout pour amasser du bien. Le repos du guerrier, s'ils avaient deviné que c'est aussi la récompense du vainqueur, c'était dans quelque hôtel du quartier Saint-Roch qu'on le recherchait, auprès de femmes qu'on ne craignait pas et qui n'avaient rien des Aspasie, des Mata Hari ou de ces autres égéries du passé dont la morale ambiante avait pris soin de taire les exploits.

Ils étaient devenus les notables de Québec. Ils se tenaient le corps raide, toujours au garde-à-vous

169

devant les mots d'ordre que leur imposait la galerie des personnages portraiturés dont ils étaient les thuriféraires et qui les protégeaient d'avoir à penser par eux-mêmes : le pape et le roi dont on écoutait en toutes choses les volontés, les premiers ministres que l'on feignait de respecter et que l'on applaudissait parfois, pour autant qu'on avait un profit à en tirer ou qu'on estimait qu'ils avaient pris les bonnes décisions pour le petit peuple – dont on n'était pas, fort évidemment.

Incapables de résister un instant au conformisme généralisé, ne possédant pas un seul atome de ce don de désobéissance qui seul ouvre la voie à la liberté, aucun d'entre eux n'aurait eu l'audace d'afficher en public une quelconque dissidence, encore moins de compromettre une réputation qui lui avait assuré un nom et une fortune. Leur plaisir le plus fin allait consister jusqu'à la fin de leurs jours à dérouler aux yeux des autres une vie déjà meublée jusque dans ses moindres recoins par la satisfaction d'avoir réussi, d'avoir tout vu et de tout savoir.

Bref, ils s'étaient contentés de champs de bataille bien restreints, ces hommes au col dur qui me paraissaient avoir oublié les coups de cœur de leur jeunesse, s'il est vrai qu'ils aient pu en avoir ; leurs combats se réduisaient à des batailles de coqs, dont les enjeux étaient moins la poule que l'œuf !

Ils avaient peur d'Esther Garneau, ces bourgeois endimanchés. Ils étaient également beaucoup trop timorés pour oser affronter une femme de ce caractère, une femme forte et sûre d'elle-même, qui aimait traiter d'égal à égal avec tous, y compris les hommes. Il était amusant de voir la distance respectueuse qu'ils gardaient avec elle. Leurs femmes n'ignoraient pas cette peur d'Esther Garneau ; elles n'étaient donc pas trop inquiètes.

Le franc-parler de cette amazone leur en imposait, à elles aussi. Il était évident qu'au fond d'elles-mêmes plusieurs de ces femmes arrivées l'enviaient de ne pas avoir consenti à courber la tête devant son mari, comme elles s'étaient toutes empressées de le faire le jour de leurs noces. Elles l'enviaient également, du moins j'ai tout lieu de le penser, d'avoir su garder ses distances par rapport à leurs cercles fermés et de ne pas s'être laissé enferrer pour la vie dans la ronde stérile de ces dames en constante compétition qu'opposaient à longueur de semaine d'imperceptibles querelles de préséance, de recettes de cuisine et de plumes de chapeau.

Il faut dire aussi qu'elles se plaisaient à croire que leur mari ne les trompait jamais. Dans bien des cas, j'incline à croire que c'était vrai ; la religion, l'amour, le désir de bien faire contribuaient à la stabilité des familles et au bonheur des maris. Il en était bien d'autres, de ces femmes, à qui il faisait l'affaire de se convaincre que leur époux était fidèle. Et à qui il ne serait jamais venu à l'esprit qu'on puisse faire l'amour l'après-midi. Peu portées sur les plaisirs du lit, surtout depuis que la famille était faite, elles ne posaient pas trop de questions sur la froideur du mari, en échange de quoi elles connaissaient la paix et les bienfaits du portefeuille bien garni.

« Au début, je regardais la bosse d'en avant, avait dit en riant une cousine plus osée que les autres ; maintenant, c'est la bosse d'en arrière qui m'intéresse ! »

Une autre cousine, à l'esprit moins vif, l'avait regardée sans comprendre.

« Voyons, Irène, celle du portefeuille. »

Tous n'avaient pas ri d'un rire franc : il y a des choses qui ne se disent pas.

C'est ainsi qu'on vieillissait ensemble, en évitant de soulever la poussière et en n'ayant plus grand-chose à se dire que les banalités de la vie quotidienne, la liste des nouvelles rapportées par le journal et les ragots des soirées présidées par des vieillards de quarante-cinq ans.

J'exagère peut-être un peu, car, dans notre milieu, il y avait nombre de femmes spirituelles et beaucoup de couples heureux. La vertu régnait sur la ville, bien sûr, mais quantité d'hommes et de femmes – celles-là plus discrètement, cela va de soi – ne s'en laissaient pas imposer par la morale écrasante de la société à laquelle ils appartenaient. Ils vivaient la vie des gens sans histoire et savaient se tenir sur leurs gardes pour ne pas être happés par la machine des familles et les insidieux tentacules du qu'en-dira-t-on. Chez eux, la religion ne se résumait pas à des gestes automatiques, et la bigoterie n'avait pas de prise sur eux.

Chez les bien-pensants, on montrait du doigt les personnes qui ne fréquentaient plus l'église et qui avaient pris leurs distances par rapport aux règles communes dont avait été cimentée jusque-là l'unanimité du groupe. De manière générale toutefois, on les condamnait plutôt mollement et l'on ne se refusait pas à les fréquenter. Le bruit courait que le docteur Saindon ne dédaignait pas de faire des avances à certaines patientes, que l'avocat Saint-Pierre entretenait une maîtresse ou que les membres de certains clubs sociaux de la ville se payaient des fins de soirée très spéciales en faisant venir de Montréal des artistes si pétillantes que les demandes d'adhésion au groupe se multipliaient. On prêtait également à « madame docteur » Lachance des mœurs douteuses et à la femme du sous-ministre de la Santé des aventures extra-conjugales à faire dresser les cheveux sur la tête. On s'en scandalisait un peu, mais le plaisir qu'on tirait à pouvoir en parler à voix basse et à en discuter entre gens bien était si grand !

On a commenté longtemps la fugue du fils Lajoie, un jeune homme de dix-huit ans que la consomption menaçait. Le médecin lui avait prescrit d'interrompre ses études pour un temps ; sur les conseils du docteur, le père, un homme d'affaires prospère, avait envoyé son fils se reposer dans le Maine, où l'on avait de la famille. Non seulement cet Albert en avait-il profité pour apprendre l'anglais, mais en plus il était tombé dans les filets d'une femme d'une trentaine d'années, si bien qu'après six mois il ne voulait plus rentrer à Québec. Visite du père, menace de lui couper les vivres, rien n'y faisait : Albert était amoureux fou. Abandonnant pour de bon ses études, il s'était trouvé du travail dans une petite ville du bord de mer, et, ô scandale, il avait épousé cette diablesse. Ils avaient trouvé un prêtre pour les marier ; c'était un lointain parent de la femme, un de ces prêtres qui avaient accompagné les émigrants canadiens-français aux États-Unis.

La famille Lajoie était en grand désarroi. Elle avait rayé Albert de ses conversations. Un jour, après trois années d'absence, on vit revenir, plein de repentance, l'enfant prodigue. Le père l'accueillit, les voisins et les amis en eurent pour des semaines à regarder de travers ce drôle de moineau qui s'était payé une telle virée, et le fils, lui, manifesta une componction si réelle qu'il put bientôt cesser de longer les murs la tête baissée. Le mariage fut déclaré invalide par l'archevêché ; la morale était sauve et le jeune homme redevint un beau parti !

La chronique locale se nourrissait de ces histoires qui servaient de repoussoir à la vertu des uns, de piédestal à celle des autres : ils menaient une bonne vie, et eux, il était évident qu'ils ne sauraient commettre de pareilles fautes.

Il était rare que l'on reproche à son prochain des fautes d'un autre type que celles-là. À croire que les seuls péchés possibles aient été les péchés de la chair. C'était quand même un peu vrai. Il y avait tant de choses de refoulées dans ce monde où tout était défini d'avance entre ce qui était permis et ce qui était défendu, et où les moindres gestes, surtout s'ils étaient reliés à « ces choses » dont on n'osait même pas parler, se voyaient classés pour l'éternité dans la double marmite du bien et du mal. Il y avait aussi tant de désirs, tant de sentiments dont on ne se donnait même pas la liberté de prendre conscience qu'on en venait à être obnubilé par les choses de la chair.

La seule autre faute grave que l'on connaissait était la faillite en affaires. Envers celle-là, on était moins miséricordieux que pour la première, car c'était une faute contre l'argent et contre l'ordre bourgeois lui-même. Malgré ce qu'on en pouvait dire, l'homme qui avait eu des aventures s'en sortait toujours avec une certaine auréole. Ce n'était jamais le cas de l'homme en faillite ; à moins d'un miracle, il devait se considérer comme un homme fini, un paria condamné, lui et sa famille, à changer de quartier ou à quitter la ville.

*

Avec tout son capital de charme, Mme Garneau avait su naviguer dans ce monde grouillant sans avoir jamais été prise en défaut. Elle se comportait d'une façon semblable avec tous les hommes, jamais ne cédait aux flirts et aux œillades ; on ne lui connaissait pas d'aventures. Et pourtant, Dieu sait si elle était en liberté surveillée ! À l'occasion, certaines personnes du monde avaient lancé quelque insinuation ; les ragots n'allaient jamais très loin, car Esther Garneau veillait à ne pas prêter le flanc à la calomnie.

Héritière d'une fortune qui lui garantissait sa liberté, Esther avait fait avec Jules Gaudet ce qu'on pouvait appeler un mariage d'amour, rapportait-on générale-ment. Elle avait alors vingt-deux ans, lui vingt-cinq.

Son mari n'était pas un homme jaloux. Jules Gau-det pratiquait le droit rue d'Auteuil. Le gros de ses affaires, cependant, c'était la politique. Il en faisait depuis le temps de ses études à la faculté, puis il était entré au service des cabinets de ministre comme adjoint junior. Il avait pris du galon par la suite, ce qui l'avait amené à occuper le poste de conseiller principal du ministre des Travaux publics. À trente-quatre ou trente-cinq ans, cet homme bien éloigné de mes préoc-cupations rêvait maintenant de devenir lui-même ministre ; il s'agitait donc beaucoup pour s'assurer un poste de député à la prochaine élection.

Il est certain que la présence à ses côtés de « sa mer-veilleuse épouse », comme l'appelaient les bonnes âmes de la Grande-Allée, pourrait lui valoir des votes. Esther Garneau portait l'un des noms les plus respecta-bles de Québec, et cet héritage, elle n'avait jamais voulu s'en défaire d'ailleurs, si bien qu'elle n'avait pas pris le nom de son mari. La chose avait fini par être acceptée dans la bonne société, car c'était elle ! Jules Gaudet savait dès son mariage qu'Esther lui serait d'un grand secours. Elle l'avait affectueusement assuré de son appui. Oui, elle serait près de lui dans certaines cir-constances, mais il ne devrait compter sur elle que pour les moments stratégiques ; elle n'avait tout de même pas l'intention d'être là constamment.

Esther Garneau, en effet, peignait. Il n'était pas dans sa nature de faire les choses à moitié ; elle s'y adonnait donc avec énergie. Rien à voir avec l'indo-lence des jeunes filles de bonne famille à qui les reli-gieuses apprenaient l'art de peindre et qui se pen-chaient sur leur maigre chevalet quand elles n'avaient plus rien à faire, au milieu de l'après-midi, entre les travaux d'aiguille et le thé de quatre heures.

Habitué comme mes semblables à ne trouver sur les murs de nos maisons que les « cadres » convenus, que les moulins hollandais devant lesquels paissent d'impassibles vaches et des troupeaux de sombres nuages, ou le spectacle morbide de ces femmes de pêcheurs bretons qui meurent de peur devant des tempêtes dont on sait d'avance qu'elles avaleront ceux qui leur sont chers, j'eus les jambes sciées le jour où il me fut accordé de pénétrer dans son atelier.

À peine la porte entrouverte, je me trouvai en face d'une immense tache dorée, qui accaparait tout l'espace du vestibule. Un vrai coup de poing pour le jeune homme que j'étais. Fulgurante, la peinture que j'avais sous les yeux donnait envie de s'arrêter. Impossible de ne pas oublier tout le reste, de ne pas se laisser foudroyer par la magie de ce tableau qui lançait sans retenue des éclats de bonheur et s'imposait au visiteur avec une douce brutalité.

Il fallait quelques secondes avant que le regard distingue, dans l'amas de couleurs dorées à peine soulignées par un jeu de spirales et de lignes courbes tout juste esquissées, quelques rectangles sombres et de rares taches d'orangé, de bleu et de vert, que les ors avaient jusqu'ici retenues de se manifester. Enfin l'œil trouvait le loisir de reconnaître tout à coup deux têtes humaines magnifiques. À peine les avait-on aperçues que la masse sans profondeur d'où elles émergeaient se transformait, dans son étendue ornementale, en une scène magique et presque religieuse : engloutis l'un dans l'autre au centre d'un décor cosmique et derrière de séduisantes lueurs qui dérobaient leurs corps, un homme et une femme s'embrassaient. L'univers s'était arrêté un instant pour célébrer l'amour.

C'était alors, et alors seulement, qu'on notait, dans leur ciel d'or, les myriades d'étoiles qui servaient de niche aux amoureux et que l'on remarquait pour la première fois une épaule de femme, dont on apercevait ensuite les jambes voluptueuses. Le choc était instantané : ô merveille, ô finesse de l'art ! les simples jambes d'une femme devenaient le point de convergence de cette vaste représentation. C'était à ces jambes admirables que le peintre avait voulu qu'il revienne de créer le lien entre l'univers fantastique qu'il évoquait et la somptueuse prairie en fleurs qui servait de piédestal à cet acte d'amour.

« Tu aimes, Jean ? »

Éberlué, je ne savais quoi répondre. C'était la première fois que je venais chez Mme Garneau. En montant l'escalier qui menait à son studio, au troisième étage de cet édifice de la rue Saint-Augustin, je prenais de grandes respirations pour calmer ma nervosité. Elle m'invitait chez elle. J'étais tout intimidé. Comment m'accueillerait-elle ? De quoi parlerions-nous ? Je sentais la légèreté de mes dix-sept ans et craignais de n'être pas à la hauteur. J'avais compté trente-huit marches pour arriver chez elle, trente-huit marches qui avaient appuyé trente-huit fois la résolution dont trente-huit fois je venais de me convaincre, qui était de ne pas prendre mes jambes à mon cou pour me sauver vers le Séminaire. Devant la porte de l'appartement 301, j'avais repris mon souffle, je m'étais passé la main dans les cheveux.

« Va-t-elle m'embrasser ? Est-ce mieux que je lui tende la main ? »

Il m'était difficile de me composer une entrée en matière ; les scénarios se brouillaient dans ma tête.

« Vas-y, mon gars, fonce, c'est le temps ou jamais. »

Deux coups de heurtoir, un bruit de pas qui s'avancent et la porte s'ouvrit. Les cheveux remontés et retenus par un fichu de mousseline qui lui donnait un air de petite fille, Esther Garneau était rayonnante. Sans doute était-elle à l'ouvrage, car elle avait à la main un torchon maculé de couleurs ; elle achevait de s'y essuyer les mains et me tendit la joue ; je lui donnai spontanément une bise. Le geste m'était venu si naturellement qu'il me mit à l'aise. À peine avais-je remarqué qu'elle était en pantalon et portait un sarrau de peintre, qu'elle s'avançait pour refermer la porte derrière moi. Le choc que me causa la rencontre avec la peinture de Klimt acheva de me faire oublier mes hésitations de timide. De toute évidence enchantée de ma réaction, Esther ne broncha pas et ne dit pas un mot. Puis, elle me prit la main, qu'elle garda dans la sienne.

« Que j'aime ta réaction devant cette œuvre, Jean. Tu la connaissais ? »

J'aurais été incapable de mentir.

« Non, pas du tout. »

Je regardai Esther avec intensité :

« Me permettez-vous de le dire comme je le pense ? C'est ce que j'ai vu de plus beau dans toute ma vie. »

Esther serra bien fort ma main qu'elle tenait encore ; d'entrée de jeu nous étions sur la même longueur d'onde.

« C'est un tableau de Gustav Klimt, un peintre autrichien pas très connu ici. Cette reproduction, c'est mon père qui me l'a achetée au cours d'un voyage en Europe, quelques années avant sa mort. Il ne pouvait pas me faire plus grand plaisir. »

J'aurais juré que cette peinture devait s'appeler *Un baiser* ou quelque chose du genre. Je le demandai à mon hôtesse ; elle me confirma qu'il s'agissait du *Baiser*. En tout cas, quel qu'en soit le titre, j'étais littéralement envoûté par ce tableau. Dois-je le dire ? Au-delà de la force qu'il possède en lui-même, c'est aussi par l'atmosphère érotique dont il est enveloppé que *Le Baiser* me clouait sur place. Deux amoureux seuls au monde, dans un univers onirique qui leur appartient à eux seuls. J'appréciais l'enlacement qui était leur et la distance qu'établissait avec le monde extérieur le visage détourné de l'homme : ils étaient coupés de la vie quotidienne, ils s'aimaient dans un espace pur et précieux. Non sans une certaine naïveté, je me pris à sourire en regardant Esther.

« Vous êtes venue chez mes parents à quelques reprises, madame Garneau ; vous souvenez-vous...

— Si tu veux être gentil avec moi, Jean, tu ne vas pas me donner du madame tout le temps. Nous sommes des amis ? Tu peux donc m'appeler par mon prénom.

— Le mot va sûrement m'échapper quelques fois, Esther, mais puisque vous me le demandez, c'est bien sûr d'accord. Vous souvenez-vous d'une grande gravure qui se trouve dans le salon de mes parents ? C'est une sorte de scène d'opéra, où un soldat romain, le casque à la main, est en train d'embrasser une jeune fille toute timide. Cette peinture porte aussi comme titre *Le Baiser, Il Baccio*. Ouf ! Sans commune mesure avec le monde que laisse voir votre M. Klimt, ajoutai-je avec admiration.

— Malheureusement, je ne me rappelle pas ce tableau. »

Elle fit un pas vers la porte qui ouvrait sur une autre pièce et m'invita à y entrer ; c'était son atelier. J'entrais dans un lieu comme celui-là pour la première fois. J'avais bien sûr une idée de ce que pouvait avoir l'air un studio d'artiste ; on en voyait au cinéma ou dans les revues, et les livres m'en avaient aussi inspiré une image. Des odeurs un peu fortes flottaient dans la pièce ; sans doute provenaient-elles du monceau de tubes métalliques qui reposaient sur une sorte d'établi. Sur leur col luisaient des restes de couleurs dont la principale caractéristique, m'apparut-il, était qu'elles étaient toutes vives.

Accrochés aux murs, quelques cadres vides et, dans la lumière précise que projetait une grande fenêtre, ouverte sur le ciel et sur quelques morceaux des Laurentides au loin, apparaissaient des tableaux, appuyés sur le plancher entre les portes ; ils étaient tous commencés, mais aucune de ces natures mortes n'était terminée. Le chevalet ne portait aucune toile ; pourtant, Esther s'essuyait les mains à mon arrivée.

« J'espère que je ne vous ai pas dérangée dans votre travail ?

– Je t'attendais vers midi trente, comme nous en avions convenu, et tu étais à temps. Juste un petit peu en avance, se permit-elle de relever avec un sourire amical. As-tu eu le temps de manger avant de partir ? ajouta-t-elle.

– Disons que j'ai avalé un peu vite le repas des demi-pensionnaires », répondis-je en m'asseyant à son invitation.

Elle me présenta un plat de gâteaux et m'offrit le café, qu'elle avait préparé tout en répondant à mes questions sur son travail. Assise près de moi, de temps en temps, elle se levait pour me montrer une de ses œuvres en devenir, m'indiquait à ma demande le pinceau ou la spatule avec lesquels elle avait vaincu telle difficulté ou réalisé tel trait dont la technique me surprenait, moi qui me sentais très béotien à côté d'elle.

« Je ne pourrai pas rester bien longtemps, Esther ; j'ai un cours de mathématiques à deux heures, que je ne peux me permettre de manquer : ce n'est pas ma matière forte. »

Le temps avait passé bien vite et tout s'était déroulé merveilleusement bien, à mon point de vue. Esther m'avait reçu comme un homme, je n'avais pas fait de faux pas ; elle avait même semblé prendre plaisir à ma présence. Elle se leva en même temps que moi et me prit la main tout en m'accompagnant vers la sortie. Cette fois, la chaleur toute vivante de cette main et sa douceur firent augmenter ma pression. À l'arrivée, j'étais trop nerveux pour prêter attention au geste affectueux avec lequel elle m'avait accueilli ; au contact de sa main, mon cœur se mit à battre si fort que j'ai craint qu'elle ne soit consciente de mon trouble.

« Ta visite m'a fait plaisir, Jean. Quand tu reviendras, essaie d'avoir un peu plus de temps. »

Elle me fit la bise sur les deux joues ; en même temps, ses mains tenaient les miennes comme on ne le fait pas d'habitude quand on salue des amis. J'en oubliai Klimt.

« C'est sûr que si vous m'invitez encore, je serai ravi de venir, Esther », dis-je un peu malhabilement en me séparant d'elle. Je pense que mes yeux ne contredisaient pas mes paroles.

Elle me caressa la joue du revers de la main :

« Je t'attends jeudi prochain ? J'ai cru comprendre que ça te conviendrait mieux.

– C'est entendu, et je tâcherai de rester plus longtemps », fis-je avant de me précipiter dans les escaliers. Je n'avais pas fini cette phrase que je me la reprochais déjà : « Une phrase de trop, une phrase de petit gars ! Pourquoi montrer aussi stupidement que ça me fait plaisir ? Un homme ferait semblant de rester froid dans de pareilles circonstances. Il va falloir que j'apprenne à me contrôler si je veux lui plaire. »

Cette première rencontre avait eu lieu à la mi-novembre. Le 16, plus exactement. C'était un mercredi, un jour bien chargé pour moi, car c'était celui où j'avais le plus de cours. Quand Mme Garneau m'avait abordé, la semaine précédente, pour m'inviter à venir voir son studio de la rue Saint-Augustin, elle m'avait proposé de prendre le café avec elle. J'avais apprécié qu'elle n'ignore pas qu'un élève de la classe de Belles-lettres, au Séminaire de Québec, ne pouvait sortir des murs n'importe quand et, en même temps, qu'elle ait eu le bon goût de ne pas m'obliger à rompre trop vite avec les habitudes de la famille. Le mercredi lui convenant tout à fait, selon sa proposition, je m'étais empressé d'accepter son invitation ; sans doute étais-je également bien aise de ne faire, pour une première visite, qu'une brève apparition.

« Dans quoi je m'engage ? »

Les phantasmes qui me hantaient étaient si désordonnés, ils me semblaient si fous que je ne pouvais croire que cette femme s'intéresse à un gamin comme moi.

« Peut-être aussi ne veut-elle que me faire une politesse ? Je ne serais même pas surpris qu'elle m'invite chez elle pour une raison qui n'a rien à voir avec les idées que je me fais. Son mari a constamment besoin de jeunes gens pour l'aider à préparer ses apparitions publiques et ses futures élections ; qu'elle veuille m'embrigader en son nom ne m'étonnerait pas. »

Toute la semaine, j'avais retourné ces questions dans ma tête, conscient que les plus prosaïques des hypothèses ne parvenaient jamais à atténuer l'effervescence qu'avait suscitée en moi l'invitation d'Esther Garneau. Si bien que, ce mercredi 16 novembre, j'avais apporté, pour cette première visite, un soin particulier à ma douche et avais choisi dans ma commode le plus à la mode des slips que je possédais !

Mon émotion n'était pas moins grande quand arriva le jeudi 24, surtout que cet après-midi-là, c'était congé et que je n'avais aucun engagement de groupe. Ni pièce de théâtre à répéter ni travaux d'équipe à préparer. Quant aux sports, à part la natation et le tennis l'été, je n'en pratiquais aucun. La veille, lorsque nous nous étions croisés dans la côte de la Fabrique, elle avait terminé notre brève conversation par un « À demain, midi et quart ? » auquel j'avais répondu par un « Avec le plus grand plaisir, Esther ». Ses yeux avaient souri ; les miens la mangeaient toute crue !

À midi, j'avais quitté le Séminaire par la rue de l'Université pour que personne ne me voie partir en cachette. Comme lunch, j'avais, en marchant, avalé une barre de chocolat ; il ne me fallait pas perdre de temps. Je montai deux par deux les marches de l'immeuble où Esther avait son studio ; avant même que j'aie eu le temps de me remettre, elle m'avait ouvert la porte, comme si elle m'avait attendu dans le vestibule.

La peinture de Klimt rayonnait de mille feux quand la porte s'ouvrit. Sans l'avoir cherché, Esther apparut en plein dans l'axe central du tableau, les ors remués par le peintre l'enveloppant comme l'auraient fait les rayons d'une gloire baroque. Elle n'était pas couverte de son sarrau, mais plutôt revêtue d'un large manteau arabe qui cachait ses formes sous une enveloppe bleue, laquelle mettait en valeur les traits de son visage et la flamme de ses yeux. Je restai saisi ; j'eus, l'espace d'un instant, le sentiment que c'était la merveilleuse dame du *Baiser* qui venait de sortir de la toile.

L'atelier dans lequel elle m'entraîna me parut plus grand cette fois-ci ; un certain désordre y régnait encore, un désordre étudié qui mettait en relief le bon goût avec lequel la maîtresse des lieux avait décoré la pièce. Aucune couleur forte n'avivait la lumière ambiante ; toutefois, le visiteur finissait par découvrir, par-delà la couleur sable des murs, un jeu de teintes fines appliquées tantôt sur les plinthes de bois solide, tantôt sur les cimaises, sur les cadres de la vaste fenêtre ouverte au nord et sur les portes de la pièce. Si on ne les distinguait pas vraiment au premier coup d'œil, ces bleus légers, ces turquoises, ces lilas pâles contribuaient à donner au visiteur une impression de douceur, et le sentiment que tout ici était à sa place ; il se sentait accueilli et porté à être heureux.

Esther m'invita à prendre place non loin d'elle sur un divan de cuir devant lequel elle avait déjà posé deux verres de forme allongée.

« Un de ces jours, Jean, dit-elle, tu viendras luncher avec moi. Pour aujourd'hui, ajouta-t-elle en regardant sa montre, même s'il est bien tôt, je t'ai préparé une petite santé qui te tiendra lieu de dessert. »

Elle disparut un instant et revint avec un plateau qu'elle déposa devant nous. La bouteille qu'elle saisit pour remplir nos verres portait l'étiquette *vino santo*. J'ignorais ce que c'était. Après avoir trinqué à notre amitié toute neuve, je bus ma première gorgée de ce vin doux. Un véritable ébahissement pour moi : j'éprouvai un rare plaisir à goûter cet élixir au ton ambré et à me laisser subjuguer en douceur par les merveilles de volupté qu'il offrait ; chaque gorgée apportait une joie nouvelle et un grand contentement. Esther avait préparé une assiette de petits gâteaux que je ne connaissais pas ; elle me suggéra de les goûter :

« Ce sont des gâteaux aux amandes. Les Italiens en raffolent, surtout quand on peut les accompagner de *vino santo*. »

Ils étaient en effet excellents. En rien toutefois ils ne pouvaient faire oublier le vin sucré qu'ils servaient à mettre en valeur et qui me procurait un bien-être que je n'avais jamais connu. La conversation était facile, Esther était belle et l'on était bien ensemble. À l'occasion, elle caressait ma main, et parfois posait son avant-bras sur mon épaule. Elle eut aussi un geste affectueux qui me fit craquer : quand elle commença à me flatter le cou en faisant glisser son doigt le long de mon col de chemise, un engourdissement divin s'empara de moi en même temps que mon corps recevait une décharge électrique des plus agréables. Quelque chose en moi, cependant, m'avertit de faire attention à la griserie qui s'emparait de mes sens, autant pour ne pas perdre le contrôle devant

Esther que pour ne pas m'engager trop loin dans une expérience qui tout d'un coup me faisait peur.

Je n'avais pas dit à Esther que je disposais de tout mon après-midi ; elle savait simplement que je n'étais pas tenu de partir aussi rapidement que la semaine précédente. Je tentai de me ressaisir en jetant un œil sur ma montre. Il serait bientôt deux heures et j'avais de l'étude ; un copain m'attendait à la bibliothèque. Esther n'était certainement pas dupe ; sans doute était-elle aussi prudente que je l'étais. En femme expérimentée, elle ne voulait pas non plus m'effaroucher, j'en suis certain. C'est sur un mode de grande retenue que se termina notre rencontre. Rien n'était changé dans l'atmosphère de bien-être qui nous avait enveloppés jusque-là ; nous étions seulement un peu plus sur nos gardes. Nos adieux furent des plus réservés ; déjà nous avions tous deux en tête le prochain rendez-vous.

« On se dit à jeudi prochain, Jean ? »

Toute la semaine, j'avais veillé à ne prendre aucun engagement pour ce grand jour. La manière dont j'en avais fait part à Mme Garneau, en la croisant dans la rue, ne laissait pas de doute sur le désir qui s'était emparé de moi. Je crus percevoir une chose semblable chez elle.

Je me sentais cependant bien niais. Pas du tout prêt à l'« événement » que je croyais sur le point d'arriver. Mes amourettes de gamin ne m'avaient aucunement préparé à faire le grand saut comme m'y convierait ma nouvelle amie, j'en étais convaincu. Un peu effarouché, craignant même de n'être pas à la hauteur de ce qu'elle attendait de moi, elle, la femme d'expérience, la femme la plus enviée de Québec, je pris une décision bizarre, de celles auxquelles un être sensé ne devrait jamais consentir !

L'hôtel Saint-Roch avait très mauvaise réputation. Je n'ignorais pas que certains élèves du Séminaire s'y étaient déjà aventurés. C'était là, racontait-on, que les plus délurés se rendaient le jour où ils avaient décidé que le moment était venu de connaître « les choses de la vie » ; ils y allaient se faire déniaiser. Une pareille conduite m'avait paru effrayante, incompréhensible, indigne d'un chrétien.

« Aller faire l'amour avec une putain ! Beurk ! Jamais je ne ferais ça, moi. »

Rien qu'à y penser je me sentais sale.

Pourtant, deux jours avant d'aller chez Mme Garneau, je pénétrai dans le bar de l'hôtel. C'était en plein après-midi du mardi. Je fus bien aise de constater qu'il n'y avait à peu près pas de clients. Que deux femmes assises à une table, qui me regardèrent entrer. Pour me rendre à l'hôtel, j'avais pris les ruelles les moins fréquentées, longé les murs arrière des commerces, comme un malfaiteur. Dès que le regard d'un passant se posait sur moi, je me sentais traqué, reconnu, dénoncé.

« Oh ! mais c'est le fils du notaire Lefrançois. Qu'est-ce qu'il fait ici en plein après-midi d'école ? Regardez comme il a l'air louche aujourd'hui », me semblaient-ils tous penser. Je les entendais prononcer à haute voix des paroles qui me condamnaient ; ma culpabilité n'en était que plus lourde.

Ce que je craignais par-dessus tout, c'était de tomber sur ma mère, qui faisait toujours ses courses dans Saint-Roch. Ou sur Gigotte ; il n'y avait pas de jour qu'il n'y descende : le magasin de la compagnie Paquet, qui était le fournisseur attitré des communautés religieuses et des fabriques, s'y trouvait. Quand, enfin, je me risquai à traverser la place Jacques-Cartier, je n'avais qu'une chose en tête : fuir, fuir, revenir dans cette classe que j'avais quittée sous prétexte que j'étais malade.

Mais ma décision était prise. M'étant composé ce que j'imaginais être un air d'habitué, je m'installai à la première table. Derrière son comptoir, le garçon secoua la tête pour m'indiquer de ne pas m'asseoir à cet endroit et il me montra du doigt les tables du fond. Embarrassé, je m'y rendis en essayant de cacher mon trouble. Assis depuis plusieurs minutes, je guettais le moment où il viendrait me servir ; chose étrange, même après que je lui eus fait un signe, il ne parut pas encore prêt à daigner prendre ma commande. Je compris pourquoi lorsque s'approcha de ma table une femme tout en sourires. C'était une des deux femmes que j'avais aperçues en entrant. Alors que je changeais de table, j'en avais entendu une dire à l'autre :

« As-tu vu la belle armoire qui vient d'entrer ? Une armoire toute neuve ; y a du velours dans le tiroir, certain, ma noire. »

Sur le coup, je m'étais demandé de quoi elle parlait. Après quelques secondes, j'avais compris que c'était de moi qu'il était question : le « beau body » que l'autre fille avait mentionné en réponse à la remarque de sa compagne, c'était le mien ! Il est vrai que j'avais l'air plus vieux que mon âge, avec mes six pieds et mes épaules de joueur de hockey.

« Ça fait un velours à l'ego », me dis-je aussitôt, sur quoi mon esprit ne fit qu'un tour et s'arrêta à l'autre velours, celui dont avait parlé la fille ; je venais de saisir…

Quand j'ai vu les deux femmes prendre un trente sous et jouer à pile ou face, je savais déjà que j'étais l'enjeu. C'était la gagnante qui s'en venait vers moi.

« Vous permettez, mon jeune monsieur, que je m'assois avec vous ? »

Elle n'attendit pas la réponse et s'installa à côté de moi. Ma nervosité devait lui sauter aux yeux, comme le motif de ma visite en ces lieux, j'imagine.

« Je vous commande quelque chose ? Une bière ? Un rye ?

– Non, une orangeade, s'il vous plaît. »

Elle se tourna vers le comptoir :

« Roger, ça va être une Dow et un rye double. »

Le ton de sa voix était âpre ; on aurait dit une voix d'homme. Elle prononçait « Dâ ». Je pensai à ma mère : elle l'aurait trouvé « commune » !

« Si c'est pour moi, la Dow, lui dis-je en prenant soin de bien prononcer le mot à l'anglaise, ce n'est pas ce que je veux. »

J'interpellai le garçon :

« Laissez tomber la Dow et apportez-moi une orangeade, s'il vous plaît. »

Elle me dévisageait en souriant :

« Excuse-moi, mais j'ai pensé que ça te remonterait : tu as l'air un peu nerveux. »

Elle approcha sa chaise.

« Je m'appelle Linda. Et toi ? »

Avant même que je réponde, elle ajouta :

« Ça ne te fait rien que je te tutoie, j'espère ; ça rend la conversation plus facile, tu ne trouves pas ? »

L'orangeade et le double rye arrivaient.

« À ta santé… C'est quoi ton nom déjà ? Tu ne me l'as pas dit. »

Il n'était pas question que je lui dise comment je m'appelais.

« Michel.

– Michel, c'est un beau nom. Et tu étudies où ? »

La question me prit au dépourvu. De quoi j'aurais eu l'air si j'avais répondu : « Au Séminaire de Québec » !

Je décidai d'éviter de me compromettre.

« À la haute-ville. »

Ouf ! ma réponse sembla la satisfaire.

« C'est la première fois que tu viens ici ? »

Après un instant d'hésitation, je lui fis un signe affirmatif de la tête. Elle qui paraissait ne pas me trouver très loquace, elle se mit à me parler du quartier et de l'hôtel Saint-Roch. C'était là qu'elle travaillait, m'indiquat-elle, en insistant sur tout le beau monde qu'elle avait le plaisir de côtoyer. Elle ne me dit pas en quoi consistait son travail, mais il flottait dans son propos une équivoque dont je ne pouvais pas être dupe.

« Depuis dix ans que je travaille ici, j'en ai vu beaucoup, des étudiants comme toi. Ils viennent du Séminaire ou du Collège des Jésuites. C'est toujours des beaux garçons comme toi, des gars bien élevés, à part ça. »

J'avais avalé trop vite mon orangeade. Tout en parlant, Linda avait posé sa main sur ma cuisse.

« As-tu une blonde, Michel ?

– J'en ai eu quelques-unes, oui. Mais je n'en ai pas de *steady*.

– As-tu déjà fait l'amour avec une de tes blondes ? »

Pas du tout habitué à ce langage direct, je ne savais trop quoi répondre. Linda avait vu pleuvoir ! Dire oui m'aurait rendu ridicule.

« Non, pas encore. Mais je sens que ça va venir bientôt. »

J'avais laissé échapper cette dernière phrase, qui fit manifestement plaisir à Linda. Mes appréhensions du début étaient tombées, je me sentais plus à l'aise maintenant.

« T'es pas venu ici pour rien, mon gars. Est-ce que ça te tente de monter avec moi ? »

L'heure était venue de perdre mon innocence ! Je me levai et, grand prince, laissai sur la table un billet de cinq dollars, en espérant que ce serait perçu comme généreux. Roger avait vu le geste et m'envoya la main de loin ; j'étais content d'avoir visé juste. Linda me précédait. D'en arrière, je l'examinais : cheveux teints en « blond waitress », épaules tombantes sous un chemisier bien ordinaire, des hanches généreuses avec lesquelles

Linda s'efforçait de donner un rythme sexy à ses fesses qui, elles, étaient moulées dans une jupe seyante, trop courte pour les jambes fortes de cette demoiselle.

Je pensai à Marie, je pensai à Esther. Avais-je vraiment le goût de coucher avec cette Linda que je ne désirais pas ? De me mettre nu devant une fille que je paierais pour m'offrir une séance de sexe ?

Linda était allée prendre la clé pendant que je l'attendais dans un petit salon discret, au bas des marches qui menaient à l'étage. Elle revint, je commençai à la suivre dans l'escalier. J'étais partagé entre le désir de faire l'expérience jusqu'au bout – « Tant qu'à y être, autant foncer » – et celui de me garder intact pour ma première rencontre amoureuse avec Mme Garneau. Arrivé à l'étage, je m'arrêtai et mis la main sur l'épaule de Linda.

« Linda, vous êtes très aimable et vous avez été correcte avec moi. Je pense que je n'irai pas plus loin. Je n'entrerai pas avec vous. »

Elle me regarda, étonnée.

« Vous avez deviné pourquoi je venais ici. Vous êtes une femme intelligente, Linda, ça paraît dans vos yeux. Vous savez que je suis… puceau, que je n'ai jamais fait l'amour. C'est sûr que j'en ai envie. Mais pas aujourd'hui. Je viens de prendre une décision ; je pense que je ne la regretterai pas. J'ai décidé de me garder pour celle que j'aime, même si je peux avoir l'air malhabile la première fois. Je veux découvrir l'amour avec elle. Vous pouvez le comprendre, Linda, j'en suis certain, et je vous demande de m'excuser si j'ai l'air de me sauver. »

Linda avait les yeux pleins d'eau.

« Que tu t'appelles Alain, Michel ou Benoît, je m'en balance, mais ta franchise me met à l'envers. Des fois, il y en a qui ont la chienne et qui décampent vite, sans me dire un mot, comme si j'avais la gale. C'est pas souvent qu'un homme me dit pourquoi. »

Elle me regarda dans les yeux.

« Veux-tu que je te dise ? J'envie beaucoup ta blonde, je la trouve chanceuse d'avoir affaire avec un gars comme toi. Tu es *clean*, et je respecte ça. »

Je plongeai la main dans la poche de mon veston et en sortis un billet de vingt dollars que je lui glissai discrètement. Elle me donna une bise sur la joue, et je dévalai l'escalier, l'âme en fête.

III

LES DÉLICES DE L'AMOUR

I

Le jeudi 1er décembre s'annonçait comme un jour unique. Pourtant les choses n'allaient pas se dérouler comme je l'avais pensé. Esther ne s'était pas « donnée » à moi, contrairement à ce que j'avais eu la naïveté d'espérer au cours des dernières semaines. En pleine ébullition, mon imagination avait échafaudé un scénario digne d'Hollywood, fait sur mesure pour un naïf de mon espèce. J'avais fabulé en croyant que cette femme avait eu un coup de foudre, qu'elle me voulait à tout prix, que j'étais son morceau de choix. Pris entre mes angoisses d'adolescent qui ne sait trop s'il veut ou s'il ne veut pas, je brûlais d'entrer dans le lit d'une vraie femme, en même temps que je me tortillais comme une truite tellement était grande mon anxiété et terrible la peur que j'éprouvais de n'être pas à la hauteur en présence de Mme Garneau. Il m'était plus commode de me convaincre que tout dépendait d'elle. Au fin fond de moi-même, je souhaitais presque qu'Esther me prenne de force !

La réalité fut tout autre.

Quand j'entrai chez elle, l'accueil ne fut pas moins chaleureux qu'il ne l'avait été la semaine précédente. Ses yeux étaient pétillants, et la bise qu'elle me fit sentait la joie. J'étais fébrile. En m'habillant, ce matin-là, j'avais voulu me faire conquérant. À cette fin, j'avais même décidé, la veille, que je me permettrais de faire une entorse aux règles vestimentaires du Séminaire. Le temps de ce jeudi maussade contribua à ce que je sois plus sobre dans mon choix de vêtement. La pluie qui tambourinait à la fenêtre de ma chambre m'avisa que j'aurais eu l'air fou si j'avais décidé de porter le blazer marine et le pantalon beige que j'avais déjà sortis du placard, et la cravate des grands jours, un peu provocante, dont les vigoureux *paisley* auraient suscité les commentaires des maîtres de salle. La tenue dans laquelle je me présentai chez Esther fut en fin de compte beaucoup plus simple : frétillant telle une victime heureuse, j'allai à l'abattoir vêtu comme le bienheureux Gérard Raymond, avec la redingote et le ceinturon du bon séminariste !

« Ton attrait pour cette peinture fait plaisir à voir, Jean. »

En rendant à Esther la bise qu'elle m'avait faite, j'avais instantanément porté mon regard sur les deux héros du *Baiser*.

« Comme Jeanne d'Arc l'avait fait pour le crucifix en montant au bûcher », pensai-je instinctivement. La scène frappante d'un film sur la sainte française que j'avais vu récemment venait de me traverser l'esprit au moment où je regardais ces deux amoureux enflammés, si bien que j'eus en même temps le réflexe de me recommander à eux − on ne reçoit pas une éducation chrétienne pour rien !

« C'est vrai qu'elle est belle, cette peinture, Esther. Un vrai feu d'artifice de couleurs et de formes, et des personnages − comment dire ? −, des personnages envoûtants, qui parlent d'amour comme on n'en parle pas d'habitude. »

Je lui tenais toujours la main pendant que nous regardions la peinture du vestibule. En parlant, je sentais la chaleur de sa main ; je crus même y percevoir un léger frémissement pendant que je lui expliquais l'effet que me faisait la toile. Elle me laissa la main et me fit passer dans son atelier. Tout y était dans le même ordre − « un savant négligé », me dis-je en empruntant au vocabulaire familial. Sur la table à café, devant le divan de cuir vert mousse, Esther avait déposé quelques plateaux : des fromages, du pain français, des olives et une bouteille de vin rouge placée au centre de la table comme s'il s'était agi d'une sculpture. Elle me fit faire quelques pas dans l'appartement, commentant à mots rapides les tableaux sur lesquels je posais les yeux. C'était sa façon à elle de m'expliquer où elle en était dans ses travaux.

Je n'étais pas vraiment détendu. La fébrilité qui me titillait ne m'avait pas quitté ; je surveillais chaque geste d'Esther en tentant de deviner ce qu'elle entendait faire et de décoder quelle serait l'étape suivante. Bien qu'elle continuât de m'apparaître comme l'être le plus désirable du monde, la femme que j'avais devant moi ne donnait aucun signe d'excitation : c'était Mme Garneau qui recevait chez elle un jeune homme de bonne famille qu'elle avait pris en affection, un point c'est tout. Je m'étais certainement mépris sur ses intentions. Un sentiment de profonde confusion m'envahissait, ce qui n'avait rien pour me mettre à l'aise dans cet instant de doute : je n'étais encore qu'un gamin, qu'un nigaud, qu'un oisillon qui n'était pas encore sorti du nid. Je m'en voulais d'être si « niaiseux ».

« Je suis contente de te revoir, mon cher Jean. Je nous ai préparé un petit lunch ; viens t'asseoir, je t'en prie. »

Me prenant par le coude, elle m'indiqua le coin du divan où je pris place, encore tout figé.

« Pour un jeune homme de ton âge, Jean, tu as l'air très éveillé à la peinture. »

Je n'osai pas dire que je me trouvais bien ignorant. Et encore moins que j'étais agacé par le ton condescendant qu'elle venait de prendre pour me faire ce compliment.

« Les mots que tu as employés pour parler du *Baiser* de Klimt ne sont pas ordinaires ; ta réaction montre que tu as un coup d'œil étonnant. »

« Pauvre Mme Garneau, me dis-je en moi-même, si elle savait ce que j'avais en tête en regardant les amoureux de son M. Klimt ! »

J'eus envie d'invoquer de nouveau la Pucelle, cette fois pour qu'elle me tire d'affaire.

J'étais raide et empesé comme un premier communiant pendant que Mme Garneau me parlait. Elle expliquait *Le Baiser* ; je n'avais pas la force de répondre aux demandes d'avis qu'elle me lançait autrement que par des « Mmm » et des « Hum hum » imbéciles. J'aurais voulu disparaître dans mon siège tant j'étais malheureux.

« Te sens-tu bien, Jean ? »

Elle s'était aperçue que je n'étais pas dans mon état normal. Je ne savais plus quoi faire pour ne pas avoir l'air aussi benêt. Il me vint à l'esprit de m'excuser et de fuir à jamais ce pétrin dans lequel je m'étais fourré. Ma fierté l'emporta.

« Excusez-moi, madame Garneau, répondis-je, incapable de l'appeler par son prénom, c'est comme si je n'avais pas assez mangé au déjeuner de ce matin, j'ai eu un genre d'étourdissement. »

Je marchais sur mon orgueil, moi, le grand gaillard tout fier de ses six pieds, qui voulais me croire devenu homme. Après quelques bonnes respirations, je me sentis mieux. Mon hôtesse s'était empressée de nous servir à tous deux un verre de vin. Elle me gratifia d'un tel sourire en cognant son verre au mien que déjà je me sentis mieux ; le vin fit le reste. Tout au cours du lunch, je restai sur mes gardes, les fesses un peu serrées : un véritable exercice d'homme du monde. Finis les phantasmes initiatiques, évaporées les images osées d'un moment de gloire ! Quand même, Esther Garneau restait belle femme. Elle continuait de m'attirer follement. J'avais compris ce jeudi-là qu'elle n'était pas plus pour moi qu'elle ne l'était pour tous ces bellâtres de l'âge de mon père qui, d'après ce qu'on en disait, lui tournaient autour sans succès.

Pourtant... lorsque arriva le moment du dessert, Mme Garneau alla chercher de ce *vino santo* qui m'avait tant ému la semaine d'avant. Je n'en avais pas pris trois lampées qu'une certaine chaleur aux reins vint me rappeler que cette enchanteresse, j'osais encore la désirer, malgré mes déboires des minutes précédentes. Il ne me fut pas difficile de me calmer ; je venais de vivre des coups de panique assez pénibles pour savoir qu'il me fallait me contenter des rêves qui convenaient à mon âge et garder mon calme. J'avais eu ma leçon.

Une horloge fleurie ornait le manteau de la cheminée. Elle sonna trois heures. L'après-midi s'était jusque-là bien déroulé malgré tout. Nous avions parlé peinture, bien entendu, et un peu de ma famille. S'il fut question de mes études, ce n'avait été qu'en passant, comme si Esther Garneau avait voulu ne pas me faire sentir que je n'étais, après tout, qu'un étudiant bien jeunot. Elle n'ignorait pas que j'étais en classe de Belles-lettres ; aussi me demanda-t-elle qui était mon professeur titulaire.

« Est-ce l'abbé Fréchette ?

– Vous le connaissez ? lui demandai-je. C'est le meilleur professeur que j'ai eu.

– C'est un homme extraordinaire, en effet. Un gentleman, un érudit. Je le connais surtout comme conservateur des antiquités du Séminaire : c'est lui qui veille aux immenses richesses patrimoniales dont cette maison est pleine.

– Oh oui ! il s'y connaît en meubles anciens. Mon père et l'abbé Fréchette ont été dans les mêmes classes au collège et tous les deux aiment bien les meubles victoriens. Avec eux, j'ai eu l'occasion de faire le tour de bien des recoins dans les vieux édifices du Séminaire ; j'en ai vu des beaux meubles !

– Mon mari et moi, nous nous intéressons justement à ces meubles anciens, en particulier aux meubles victoriens ; c'est comme ça que nous avons été amenés à le fréquenter.

– Il arrive à mon père d'aller à des encans de vieux meubles avec l'abbé. Pas souvent, car papa est un homme très occupé, mais tout de même, il est rare qu'il en revienne les mains vides ; il a rapporté à la maison quelques beaux objets dont maman est très fière. »

Je n'osai pas ajouter que maman soupirait parfois en l'entendant décrire le fauteuil ou la patère qu'il venait d'acheter – toujours à bon compte ; quand les livreurs apportaient le morceau, le nouveau meuble s'ajoutait aux autres dans un décor qui s'alourdissait sans cesse.

« Un de ces jours peut-être, Jean, je te montrerai quelques pièces de ma collection, si ça t'intéresse.

– Bien sûr, Esther, lui répondis-je – j'en étais revenu au prénom, à mon propre étonnement –, je suis curieux de tout, vous vous en doutez bien. Surtout qu'avec vous j'ai beaucoup à apprendre, ajoutai-je en retenant un soupir. Maintenant que je vous connais, j'ai tout lieu de croire que vous êtes, vous aussi, un excellent professeur. »

Elle partit à rire. Je m'étais levé pour prendre congé.

« J'ai apprécié ta visite, Jean. Il faut qu'on se revoie l'un de ces jours, n'est-ce pas ? Les Fêtes s'en viennent à grands pas et tout le monde sera occupé ; accepterais-tu de venir me rendre visite après les Fêtes ? »

Je n'avais plus envie de fuir ni même envie de jurer de nouveau qu'on ne m'y reprendrait plus à me fourrer dans ce pétrin, à tomber dans le piège de cette trop aimable sirène.

« Avec grand plaisir, chère Esther », lui répliquai-je d'un air théâtral, en saluant d'un geste de mousquetaire celle qui redevenait la dame de mon cœur. Et c'est d'un pied léger que je dévalai les trente-huit marches de l'escalier. J'avais complètement oublié que, deux heures avant, j'avais eu l'air fou !

Je n'eus pas à attendre après le Premier de l'an. Durant les trois semaines qui s'écoulèrent jusqu'à Noël, je ne rencontrai Esther qu'une seule fois dans la rue Saint-Jean. C'était un choix que j'avais fait. Depuis des jours et des jours, en effet, je cherchais à me raisonner. Notre rencontre du 1er décembre m'avait malgré tout sonné, je m'en rendais compte ; passant par toute la gamme des émotions, j'avais résolu de mettre fin à cette aventure. Une résolution ferme et définitive, je me l'étais juré.

J'étais fier de ma décision. Elle me donnait de moi-même une haute estime : je me sentais fort, j'avais de la volonté. C'en était fini de ma flamme pour cette femme. Cette victoire totale ne m'empêchait pas, cependant, de revenir à l'occasion sur le chemin qui nous était commun : j'y voyais une façon de me récompenser de mon cran, d'applaudir à cette fermeté qui faisait maintenant ma marque de commerce. Toutefois, pour calmer ma conscience qui me soufflait à l'oreille que je jouais un jeu dangereux, je variais un peu le trajet et prenais quelques tronçons des rues parallèles. Au fond, j'espérais rencontrer Mme Garneau.

Ça y était, elle s'en venait ! Le cœur me battit en la voyant, à mon grand désespoir. En proie à une excitation qui n'était pas à mon programme, je cherchai à me composer une attitude. À peine m'eut-elle aperçu que le naturel prit le dessus : j'accélérai le pas et m'approchai d'elle, le visage radieux comme je ne l'aurais pas souhaité. Je crus remarquer qu'elle-même était troublée.

Après quelques mots d'amitié, à travers lesquels je perçus qu'elle s'était inquiétée de ne pas m'avoir croisé ces derniers temps, elle me demanda à brûle-pourpoint :

« Seras-tu à Québec, Jean, dans la semaine après Noël ?

– Toute notre famille vit ici, nous ne partons pas. D'ailleurs, nous ne partons jamais, ajoutai-je malgré moi.

– Si je t'invitais à venir me voir à l'atelier, disons le 28 – c'est un mercredi – viendrais-tu ? »

Avant même que j'y aie réfléchi, l'édifice entier de mes convictions s'était écroulé.

« La question ne se pose même pas, Esther. Un ordre de vous et j'y serai !

– Excellent, mon ami. Convenons que je t'y attends vers une heure et demie, ça te va ? »

Je l'assurai que j'y serais, tout en appréciant secrètement le fait qu'elle n'ait pas empiété sur l'heure sacrée du dîner à la maison ; surtout en pleines vacances de Noël, j'aurais eu de la difficulté à trouver un prétexte crédible pour n'être pas présent à table.

À mesure qu'approchait la date du 28 décembre, l'énervement me gagnait ; l'invitation avait été chaleureuse, mais qu'est-ce que j'allais faire là ? J'avais beau essayer de voir clair en moi, j'étais incapable de déterminer les raisons que j'avais eues de l'accepter, cette invitation, et encore moins les attentes que j'avais au regard de cette rencontre. Plus je tentais de fouiller la question, plus se mêlaient en moi le faux et le vrai, les motifs officiels et ceux qui ne voulaient pas dévoiler leur nom. Je ne possédais en fin de compte qu'une seule certitude : toujours surnageaient, sur cette mer agitée, des espérances non catholiques, pour ne pas dire inavouables. La seule prière que j'eus la lucidité de faire, pendant la messe de minuit, fut de demander à Dieu que tout se passe bien le 28 et que soient exaucés ces vœux qui étaient miens, des vœux – Dieu me pardonne ! – que je n'aurais pas voulu définir en un pareil lieu.

Ma visite chez Esther, je n'allais pas la regretter, malgré le fait que je fus aux prises avec des doutes douloureux dans les vingt-quatre dernières heures qui précédèrent ma venue chez elle. Elle s'était envolée, cette volonté ferme dont je tirais gloire quelques jours auparavant. Elle s'était effondrée et je me sentais terriblement coupable ; j'avais succombé, je n'étais pas fier de moi. En montant l'escalier, j'étais torturé par le remords. Une question aussi me tarabustait, d'un tout autre ordre, celle-là : il me tardait de savoir si elle l'avait fait exprès d'avoir choisi de me recevoir le jour de la fête des saints Innocents ! Dans l'état d'esprit qui était le mien depuis quelques heures, j'en étais venu à craindre que Mme Garneau n'ait décidé de se payer ma tête, moi qui avais été assez stupide pour tomber amoureux d'elle et, encore plus, pour le laisser paraître.

« Je te jure que je ne l'ai pas fait exprès ! » s'exclama Esther à qui j'avais le plus malhabilement du monde fait part de mon inquiétude. Elle partit d'un grand rire et me serra dans ses bras, plus comme une mère qu'en amoureuse. J'en fus dépité. Elle me fit ensuite entrer dans l'atelier.

« Nous allons fêter Noël tous les deux », me dit-elle alors que s'allumaient les lumières du sapin.

« Comme tous les couples irréguliers du monde, mon Jean », ajouta-t-elle le plus sérieusement du monde. Je la regardai, un peu saisi et pas du tout certain d'avoir bien compris ce qu'elle voulait dire.

« Je blague, Jean. Mon mari est parti jouer au politicien. Il m'a plantée là pour les plus beaux jours du temps des Fêtes. »

Il l'avait plantée là ? Esther ne semblait pas agressive en avouant aussi crûment sa frustration. Je pensai immédiatement à certaines médisances que j'avais entendues au sujet de maître Gaudet, ce mari invisible et absent. Il est vrai que je n'aimais pas beaucoup ce M. Jules Gaudet qui était son mari. Évidemment, les circonstances ne me poussaient pas à ne lui vouloir que du bien. Mais avant même que je rencontre sa femme, il ne m'était pas particulièrement sympathique. Mes parents le connaissaient. C'était un garçon d'avenir, qui avait le bras long, selon ce qu'on en disait, un homme dont les relations dans le monde de la politique provinciale avaient commencé de porter des fruits heureux pour les affaires de mon père, laissait-on entendre entre nous.

Quand ils parlaient de lui en cercle fermé, si mes parents n'hésitaient pas à dire le bien qu'ils pensaient de ce jeune avocat, ils mêlaient à ces compliments de circonstance des phrases assassines qui lui collaient à la peau comme une marque faite au fer rouge. Le désir de réussir à tout prix rongeait Jules Gaudet ; il était ambitieux et bien agité. Aux yeux de mes parents, tout ce qu'il faisait, toutes ses actions et chacune de ses paroles ne visaient qu'une chose : asseoir sa carrière. Les salons de la haute-ville bruissaient encore du dernier racontar à son sujet. Envoyé en mission à Toronto et à Ottawa par son ministre, Jules Gaudet avait dû s'absenter durant deux semaines. À son retour, aussi fiévreux qu'énervé, cet homme si soigneux de sa réussite n'avait posé qu'une seule question aux gens de son entourage :

« A-t-on parlé de moi durant mon absence ? »

Loin de m'amuser de ces maladresses d'arriviste, comme le faisaient à l'envi les gens de la ville, je plaignais sa femme et ne l'en aimais que plus.

Il l'avait plantée là ! Mme Garneau et Jules Gaudet avaient tout l'air d'un drôle de couple. Pas seulement à mes yeux, avais-je constaté mine de rien en faisant ma petite enquête, dans le milieu Lefrançois surtout. Esther, pour tous ceux qui en parlaient, paraissait au-dessus de tout soupçon : une grande dame, issue d'une famille illustre, une patricienne qui menait une vie qu'on ne comprenait pas tellement. Mais on n'avait aucun reproche à lui faire et elle ne prêtait le flanc à aucun cancan.

On ne pouvait en dire autant de son mari. De plu-sieurs sources m'était venue une rumeur. « C'est un homme aux mœurs douteuses », laissait-on entendre, en particulier chez les grands du Séminaire, dont cer-tains, selon ce qu'on racontait, avaient été approchés pour travailler aux élections avec lui. Les conversa-tions feutrées des gens de la haute-ville rapportaient les mêmes choses, à en croire certains invités de la maison.

« Vous savez, il adore s'entourer de jeunes gens, il en a toujours un de collé à ses talons. On dit même que c'est un homme aux hommes. Quel dommage, avec l'épouse qu'il a. »

Quelques méchantes langues osaient ajouter que ça faisait l'affaire de sa femme.

« C'est une artiste. Avec lui, elle a la paix. On dit même, ajoutait la personne qui parlait, en baissant la voix, on dit même qu'elle l'aide à recruter des garçons pour lui. »

Je n'en avais pas cru un mot. Toutefois, ces méchancetés m'avaient atteint ; elles avaient semé en moi de la méfiance, ce qui est toujours très agaçant quand il s'agit de quelqu'un qu'on apprécie. Incapable de douter de Mme Garneau, j'étais venu chez elle en voulant tout oublier de ces ragots, me disant que je ver-rais bien.

« J'ai pensé qu'il serait agréable de couper cette semaine en deux, poursuivit Esther, et de l'égayer en passant un moment avec toi. Tu ne regrettes pas d'être venu, j'espère, mon bel innocent ? »

Le ton était donné à la rencontre, qui fut unique et l'emporta d'emblée sur les innombrables soirées de famille dont s'accompagnait le temps des Fêtes. Nous avons beaucoup parlé de voyages, cet après-midi-là, car je lui avais annoncé qu'en fin de compte mes parents acceptaient que je participe au voyage de l'année sainte. Esther était ravie. Elle m'encouragea en me parlant du périple qu'elle-même avait fait en Europe avec ses parents, pour célébrer ses vingt ans. De mon côté, j'ouvrais pour elle le grand livre de mes rêves, où s'alignaient tous les voyages que j'avais imaginés près de ma vasque et la multitude d'images que je ne cessais de recueillir depuis mes jeunes années, en vue des grands départs qui m'attendaient.

Je rentrai à la maison juste à temps pour le souper, les yeux tout pétillants encore du champagne que nous avions sablé. Heureusement, il était prévu que le repas serait rapide puisqu'on devait partir tôt pour aller veiller chez l'oncle Jules. En me voyant arriver par la porte d'en arrière, la vieille Marie se retourna. Elle plissa les yeux et me lança avec bonhomie une de ces phrases dont elle seule avait le secret :

« Mon p'tit gars, t'es un peu jeune pour jouer avec le feu. Tu vas te brûler les doigts. »

Elle était assise sur le tabouret haut qu'elle traînait avec elle du poêle aux comptoirs ; il lui servait aussi bien de canne que de siège. Elle n'ajouta pas un mot, puis se leva avec difficulté.

Mariette entra sur ces entrefaites. Elle comprit tout de suite qu'il valait mieux pour moi de ne pas aller au souper ; elle insista pour me faire monter à ma chambre par l'escalier de service, en m'assurant qu'elle s'occupait de mes parents.

« Monsieur Jean est allé faire du sport avec ses amis, cet après-midi, l'entendis-je raconter aux miens. Il est rentré il n'y a pas longtemps, le visage encore rouge comme une forçure. Il avait les sangs échauffés ; je l'ai envoyé se reposer. Ne vous inquiétez pas, je vais lui préparer une assiette et il va aller vous retrouver à votre soirée. »

Ni maman ni papa ne se rendirent compte de mon allégresse. Ils ne surent pas non plus que j'étais rond, que j'étais toujours chaste et que j'étais heureux.

*

À compter du 5 janvier, tous les jeudis, j'avais rendez-vous à l'atelier de Mme Garneau. Le jour de la fête des saints Innocents, elle m'avait offert de me donner quelques cours de peinture. N'avais-je pas eu l'audace de lui manifester le désir de toucher moi-même à ses spatules et à ses pinceaux ?

« J'aimerais ça, Esther, mais je n'ai pas les moyens de me payer des cours. Et vous connaissez mes parents, vous savez bien qu'ils n'accepteront jamais. Un gars, faire de la peinture ! Mon père veut un notaire, pas un artiste.

– Qui t'a parlé de payer ? Tu as tout ce qu'il faut pour peindre, Jean Lefrançois, tu as du talent. Je t'offre de t'initier à la peinture parce que ça me plaît. Si tu en as le goût, laisse-toi faire, non ? »

Le jeudi 5, je prenais ma première leçon. À l'école, on me disait habile en dessin ; Esther me fit faire du fusain en même temps qu'elle commençait à m'initier au maniement des couleurs. Elle me fit dessiner un vase, puis, pour la première fois, elle me conduisit vers la pièce du fond, afin que je fasse le croquis d'un meuble très ouvré qui s'y trouvait. Ce n'était pas sa chambre, seulement le grand vestibule qui y menait. Je dessinai la commode de chêne, mais avec combien de distractions ! Esther venait me voir, mettait ses mains sur mes épaules en examinant le dessin et me faisait quelques remarques, d'un ton encourageant. En élève studieux, il me fallait m'appliquer à mon travail, même si j'étais dévoré par la curiosité : elle m'avait amené près de sa chambre. Les distractions m'assaillaient. Je brûlais du désir de scruter en détail cette pièce d'à côté dont la porte était entrouverte. Mais aurais-je pu prendre le temps de le faire que je n'aurais pas su décrire d'un premier coup d'œil ce lieu de son intimité, tant il me paraissait sortir de l'ordinaire. Il y avait un morceau du mobilier en particulier que j'avais aperçu et qui me dérangeait : le lit qui trônait au centre. C'était là que dormait Esther.

Une fois la leçon terminée, mon professeur me servit un jus et des biscuits ; le *vino santo*, c'était pour les grands jours, m'avait-il fallu conclure. Je sentais qu'il y avait quelque chose de changé entre nous. Esther affichait une réserve qu'elle n'avait pas les premières fois. Pourtant, elle n'était pas du tout froide. Elle agissait envers moi comme quelqu'un qui a le goût de toucher, de prendre, de coller, mais qu'un frein invisible retient de donner libre cours à ses envies. S'il lui arrivait de me passer le dessus de la main sur la joue, aussitôt elle la retirait, comme si je l'avais brûlée. La réserve d'Esther était contagieuse ; je prenais donc soin de n'avoir aucun geste qui fût de nature à l'en faire sortir. J'étais le jeune élève et me comportais comme tel.

La semaine suivante, Esther me fit venir deux ou trois fois dans le vestibule de sa chambre, toujours pour y trouver des modèles qu'elle y avait apportés pour moi. Nous étions passés de l'atelier au vestibule, sans aller plus loin. Je n'étais pas sans constater que mon hôtesse tournait de plus en plus autour de son invité, qu'à l'égard du disciple la femme prenait le pas sur l'artiste. De minuscules détails m'indiquaient qu'une autre étape se préparait, des détails dont je tirais une sournoise excitation. C'était la fragrance nouvelle d'aujourd'hui, un geste, parfois une langueur étudiée. Tout en causant, elle s'allongeait sur le divan de cuir en s'assurant de laisser une place qui m'était visiblement destinée. La réserve avait fondu. Esther Garneau avait des idées dans la tête, cela m'était devenu évident. J'en étais flatté. Cependant, j'avais éprouvé une si grande difficulté à maîtriser mes émotions depuis novembre que je ne voulais pas me laisser prendre au jeu : les montagnes russes m'épuisaient les sentiments ! Je pressentais qu'Esther aussi était aux prises avec des goûts auxquels elle tentait de résister.

À la fin de la séance, rien ne s'était passé encore quand Esther me demanda soudain, d'une voix inhabituellement câline :

« Jean, si on avançait ta leçon de la semaine prochaine à mercredi, est-ce que cela te serait possible ?

– Mercredi, c'est le 18 ? Ça m'est difficile le mercredi, encore plus ce jour-là parce que j'ai un examen de français. On peut sauter une semaine, si vous préférez.

– Non, non, je te le demandais comme ça. »

Je voyais bien qu'elle ne me disait pas tout, qu'elle me cachait quelque chose.

« Pourquoi souhaitiez-vous ramener la leçon au mercredi ? »

Légèrement embarrassée, Esther avoua que le 18 était le jour de son anniversaire. C'était un grand honneur qu'elle me faisait de m'inviter ce jour-là, j'en avais conscience.

« Je donnerais un bras pour vous faire plaisir, Esther, mais vraiment ce serait une folie que je paierais cher. Trop cher.

– Viens jeudi comme d'habitude, Jean. On fera comme on l'a fait pour Noël, on remettra la fête au lendemain. »

Pour une fête, c'en fut une. Esther avait fait les choses en grand. Pour ma part, je m'étais trituré la cervelle pour trouver un cadeau convenable. Le plus difficile, finalement, ne fut pas de me décider ; une fois choisi ce présent d'anniversaire, il fallait que je le cache à la maison sans que personne me voie arriver, ni mes sœurs, ni Mariette, ni même Jean-Blaise, qui commençait à me trouver bizarre depuis quelque temps.

J'offris à Esther une gravure persane sur os de chameau, que j'avais trouvée chez un marchand d'art et de curiosités de la côte de la Fabrique. Mes économies des derniers mois y étaient passées. Au jour de l'An, papa nous donnait un billet de cent dollars. Chaque semaine, il nous remettait une allocation ; la mienne était de quatre dollars. Assez pour vivre, mais rien pour faire la fête avec une femme comme Mme Garneau.

Esther fut ravie de mon cadeau. Elle m'avait accueilli en sarrau, la palette à la main, comme si je la surprenais en plein travail. Un peu stupéfait d'abord, je bafouillai un mot d'excuse ; à sa réponse, je pus déduire que cet accueil tenait davantage de la mise en scène. La bise qu'elle me fit me parut curieuse : on aurait dit qu'elle craignait de me toucher, comme la femme qui n'ose pas approcher sa bougie du papier qu'elle veut brûler, de peur qu'il ne s'enflamme trop vite. Elle me prit par la main et ne me laissa pas le loisir de saluer Klimt et de jeter un œil sur l'homme et la femme du *Baiser*.

Une fois dans le studio, elle me regarda avec des yeux que je ne lui avais jamais vus. Des yeux où pétillaient – je l'ai compris plus tard – le désir, le goût d'un corps neuf et jeune, la lueur sacrée de qui se prépare à introduire le nouvel initié dans le temple de l'amour. Une certaine inquiétude aussi devant la perspective d'un sacrilège.

Je lui tendis le paquet que j'avais apporté. Elle l'ouvrit enfin ; la joie qui se lisait sur sa figure me combla : j'avais visé juste, Esther appréciait le choix que j'avais fait pour elle.

« Un pareil cadeau, Jean, ça se fête. Nous allons trinquer à notre amitié. »

Esther avait déposé sur la table à café une bouteille de Dom Pérignon prometteur. Je compris après le premier verre que le moment était venu où Esther Garneau laissait tomber les scrupules : elle avait le goût d'aller plus loin avec le jeune homme qu'elle avait sous la main, si je puis dire.

Ce qu'elle ne savait pas, c'est que ce jour-là elle avait affaire à un homme d'expérience !

Après cette fameuse rencontre où j'avais eu l'air si fou, je m'étais beaucoup tâté le pouls. Il ne me fut pas difficile d'attribuer à mon âge mon manque d'assurance et le peu de solidité de ma forteresse intérieure. Ayant fait le tour de moi-même, je décidai de prendre le taureau par les cornes : une visite chez Linda ferait de moi un homme.

Plusieurs jours se passèrent avant que je donne suite à ma résolution. J'étais descendu à deux reprises à la place Jacques-Cartier, sans trop savoir si je n'y allais que pour reconnaître le terrain. À ma troisième visite dans le quartier, j'étais finalement entré au bar de l'hôtel Saint-Roch. Discrètement, je m'étais approché du barman.

« Pouvez-vous me dire si Mme Linda est ici aujourd'hui ?

– C'est son jour de congé ; elle sera ici dimanche matin seulement. »

On était vendredi. Le dimanche suivant, au lieu d'aller assister à la messe du Séminaire, comme on y était tenu, je pris l'escalier de l'Alverne. Je n'avais pas eu l'ombre d'une hésitation ; je me sentais même le cœur en fête : j'avais le goût de franchir l'étape qui m'attendait, Linda ferait de moi un homme.

« Les prêtres ne nous parlent que des mirages, jamais des délices de l'amour. Je suis prêt à tester les deux ! »

Le gars qui entra au bar, cet avant-midi-là, n'avait rien de celui qui s'y était présenté quelques semaines auparavant. Il avait évolué, il était plus sûr de lui. Il ne craignait pas les questions du barman sur son âge ni les commentaires des filles.

Linda n'y était pas. Le barman me reconnut.

« C'est pour Linda ? Elle n'est pas loin, je l'appelle pour vous. »

Deux minutes après, Linda s'approchait de moi. Elle ne m'avait pas oublié.

« Ah ! le beau Michel. Ça me fait plaisir de te voir. As-tu le goût de t'asseoir ? Tu bois quelque chose ? »

Roger le barman nous apporta deux verres de vin blanc. Nous échangeâmes quelques banalités, puis, très sérieusement, je regardai Linda dans les yeux.

« Linda, cette fois-ci, je ne partirai pas. Tu veux bien me faire monter avec toi ? »

C'est ainsi qu'à la chambre 116 de l'hôtel Saint-Roch j'appris à faire l'amour. L'idéaliste que je suis aurait pu regretter que l'expérience se réalise à travers l'amour vénal ; il n'en fut rien. Linda prit le temps de m'apprivoiser le corps. Elle me força gentiment à modérer mes transports et se comporta avec moi comme une femme réellement amoureuse.

« Mon faux Michel, tu n'es pas comme les autres, je l'ai vu l'autre jour, quand tu es venu ici. J'ai été surprise que tu décides de ne pas coucher avec moi, et plus surprise encore que tu me dises que c'était pour réserver à ta blonde ta première nuit. À cause de ça, jamais je ne t'oublierai. Je ne veux pas non plus que tu sois déçu par ta première expérience. Tu te souviendras aussi de Linda. »

Il était bien midi et demi quand nous sommes descendus de la chambre 116. Nous avions tous les deux les larmes aux yeux. Moi de bonheur et d'émotion, Linda, du geste qu'elle venait de faire. Elle n'avait pas voulu que je lui laisse d'argent.

« Je vois passer ici tellement d'anciens enfants de chœur qui viennent me voir juste pour vider leurs burettes ! Pour une fois que j'ai quelqu'un qui me regarde dans les yeux, ça vaut la peine de lui faire la fête. »

L'heure du brunch familial avait sonné et je retournai à la maison au pas de course. On me regarda entrer dans la salle à manger avec curiosité. Je fis comme si de rien n'était en m'excusant de mon retard et pris part à la conversation à la manière d'un homme du monde. Sans la moindre hésitation, je fus en mesure de parler des chasubles colorées que portaient les célébrants en ce deuxième dimanche après l'Épiphanie et de louer les hymnes de joie qu'avait chantées la chorale pendant la messe. Je me sentais maintenant d'égal à égal avec mon père et ses invités de la table. J'étais un homme.

*

Esther n'eut pas besoin de remplir plusieurs fois les coupes de champagne pour se déclarer. De mon côté, le désir avait déjà envahi les moindres parcelles de mon corps, avant même que j'aie avalé la première goutte de Dom Pérignon ; un engourdissement s'était emparé de moi, un bien-être voluptueux qui transformait chaque pore de ma peau en autant d'antennes ouvertes au plaisir. Esther s'approcha de moi et ses doigts se mirent à dessiner le contour de mon visage. Puis le masque lui-même, les sourcils, en descendant vers l'arête de mon nez, mes narines l'une après l'autre, et de nouveau la remontée vers l'œil droit. Comme je bougeais et que j'étais visiblement mal à l'aise de me sentir aussi passif, elle me saisit la main et mit mon index sur ses lèvres. Sa bouche prit la forme d'un appel au silence autant que d'un baiser qu'on lance à distance du bout des doigts. Puis, elle reprit l'exploration minutieuse qu'elle faisait de ma tête. Du menton qu'elle caressait en faisant bruire ma barbe encore mollette, elle chemina vers l'arrière des oreilles, en même temps qu'elle en approcha sa bouche. La douceur de ses lèvres effleura à peine la courbe de mon oreille, puis sa langue en pénétra légèrement la cavité. Une chaleur inconnue m'envahit. J'eus soudain le sentiment qu'une clé avait d'un seul tour ouvert toutes les serrures de ma forteresse, que cette femme venait de me déverrouiller le corps.

Nous nous étions levés du divan pour mieux rapprocher nos corps. Elle passa ses bras derrière mon dos, sous mon blazer de collégien, ses mains pénétrèrent de quelques pouces à l'intérieur de ma ceinture, le long des reins. J'approchai mon visage du sien et commençai à chercher ses joues, ses yeux, ses lèvres, sans plus me demander si la manière était bonne. Ma langue se mit en quête de la sienne, elle se mit à la défier en une sorte de duel où les adversaires se plaisent à jouer d'astuce pour varier les moulinets et prolonger les prises en arrêt. Je me surpris à vouloir tirer de sa bouche une sève dont je ne soupçonnais pas la saveur l'instant d'avant, à boire ces lèvres et cette langue qui se livraient à moi avec une évidente satisfaction.

Je me collais à son corps, elle faisait de même. Je sentais son ventre tout vivant, la masse agréable de ses seins et, par-dessus tout, la forme chaude de ses longues cuisses qui s'attachaient aux miennes. L'envie me prit de lui enlever son sarrau ; elle se laissa faire.

Lequel des deux commença à déshabiller l'autre, je ne m'en souviens plus. J'appris vite cependant à déboutonner un chemisier, à desserrer une jupe, à dégrafer un corsage. La révélation de ses seins blancs me laissa quelques instants interdit, puis mes doigts se mirent à glisser autour des mamelons et, pour la première fois, mes mains découvrirent pourquoi les hommes conviennent depuis la nuit des temps que la courbe est symbole de perfection. À pleines mains je palpai ses seins, je couvris de mes paumes cette matière parfaite. Puis mes lèvres et ma langue y tracèrent des lignes courbes par lesquelles j'adhérais à mon tour à l'ordre du monde, à la perfection de la nature. Jamais dans la suite de mon existence je ne devais reprendre ce rite amoureux sans me remémorer ce jour où je découvris les plaisirs cosmiques des préambules de l'amour.

Fort de l'assurance que m'avait donnée l'enseignement de Linda, j'appris dans le studio d'Esther, ce jeudi-là, que l'amour est fait de tous les possibles et qu'il est multitude ; que la gamme est infinie de ces jeux où l'homme se reprend de n'avoir jamais vraiment su tirer de son corps toute la jouissance dont il est capable et offre à l'autre un plaisir partagé et sans cesse nouveau.

J'ai oublié de préciser qu'un second chevalet était entré dans l'atelier, sur lequel le débutant pouvait continuer son initiation. Il faisait partie des meubles, maintenant.

II

De toute l'année scolaire 1949-1950, je ne me suis pas confessé une seule fois. Et pour cause ! Il m'aurait fallu avouer ma liaison avec Esther et le désir qui l'avait précédée. Une liaison qui n'était pas de mon âge, à propos de laquelle le confesseur, quelle qu'ait pu être sa bienveillance naturelle, m'aurait posé des questions auxquelles je n'avais nullement l'intention de répondre. Plus encore, j'aurais dû mentir au prêtre en l'assurant que je regrettais profondément mes « fautes » et qu'en outre j'avais le ferme propos de ne plus recommencer. C'était me demander l'impossible. Et ç'aurait été totalement faux.

J'avais un directeur de conscience depuis plusieurs années, et bien peu de chose à lui dire. Qu'aurais-je pu raconter, d'ailleurs, à douze ou treize ans ? Maintenant que j'avais enfin une « matière grave » qui eût pu être objet de discussion, je n'étais pas plus intéressé qu'auparavant à lui parler de mes actions, d'autant plus qu'elles ne me pesaient pas du tout sur la conscience : j'étais heureux.

Oh ! oui, j'étais heureux. Qui a dit que la chair est triste ? Pendant des semaines, j'ai vécu avec ce que j'avais de plus précieux : Esther et mes études. Les deux me réussissaient à merveille, je flottais sur un nuage.

Après la fête du 19 janvier – j'ai presque envie de dire après la noce du 19 ! –, nous nous étions revus dès le lendemain, et le lendemain encore. L'incendie faisait rage. Un vrai voyage de noces sur place. Après ces moments de grâce, la vie ne pouvait plus être quotidienne. Ce qui ne m'empêchait pas de vivre des moments de dépression.

Une femme m'aimait, une femme plus âgée que moi. De mon côté, j'étais chaviré par ce qui m'arrivait. Je l'aimais, j'en étais fou, je l'avais dans la peau. Il se passait en moi des choses tellement nouvelles que je ne savais trop comment les dire. J'avais continuellement son image en tête, et pas une heure ne s'écoulait sans que je me demande ce qu'elle faisait, si elle pensait à moi, si elle était aussi impatiente de me voir que moi je l'étais de la retrouver. Sa figure ne me quittait pas et à tout bout de champ je sentais courir sous ma peau une sorte d'engourdissement qui me signalait d'une manière toute neuve que j'étais heureux. Mais à l'instant même où j'étais submergé par cette onde, au point d'en avoir les larmes aux yeux, mon cœur se serrait : l'absence d'Esther et cette espèce de distance inéluctable qui nous séparait me paraissaient soudain annoncer la fin de ce bonheur. Un goût de cendres me montait à la bouche quand je pensais à tout ce qui nous éloignait l'un de l'autre : pour le reste de nos jours, j'en avais la triste conviction, j'étais condamné à vivre sur une planète qui serait toujours à mille lieues de la sienne.

J'en venais à ne plus savoir si j'étais heureux ou malheureux. Il m'était déjà arrivé de ressentir ces tourments de l'amour, ces déchirements de qui aime et se désole de l'absence de l'être aimé. De douter de la constance de la passion qu'éprouvait la femme que j'aimais, quand ce n'était pas de sa fidélité. Était-ce là le lot d'aimer ?

Dans les derniers jours de janvier, je décidai de consulter l'abbé Fréchette à ce propos.

« L'abbé, j'ai une question à vous poser : comment peut-on savoir si on est heureux ? »

S'il fut surpris de ma question, Maxime Fréchette n'en laissa rien paraître.

« Si c'est pour toi que tu me demandes cela, Jean, je te dirai d'examiner le fond de ton cœur. Te sens-tu heureux ? Éprouves-tu au fond de toi-même ce plaisir d'être bien, cette paix fondamentale qu'on appelle le bonheur ? »

Assez spontanément, je m'empressai de répondre oui à ces questions, non sans ajouter immédiatement que si j'avais le sentiment que le bonheur me sortait de partout, je m'inquiétais en même temps de ressentir au fond de moi-même des craintes, de l'appréhension, des contradictions même. Est-ce qu'une telle agitation était chose normale ?

« Est-ce que c'est ça, le bonheur, l'abbé ? Est-ce qu'on est condamné à ne jamais avoir la paix, à ne jamais trop savoir sur quel pied danser, même quand on a l'impression de vivre sur un nuage ? Je pense que je suis heureux, mais il y a des moments où je ne le sais plus trop, où je ne sais vraiment plus si je suis heureux ou malheureux ! »

Les yeux de Maxime Fréchette se plantèrent dans les miens.

« Serais-tu amoureux, Jean ? »

C'était sans doute la question à poser, celle que j'attendais inconsciemment, car aussitôt qu'elle fut formulée, je me mis à parler de mon aventure avec une abondance dont je fus le premier étonné. J'avais confiance en cet homme ; cependant, au fur et à mesure que je laissais déborder le trop-plein de mon cœur, je me reprochais intérieurement de trop me livrer. C'était plus fort que moi. Comme s'il m'était devenu nécessaire de dire enfin à quelqu'un que je vivais un amour impossible dont je ne pouvais pas parler. Comme s'il me fallait de toutes mes forces chanter les louanges de la femme que j'aimais, quitte à en dire trop.

Je prenais volontairement le risque de me confier à cet abbé que j'admirais, sans penser qu'il pourrait se scandaliser d'une conduite aussi folle de la part d'un garçon de mon âge ou même condamner une telle aventure où entrait en scène une personne de qualité qui n'était pas une inconnue, ni pour lui ni pour la société de la ville.

En bon confesseur, Maxime Fréchette m'écouta sans porter de jugement. Il se contenta de m'exhorter à la vertu de prudence :

« Réfléchis bien à la portée de tes actes, Jean, aux conséquences de l'aventure dans laquelle tu t'es engagé. Tu as l'avenir devant toi. Essaie d'éviter les erreurs, au moins celles que les hommes avertis n'ignorent pas. D'autres que toi ont vécu ce que tu vis : bien souvent, il en est résulté des dommages importants pour eux et pour les autres. »

Le ton sur lequel il me parla était grave, comme s'il voulait me prémunir contre tous les malheurs possibles. Dans le fond, il me redonnait à sa manière à lui l'avertissement que m'avait déjà servi la vieille Marie en me disant de ne pas me brûler les doigts.

« De toute évidence, Jean, tu te bats avec ton milieu, et en même temps, tu es tout près de te laisser prendre à son jeu. Une femme du monde, une femme qui a mari et fortune t'offre ses faveurs et t'ouvre son lit. Fort bien. Mais où veux-tu que l'aventure te mène ? Peut-être que ce que tu vis ne sera qu'un feu de paille, qui t'aura permis de faire l'expérience de la vie. Entre nous, c'est ce que je souhaite pour toi. Peut-être aussi cherches-tu autre chose que, pour le moment, je vois mal, Jean. »

Maxime Fréchette se leva et prit dans sa bibliothèque un livre.

« Je pense bien te connaître, mon ami, et je connais bien le milieu où tu as grandi : tu n'es ni Rastignac ni Julien Sorel ; tu n'as pas l'âme d'un arriviste de salon ni l'ambition froide d'un sans-titre, tout prêt à jouer de l'hypocrisie et de la séduction pour changer d'air. Je vais te faire lire deux romans, simplement pour te mettre en contact avec deux personnages forts que tu vas aimer. Prends ce livre : c'est *Le Père Goriot* de Balzac. Comme *Le Rouge et le Noir* de Stendhal que je te ferai lire quand tu auras terminé Balzac, c'est un livre officiellement à l'Index, Jean, mais je te permets de le lire. Tu m'en donneras des nouvelles. »

Il se tut quelques secondes.

« Je ne voudrais pas être cynique, Jean, mais je souhaiterais que tu lises aussi un troisième grand roman du XIXᵉ siècle. Peut-être pas tout de suite, tu n'auras pas le temps de tout lire. Il ne faudrait pas tarder à entreprendre *Madame Bovary*, de Flaubert. Tu le feras en observant de près le personnage de Justin, l'apprenti pharmacien du triste M. Homais. C'est un tout jeune homme qui, en silence, brûle d'amour pour Emma Bovary. Elle le sait, elle l'aguiche, elle le fait marcher et jusqu'à la fin elle l'utilise sans aucune pudeur. Ce n'est pas ce que tu vis, du moins je ne le pense pas, mon ami, mais tu gagneras, crois-moi, à réfléchir au sort de ce personnage ardent qui pourrait te ressembler. »

*

Esther ! Le soir, je me couchais en rêvant à elle et le matin, c'est à elle qu'allaient mes premières pensées, si bien qu'il m'était de plus en plus difficile d'accepter de ne pas la voir chaque jour.

Elle avait été claire à ce sujet.

« Il ne faut pas que tu cherches à me voir en dehors de nos rendez-vous, Jean, ce serait trop dangereux. Nous vivons une belle histoire tous les deux, n'allons pas la mettre en danger. »

Elle avait raison, je n'en doutais aucunement. Elle avait un mari ; même s'il était souvent absent, il fallait faire attention et ne pas courir des risques inutiles, je le comprenais bien. Et puis, c'était une artiste, chose qui m'impressionnait grandement.

« Mon petit Jean, tu dois m'aider à me discipliner. Tu sais, j'ai une œuvre à réaliser. Ce n'est pas toujours de gaieté de cœur que je le fais, mais je dois m'enfermer dans mon studio, me faire violence parfois si je veux que ma peinture progresse. Le succès est à ce prix. »

L'adolescent que j'étais encore ne demandait pas mieux que de la croire ; c'était d'ailleurs le même discours que me tenaient les professeurs, un discours on ne peut plus normal dans un collège de prêtres où dans chacune des classes se déployait, inscrite en lettres d'or au-dessus du tableau noir, la devise proposée à des générations de collégiens comme moi : *Labor improbus omnia vincit**. À quoi me servait-il de faire du latin si je ne comprenais pas le sens de cette phrase ! Et de fréquenter une institution aussi vénérable que le Séminaire de Québec si je n'acceptais pas de voir mises en pratique, fût-ce par une maîtresse, les règles de vie qui en faisaient la force depuis trois cents ans !

Je savais qu'elle s'astreignait à un vrai régime de moine. Dès neuf heures, elle entrait dans son studio de la rue Saint-Augustin et n'en sortait normalement qu'à quatre heures de l'après-midi ; c'était d'ailleurs sur le chemin du retour chez elle que je la croisais et que je l'avais remarquée en novembre. Elle avait une vie réglée comme du papier à musique, semblait-il. Il m'était arrivé de m'étonner de ne pas la rencontrer, certains jours. Pas avant de la connaître, bien sûr, encore qu'elle en était venue à faire partie de mon rituel quotidien et qu'elle figurait dans la liste des repères qui jalonnaient ma route vers la maison, au même titre que les affiches du cinéma

---

*« Un travail opiniâtre vient à bout de tout », selon les pages roses du *Petit Larousse* !

Empire, l'enseigne de Birks, les pâtisseries de Cassulo ou la vitrine aveugle de la Commission des liqueurs, là où ne paraissait pénétrer que la lie de la société tant les hommes qui y entraient avaient l'air de le faire en cachette.

Après la célébration embrasée de son anniversaire, les choses avaient changé. Si je me retenais pour ne pas courir dès que la cloche sonnait la fin du dernier cours de l'après-midi, j'avais toujours la même hâte d'arriver dans la rue. Alors qu'autrefois j'empruntais parfois la rue Couillard pour rejoindre le haut de la rue Saint-Jean, je ne le faisais plus désormais : je montais chaque après-midi la rue Sainte-Famille et m'engageais à droite dans la côte de la Fabrique. Ainsi étais-je plus certain de la rencontrer. Mais je dus me rendre à l'évidence : quand je ne la croisais pas, ce n'était pas que je l'avais manquée, c'était tout simplement que, ce jour-là, elle avait été dans l'obligation de rompre son rythme de travail et ne passerait pas par là.

Me sentant heureux, mes parents s'inquiétaient peu de moi, à condition, toujours, que je respecte les règles de base de la vie familiale. Déférent envers papa et maman comme jamais auparavant, je manquais rarement de souper ; les bulletins scolaires que je leur apportais ne montraient que des succès et je représentais pour eux le modèle du fils accompli. Quant aux invités du soir, c'était un jeune homme parfait qui prenait le temps de venir les saluer et de causer quelques instants avec eux. Seule ma grand-mère paraissait me regarder d'un drôle d'œil, comme si elle se doutait que quelque chose avait changé en moi. En d'autres temps, une pareille suspicion m'aurait mis sur mes gardes ; j'eus plutôt tendance à me rapprocher d'elle, allant jusqu'à lui manifester une tendresse qui s'était moins exprimée entre nous ces derniers temps. Cela parut la rassurer.

Avec maman, rien n'avait changé en apparence. Pourtant, depuis ce premier jeudi où j'avais connu le bonheur avec Esther, je ne la voyais plus du même œil. Jusque-là, c'était elle qui représentait pour moi l'image de la femme. Aucune des jeunes filles que j'avais connues, pas même Ann Burns, ne l'avait surclassée à cet égard. Voilà que tout venait de basculer ; la rencontre avec Esther m'avait dessillé les yeux. Maman ne m'était pas moins précieuse que la veille ; il arriva simplement qu'en la regardant, ce jour-là, je pris conscience qu'elle n'était plus unique et je lui pardonnai. En m'approchant de la chaise dans laquelle elle semblait ancrée, comme une femme déjà vieillie, je compris qu'elle avait des défauts et ne lui en voulus pas.

J'étais revenu à la maison peu avant le souper ; maman était dans le boudoir, seule, à feuilleter une revue. Comme je le faisais à chaque jour, je me penchai pour l'embrasser ; j'eus soudainement peur qu'elle ne sente sur moi une odeur nouvelle. Je serrai les poings pour m'assurer qu'elle ne détecterait pas certains parfums dont étaient imprégnés mes doigts ; elle parut ne se rendre compte de rien. Après quelques phrases banales, je montai à ma chambre, en portant à mes narines les doigts de ma main droite, qui avaient transporté depuis la rue Saint-Augustin l'odeur la plus intime de la femme qui venait de changer ma vie. J'en eus pour des heures à ne pas vouloir me laver les mains tant m'était précieux ce goût de musc, cet effluve secret emprunté au corps de l'être aimé, à la source profonde de sa féminité.

Dans les semaines qui suivirent, un changement se produisit dans mes relations avec ma mère, un changement que je ressentais intensément. Quand je rentrais à la maison, que je tendais ma joue à ma mère pour qu'elle y dépose la bise habituelle, j'éprouvais un agacement que je ne connaissais pas auparavant. Cet inconfort était plus grand les jours où je sortais tout juste de chez Esther : la peur me prenait encore que ma mère ne décèle l'odeur de femme qui émanait de mon corps. L'intuition des mères peut être féroce, tout enfant le sait. Je ne pouvais croire que ma mère ne sente pas comme moi le parfum d'Esther dont ma tête était pleine ; qu'elle ne détecte pas sur moi cette odeur fauve qui me saoulait.

En vitesse, je regagnais ma chambre comme si j'avais craint qu'elle ne découvre mon secret. Alors qu'auparavant je n'hésitais jamais à répondre à ses questions, à lui raconter des bribes de ma journée tout en sirotant un jus de fruit au coin de la table de la cuisine, tout avait changé maintenant : je n'avais plus soif et je ne parlais plus.

Il m'est difficile d'admettre que ma mère n'ait pas soupçonné qu'il y avait du nouveau dans ma vie. Je lui savais gré de ne pas aborder la question ; si elle l'avait fait, j'avais une réponse toute prête, qui ne lui aurait pas fait plaisir. Les choses étaient donc bien ainsi.

Il n'y a qu'un détail qui n'avait pas échappé à ma mère, ou, en tout cas, qu'elle avait été incapable de taire :

« C'est drôle, Jean, on dirait que tu sens la térébenthine. Est-ce qu'on est en train de faire des travaux de peinture dans vos classes ? »

La première fois qu'elle me fit cette remarque, je me contentai de répondre simplement par la négative. Ayant quelques jours plus tard remarqué de minuscules taches de peinture sur ma chemise, elle poussa plus loin son enquête.

« Dis donc, Jean, avez-vous des cours d'art maintenant au Séminaire ? Est-ce que les prêtres vous font faire de la peinture ces temps-ci ? J'ai trouvé de petites taches de couleur sur tes vêtements ; elles sont parfois difficiles à enlever. »

Qu'est-ce que j'allais faire ? Sur le coup, mille idées me vinrent à l'esprit. Remettre délicatement ma mère à sa place en lui laissant entendre que ce n'était pas de ses affaires ? Esquiver la question ? Mentir ? Je décidai de lui dire les choses comme elles étaient – ou presque :

« Je vais te dire pourquoi tu trouves des taches de peinture sur mes vêtements, maman, mais à une condition : que tu n'en dises pas un mot à papa. S'il apprend que j'ai "des goûts d'artiste", comme il le dirait, s'il sait que je suis des cours de peinture, j'ai peur de sa réaction. Déjà qu'il me pardonne mal de ne pas vouloir suivre ses traces, de ne pas rêver aux manches lustrées du bon notaire !... »

Maman me regardait avec de grands yeux.

« Tu connais Mme Garneau, la femme du politicien que vous avez déjà reçu à la maison. C'est une artiste, tu le sais. Par un concours de circonstances, je l'ai rencontrée, puis j'ai vu ce qu'elle faisait et j'ai décidé de prendre des leçons de peinture avec elle.

– Mais Jean, qui paye pour ça ? »

Bienheureuse famille, les questions d'argent venaient de me sauver !

« J'ai un peu d'économies et Mme Garneau me fait un prix. Il paraît que j'ai du talent, ajoutai-je d'un ton badin.

– Où est-ce que tu vas pour ces cours ? Chez elle ou bien dans son atelier ? On dit qu'elle s'est payé un atelier en ville ; est-ce là que tu vas ? »

Je lui expliquai rapidement que je me rendais rue Saint-Augustin à chaque semaine depuis le début de janvier et que cela ne nuisait pas du tout à mes études ; au contraire j'en étais stimulé. Maman ne pouvant imaginer un instant que son fils se trouve seul avec cette dame pour un cours tout à fait privé, je fus ravi d'abonder dans le même sens qu'elle et de la laisser croire que nous étions plusieurs jeunes à suivre ensemble les leçons de Mme Garneau.

S'il avait fallu que mes parents apprennent dans quelle aventure extraordinaire je venais de m'embarquer ! Qu'ils sachent que certains soirs de janvier, au lieu de replonger dans ses livres, le jeune homme parfait que j'étais à leurs yeux se glissait hors de la cuisine pour aller dormir avec sa belle et qu'il n'en revenait qu'au petit matin, à l'heure du laitier. J'entrais alors discrètement dans le hangar, me dirigeais vers la pièce où dormait Gigotte, le secouais un peu ; celui-ci se levait de bonne grâce, en complice amusé, sautait dans ses culottes et prenait l'échelle suspendue derrière le hangar pour l'appuyer au balcon de la salle de couture de Mme Truchon, dont j'avais pris soin de déverrouiller la porte avant de partir. J'y montais en vitesse, je me glissais dans ma chambre tout à côté, pendant que Gigotte, en bas, s'empressait d'effacer nos traces d'un coup de pelle et de ranger l'objet du crime. Quand j'apparaissais, au déjeuner, personne n'avait eu connaissance de mon absence. Le silence de mon ami Gigotte ne m'inquiétait pas.

J'avais pensé un instant demander l'aide de Jean-Blaise, mais j'avais vite reculé. Mon frère n'était pas fiable, il aurait craqué à la moindre pression. Lui, c'était le bon élève, le fils effacé, toujours prêt à prendre la couleur de ses interlocuteurs. Des phrases clés comme « Maman a dit que… Ils disent que… » réglaient son existence et il en était heureux.

Il tenait beaucoup de papa et il lui ressemblait de plus en plus. C'était d'ailleurs connu maintenant dans la famille : puisque j'avais renoncé à mon droit d'aînesse et que je ne voulais pas devenir notaire, c'est lui qui hériterait de l'étude de papa.

Je l'aimais bien, mon jeune frère, mais c'était un timoré qui, à la veille de ses quinze ans, embrassait déjà toutes les valeurs de la famille. Il n'était vraiment pas question que je le mette dans le coup de mes amours.

Évidemment, ce n'était pas tous les soirs que je découchais. J'avais beau être fait fort, je n'aurais pas résisté à un tel régime. Mes études non plus. Durant ces semaines idylliques, la vie continuait d'avoir son côté quotidien. Mais j'avais droit à des égards particuliers.

Il était entendu que le mari d'Esther passait la seconde partie de la semaine à l'extérieur, la plupart du temps à Montréal, avec son ministre. Il ne rentrait que le vendredi soir, et même parfois le samedi après-midi. Je connaissais maintenant la teneur de l'entente qui les liait : quoi qu'il advienne, qu'il soit de passage à Québec ou qu'il ait besoin d'elle pour un cocktail ou une réception, le jeudi et le vendredi lui appartenaient à elle ; elle les consacrait à la peinture, et passait le plus clair de son temps à son atelier où personne n'avait le droit de la déranger, pas même lui – à moins qu'il se présente quelque chose de très important dont il l'avait informée à l'avance. S'il n'était pas à Québec en début de semaine, c'était aussi à l'atelier qu'elle s'installait.

Cet atelier, elle en avait condamné la porte au nom de son art, n'y recevait personne et n'en avait jamais donné le numéro de téléphone pour qu'on l'y joigne. Les autres jours de la semaine, elle s'y amenait dans la matinée et en repartait en fin d'après-midi. Est-il besoin de le dire, dans la dernière quinzaine de janvier – une période faste et combien jubilatoire ! –, elle revint moins souvent dans son appartement du Vieux-Québec.

À part ces quelques nuits où nous dormions ensemble, nous continuions à nous voir tous les jeudis, puisque j'avais congé dans l'après-midi. Toujours sur l'heure du dîner. Au début, je prétextais quelques courses à faire dans le quartier pour m'excuser auprès de mes compagnons de ne pas luncher avec eux à la cafétéria. Rapidement ils ont compris qu'il y avait là-dessous une histoire de cœur : je n'étais pas le premier à fausser compagnie au groupe de copains, le collège des Ursulines, tout proche, avait suscité bien des amourettes depuis les débuts de la colonie… S'ils avaient su comme mon aventure à moi était autrement plus sérieuse. Plus vraie. Une première, incontestablement. J'en étais convaincu et secrètement ravi.

Les cours finissaient à midi moins le quart. Ces jours-là, je dévalais les escaliers et piquais un galop à travers les rues du Vieux-Québec ; en quinze minutes, je me retrouvais rue Saint-Augustin. Le temps de me remettre et de replacer mes vêtements, les jours de pluie surtout, puis je montais l'escalier en essayant de ne pas courir et je frappais à la porte de son studio, au dernier étage de cet immeuble de brique rouge dont la plupart des logements, croyais-je comprendre, abritaient des ateliers d'artiste du même type que le sien. Il m'arrivait rarement de croiser ces autres locataires, qui ne me paraissaient pas avoir un horaire aussi fixe que celui d'Esther. Elle m'ouvrait, un grand sourire m'accueillait et nous nous précipitions dans les bras l'un de l'autre. Le scénario de nos rencontres n'était jamais convenu, la spontanéité en réglait le déroulement ; seul était prévu le coup d'œil que je jetais amicalement sur *Le Baiser* de Klimt.

Nous ne faisions plus l'amour sur le sofa de cuir. Esther m'avait invité à franchir une sorte de saint des saints qu'elle n'avait jamais ouvert à aucun visiteur, m'assura-t-elle. À gauche de l'immense baie qui donnait vue par-dessus les toits et dont la lumière avait éclairé nos premiers ébats, deux portes plutôt discrètes disparaissaient derrière un paravent chinois de belle allure ; l'une d'elles s'ouvrait sur la cuisinette, d'où Esther excellait à rapporter d'étonnantes boissons et des mets dont le raffinement ajoutait aux plaisirs de la chair dont nous ne nous privions pas.

Alors que, jusque-là, je n'avais eu droit qu'au vestibule, l'autre porte ne tarda pas à m'être ouverte. C'était sa chambre, que j'avais déjà entraperçue lors de mes premiers cours de peinture.

« Tu as une chambre ici aussi ? »

Il m'était devenu plus facile maintenant de la tutoyer, comme elle le souhaitait.

« Tu rentres pourtant chez toi tous les soirs. »

Je ne pus m'empêcher de poursuivre :

« Qu'est-ce qu'en dit ton mari ?

– Il voyage beaucoup et ne se formalise pas de savoir que je reste à coucher ici quand il n'est pas là. »

Esther et son mari n'avaient pas d'enfants. Ils étaient libres. Pour aller de la rue Sainte-Geneviève où ils habitaient, tout près du château Frontenac, jusqu'à l'atelier, il fallait compter une grosse demi-heure.

« Les soirs de neige, il m'arrive de dormir ici. »

Le studio sortait des normes auxquelles la décoration de nos maisons nous avait habitués. Une fois ouverte la porte de la chambre, le visiteur était beaucoup moins dépaysé qu'il ne l'avait été dans l'atelier : une vraie chambre bourgeoise telle que nos parents et nos grands-parents la désiraient. Un arrangement de meubles de bois sombre solidement installés sur un tapis de Turquie dont les bordeaux et les gros bleus soulignaient le jeu des arabesques et des guirlandes aériennes qui, les unes après les autres, venaient se perdre dans les écoinçons. Aux deux fenêtres, des tentures de velours vert pâle que je trouvai magnifiques (« C'est le vert Véronèse, me souffla Esther ; je suis contente que tu l'aies remarqué ; j'ai eu tellement de difficulté à dégoter ce ton. ») et sur les murs, alors que je m'attendais à voir des peintures et peut-être même des œuvres d'Esther, que des gravures en noir et blanc.

Déjà par mes coups d'œil furtifs des premiers temps, je savais que je n'apercevrais pas, au centre de la pièce, le lit à baldaquin qui aurait paru s'imposer ici, si j'en jugeais par les intérieurs que j'avais vus dans la famille. Je ne fus donc pas étonné de découvrir, au milieu de la chambre, un simple lit, sans colonnes ni tête, dont la seule singularité était d'être fort large.

Contrairement aux autres meubles de la pièce, il n'était pas enchâssé dans une armature de bois verni, de ces bois aussi sombres que voyants qu'on affectionnait beaucoup dans le milieu. Ce n'était pas pour la galerie qu'il avait été installé là, mais vraiment pour y dormir. Ou pour faire l'amour ?

Étais-je le premier à avoir l'honneur de son lit ? La question m'effleura l'esprit ; je la chassai comme une chose irrespectueuse. Il me semblait que la réponse ne pouvait être oui tant l'image d'Esther que je m'étais forgée était pure et sans tache. Mais en même temps, une voix me soufflait à l'oreille de ne pas trop chercher à savoir, de ne pas trop gratter la terre ; je n'ignorais déjà pas, à mon âge, qu'il y a des questions qu'il vaut mieux ne pas poser, au cas où… Ce qu'on ne sait pas ne fait pas mal, m'avait un jour dit grand-maman.

J'aimais la présence d'Esther. J'aurais pu craindre qu'elle agisse avec moi comme une mère ou bien qu'elle soit portée à me voir comme un jouet. Il n'en fut rien. Elle aurait eu beau jeu, pourtant. Malgré ma taille d'homme, Dieu sait que j'étais fragile. Il y avait tant de choses que je ne connaissais pas ; si cette inexpérience stimulait mon appétit de vivre, attisait ma curiosité et me donnait le goût de tout essayer, il n'en demeurait pas moins que je n'étais sûr de rien et que j'en ressentais, tout au fond de moi-même, un grand malaise. Il me manquait d'avoir vécu.

Il y avait quelque chose d'insensé dans l'aventure que je vivais. Quelque chose d'irréel. J'avais dix-sept ans – bientôt dix-huit – et j'étais tellement ignorant. Hier encore j'étais vierge, plus près de mes jeux d'enfant que des merveilles de l'amour. Installé dans un espace de la vie qu'il me paraissait normal de franchir, entre l'enfance naïve et ce moment qui me semblait bien lointain de la vie adulte, où l'on entre dans le vrai monde auquel l'on n'accède totalement que le jour du mariage, je me retrouvais tout d'un coup précipité dans un temps d'effervescence. J'étais à la fois moi-même et un autre ; dans ma tête se bousculaient sans que j'en puisse rien démêler les certitudes de la bonne éducation et les pulsions souterraines, les phantasmes explosifs dont mon être ne cessait de me faire la surprise. Je n'étais plus un enfant, mais je me sentais pourtant en porte-à-faux par rapport à une vie sentimentale qui, je pouvais le croire, n'était pas encore pour moi.

Je rends grâce à Esther d'avoir su me prendre comme j'étais et d'avoir respecté en moi le jeune homme tout à fait conscient de n'être encore qu'un adolescent. Un adolescent assez lucide pour éprouver son manque de solidité et craindre d'avoir les membres cassés s'il sautait les étapes, s'il voulait aller trop vite. Un adolescent crâneur à certains moments parce qu'il n'était pas maître de ses émotions, qu'il avait de la difficulté à démêler le flot des impressions qui l'envahissaient, l'agitation des sentiments qu'il sentait bouillonner en lui. En même temps, il savait très bien qu'il avait soif de vivre, ce jeune homme que j'étais, qu'il était avide d'expériences et passionnément désireux de se montrer digne de l'amour que lui portait cette femme. Elle n'était pas faite pour lui, elle n'aurait pas dû lui réserver ses faveurs si elle avait été logique. Néanmoins j'étais là, totalement ébahi de mon bonheur.

Qu'est-ce qui faisait qu'Esther semblait si attachée à moi ? Je ne m'habituais pas, au fond de moi-même, à être ainsi accueilli par une femme beaucoup plus âgée que moi, une femme qui avait un mari et devait donc tout connaître de l'amour. Qu'est-ce que j'avais que l'autre n'avait pas ? Je n'étais qu'un blanc-bec, un jeunot qui n'avait rien derrière lui, et rien de très clair à l'horizon. J'imaginais mal – et en fait je n'imaginais pas du tout – ce qu'une femme qui avait passé la trentaine pouvait ressentir devant un corps tout neuf. Je n'aurais pas accepté qu'elle me traite comme un enfant, mais je ne laissais pas de déceler, dans ses gestes tout autant que dans ses attentes amoureuses, qu'elle appréciait la naïveté de mes approches et l'ébahissement proclamé des choses que je ne savais pas taire. Avec elle j'avançais sur des chemins qui m'étaient inconnus le jour d'avant, je découvrais mon corps en même temps que j'explorais dans la plus totale innocence, puis-je dire, l'infinie diversité des plaisirs que peut procurer une rencontre amoureuse. Bienheureuses les amours de l'adolescence, surtout quand elles ont le privilège d'être autre chose qu'une passade, qu'une expérience ratée entre deux portes ou que la simple rencontre mécanique de deux corps excités qui n'en peuvent plus d'attendre ou qui consentent à se donner pour un rien, pour un plaisir rapide et peut-être triste.

Qu'est-ce que j'apportais à Esther Garneau, à part ce corps neuf et l'ardeur du néophyte dans les jeux de l'amour ? Si la question me traversait souvent l'esprit, l'accueil d'Esther laissait clairement voir que ce n'était pas seulement la sève de mes dix-sept ans qu'elle appréciait. Il est certain que dès les premières rencontres, elle trouva sur son chemin un cheval fringant, un jeune mâle plein de fougue et d'ardeur dont elle ne se plaignit pas. Je découvrais avec elle le plaisir d'aimer et d'être aimé, sans aucune contrainte. J'apprenais aussi à donner, à prendre mon temps, à goûter chaque seconde des plaisirs que ne cessent d'inventer deux amants enflammés. J'apprenais également à faire confiance à mon corps, à l'aimer, chose qui n'est pas du tout naturelle à la jeunesse, si j'en crois l'expérience que j'en faisais.

Je l'aimais comme un fou, mais j'avais peur de la décevoir.

J'avais aimé Ann, mais c'était tellement différent ! L'apparition d'Esther dans ma vie m'ouvrait à des amours adultes qui reléguaient au second plan les heures de tendresse enfantine que j'avais connues avec Ann. Pas pour les diminuer, ces heures de bonheur, ni pour les transmuer en souvenirs méprisables, loin de là. Elles restaient très présentes, comme le restait l'image d'Ann. Avec Esther, j'entrevoyais autre chose : ce n'était plus l'émoi adolescent ni même la délicatesse attendrie d'un jeune puceau rêveur, mais bien le désir charnel dans sa plus mâle version.

Esther n'était pas avare de son corps. Elle aimait faire l'amour. Elle prit plaisir à me faire découvrir petit à petit la richesse sans limites des jeux amoureux et excella à m'enseigner la valeur des préambules qui mènent à l'amour. Je ne fus pas toujours un bon élève. Mais j'acquis de l'assurance et sus que je pouvais avoir confiance en moi ; j'éprouvai le plaisir de sentir – et eus très vivement conscience – que se produisait en moi un travail de maturation tel que j'en venais à croire, non sans raison, qu'il m'était donné d'assister à ma propre transmutation : de semaine en semaine, je me voyais devenir un homme.

Cette métamorphose dont j'avais si bellement conscience n'était pas que le fruit de mes expériences amoureuses, évidemment. Cette mutation, cette conversion, oserais-je écrire, je la devais à Esther ; le contact avec cette femme en avait accéléré la progression et assuré l'harmonie.

À part les gens que nous connaissions et les hauts lieux sur lesquels convergeaient naturellement, autour de nous, les regards et les conversations, nous n'aurions pas eu beaucoup à nous dire, Esther et moi, une fois passés les émois de nos corps. Et s'il n'y avait eu entre nous que le désir à l'état brut, elle aurait vite cessé de me trouver intéressant. Je ne doute pas non plus que je me serais rapidement libéré d'un rôle de gigolo pour lequel je n'ai aucune inclination. Je n'aurais pas toléré, d'autre part, qu'elle passe son temps à s'informer de mes études, pas plus qu'elle n'aurait accepté de jouer avec moi le jeu des ragots dans lequel elle semblait avoir toujours refusé d'entrer, ce en quoi j'étais, là aussi, un disciple gagné d'avance. C'est par le biais de la peinture que se sont créés les premiers liens véritables entre nous et que nous nous sommes mieux connus.

Grâce à Klimt, nous avons parlé peinture avant même de tomber dans les bras l'un de l'autre. Et puis, la peinture nous a unis, plus que je ne l'aurais pensé. Je n'y connaissais à peu près rien. Esther m'a expliqué ce qu'elle faisait. Elle m'a initié aux techniques qu'elle pratiquait et a répondu avec grâce à toutes les questions que son art suscitait chez moi. Peu à peu, un monde s'ouvrait pour moi : le jeu des couleurs, les formes, les perspectives. Je m'éveillais à un langage qui m'était jusque-là inconnu. Sans ne s'être jamais transformée en pédagogue, l'artiste Esther avait, sur ce plan aussi, fait ma conquête.

III

Il faisait un froid de canard rue des Érables. Devant le portail de l'église Notre-Dame-du-Chemin, une foule considérable battait des pieds et des mains pour se réchauffer en attendant qu'arrive le cortège funèbre. Tous des hommes, la plupart tirés à quatre épingles et bien mis, avec leurs paletots sombres et leurs foulards blancs ; leurs femmes les attendaient à l'intérieur, dans un silence qui tenait plus au respect du lieu qu'au chagrin d'avoir perdu un être cher, comme on aimait appeler les défunts au moment de leur départ ; dans les jours qui suivaient l'enterrement d'ailleurs, la formule convenue s'effilochait vite.

Les premiers à bouger sur le parvis, ce furent les quelques badauds que l'événement avait attirés : des vieux du quartier venus assister à ces funérailles comme ils le faisaient pour toutes les cérémonies un peu relevées de la paroisse, des journaliers désœuvrés, la casquette sur la tête, portant fièrement des vestes aux couleurs du Canadien sur lesquelles les épouses avaient cousu l'écusson de leur club de quilles ou le nom de la taverne qui leur était la plus familière. Parmi ce groupe de curieux qui s'était ébranlé dès qu'il avait vu le cortège apparaître au loin se trouvaient quelques personnes venues là par amitié pour ma grand-mère. Avec la famille, je suivais le cercueil que les porteurs venaient d'extraire du corbillard et qu'ils transportaient vers le perron de l'église ; j'eus le temps de reconnaître dans le lot de ces personnes d'anciennes bonnes comme Simone et Germaine, à qui il ne serait pas venu à l'idée de se mêler aux notables en noir ou à leurs dames, de même que des sœurs de l'ouvroir pour lequel Mme Lefrançois avait eu des bontés.

Gigotte s'était installé parmi les badauds ; Violette n'était pas très loin de lui. Vêtu d'une épaisse chemise à carreaux et la tête couverte d'une tuque bleu, blanc, rouge dont le pompon paraissait énorme, il fixait la boîte de chêne foncé où dormait la femme qui l'avait protégé. Mon père passa devant lui sans un regard, comme le firent mes oncles, les maris des sœurs de papa : le greffier Lamarre, mari de sa sœur Yvonne, Éloi Drolet, un fonctionnaire qui avait marié Catherine, et l'avocat Lemieux, qui avait épousé « en premières noces » Lucie, dont il était veuf depuis quelques années. Papa n'avait qu'un seul frère, qu'il ne fréquentait pas beaucoup et avec qui il ne s'entendait pas ; celui-ci fermait le cortège, mêlé au groupe des petits-enfants. Dès qu'il vit Gigotte, il me fit un signe. Spontanément, je m'approchai du protégé de ma grand-mère avec l'oncle Paul ; chacun de son côté, nous lui prîmes le bras en un geste d'amitié. Gigotte eut d'abord un mouvement de protestation. Il nous regarda, puis un début de sourire éclaira sa figure. Il marcha avec nous vers l'intérieur et prit place dans les mêmes bancs que nous, les petits-enfants. Des regards étonnés se portaient vers nos bancs ; nous n'y prêtions pas attention : Gigotte n'avait pas la tenue de circonstance, mais il était des nôtres.

Grand-maman n'avait pas été malade ; elle était morte dans son sommeil, comme elle l'avait toujours souhaité. Sans doute aurait-elle trouvé elle aussi que soixante-dix ans, c'est encore trop tôt pour quitter ce monde auquel elle était vivement attachée ; tous ceux qui avaient défilé devant sa dépouille avaient été unanimes à affirmer qu'elle avait eu « une belle vie ». Durant trois jours, les parents, les amis de la famille et les connaissances de toutes sortes s'étaient fait un devoir de se présenter chez nous pour lui rendre hommage. Le salon avait été transformé en chapelle ardente.

Quelques heures après le décès de grand-maman, les employés de la maison funéraire Cloutier étaient venus chercher le corps. Ils l'avaient descendu par le grand escalier d'en avant, sur une sorte de civière de métal dont chacun des grincements et les tristes tintements déchiraient le silence de la maison. Nous étions tous là, figés sur place, le cœur serré. Les employés des pompes funèbres s'étaient de nouveau présentés à la maison le lendemain, cette fois comme des entrepreneurs qui vont tout défaire. Ils avaient pris possession du salon et du hall d'entrée ; ils avaient déplacé les meubles à leur guise, caché certains tableaux derrière des draperies noires à la frange argentée, installé à la bonne place la croix, les chandeliers et le lutrin sur lequel reposerait le livre des condoléances, et entouré le catafalque des supports de métal vert sur lesquels on déposerait bientôt les tributs floraux qu'on attendait en grand nombre. La famille était connue. Et tout était en place pour qu'elle reçoive les témoignages de sympathie.

En effet, elles furent nombreuses, ces couronnes mortuaires, comme le fut la foule des visiteurs. Durant trois jours, depuis le début de l'après-midi jusqu'à dix heures du soir, la famille se relayait pour accueillir tous ces gens qui venaient présenter leurs sympathies, après quoi on restait entre nous. Autour d'une tasse de café servie dans la salle à manger, on faisait chaque soir le point sur la journée, on dressait la liste de ceux qui étaient venus et de ceux qu'on s'attendait à voir le lendemain et l'on comptait les messes et les fleurs offertes en hommage à la défunte. On faisait rapport des bonnes paroles et des commentaires que les visiteurs avaient émis, sans se retenir, cela allait de soi chez nous, de critiquer ce qui était discutable dans leur comportement : le deuil aussi avait son protocole et ses règles.

Luce n'avait pas manqué de venir partager notre épreuve. Arrivée le 17 février, veille des funérailles, elle avait passé cette journée du vendredi avec nous. Au début de la soirée, profitant d'une accalmie autour du cercueil de grand-maman, elle m'avait entraîné dans un coin du salon.

« On ne s'est pas beaucoup revus, Jean, depuis que tu m'as parlé de cette histoire de soldat à propos de Philippe. J'y ai bien réfléchi.

— Oh, vous savez, Luce, je n'y ai pas beaucoup pensé depuis ce moment-là. Ça m'était presque sorti de la tête. Mais au fait, c'est vrai que vous aviez dit que vous m'en reparleriez.

— J'ai parlé à mon amie Jeanne Paradis, la mère de Philippe. Je lui ai en particulier fait part des résultats de tes recherches, Jean. Elle m'a paru surprise d'abord, puis, après en avoir discuté toutes les deux, on s'est bien rendu compte qu'après tant d'années il faudrait peut-être arrêter de couvrir Philip Morris. Jeanne a donc dit à son fils que son père n'était pas un soldat de la Citadelle, mais que c'était tout simplement un employé civil, qu'elle avait suivi à l'extérieur de la province.

— Donc Philippe sait la vérité maintenant ?

— Si on peut dire. »

Je fronçai les sourcils.

« Si on peut dire ? Je ne comprends pas.

— Tu connais le personnage, Jean ; à mon avis, Philippe ne sera jamais satisfait des informations qu'il recevra sur son père.

— Ah bon, c'est ce que vous vouliez dire. »

Je n'étais pas tout à fait rassuré. Il n'y avait pas de quoi fouetter un chat dans ce que la cousine Luce venait de me raconter ; rien qui ne me paraisse en tout cas justifier l'émoi qui avait été le sien quand je lui avais fait rapport de ma visite de novembre à la Citadelle. Il y avait quelque chose de louche dans son histoire ; pour le moment, il était clair que je devais me contenter de ce qu'elle disait. J'en étais là dans mes réflexions quand on vint me chercher pour me présenter à des amis de la famille qui désiraient m'exprimer leurs condoléances, et je dus m'excuser auprès d'elle. Il n'en fut plus question par la suite.

Toute la soirée, la conversation que j'avais eue avec Luce me trotta dans la tête. Vers neuf heures, j'en eus assez d'entendre la litanie des condoléances qu'on déversait sur nous sans arrêt ; pour ce qui est des hommages, on aurait juré ce soir-là que Mme Lefrançois méritait d'être canonisée… Les oreilles pleines de ces lieux communs, j'eus le goût d'aller prendre une bouffée d'air. M'étant jeté un paletot sur le dos, je sortis sur la galerie arrière, y fis quelques pas, puis j'eus envie de descendre les marches et de me rendre à la vasque, pour le simple plaisir de la revoir.

Il ne m'était pas habituel d'y venir pendant l'hiver. Même si je n'y jouais plus depuis longtemps, j'y revenais de temps en temps à la belle saison ; j'aimais m'y asseoir avec un livre, que j'abandonnais volontiers quand le roselin ou le chardonneret me sifflaient une ballade ou que je cédais aux plaisirs de la rêverie, me laissant emporter par les abîmes de rêves et de chimères dont regorgeait toujours cette mare bienheureuse.

La neige la recouvrait en entier. On devinait bien cependant les contours du bassin et, un peu en deçà, le plan d'eau où les rigueurs de l'hiver et les glaces avaient tué toute vie. Je revins sur mes pas et tournai vers le hangar où habitait Gigotte. Il n'y avait pas de lumière à l'intérieur. J'avançai encore et regardai la ruelle, puis, du côté nord, la vieille maison de pierre que l'on devait longer pour arriver jusque chez nous. Cette maison d'où l'on voyait tout ce qui se passait à la maison, deux vieilles filles l'occupaient ; curieuses comme des belettes et la langue bien pendue, on les appelait entre nous les Vierges au poil d'or, à cause du rouge carotte affreux dont elles se teignaient mutuellement les cheveux pour se faire belles ! Assises toutes les deux près de la fenêtre, malgré l'heure tardive, elles lorgnaient de notre côté : puisque, enfin, il y avait de l'action, il ne leur fallait rien manquer de ce qui se passait chez les Lefrançois, fût-ce à la porte d'en arrière.

Je les observais du coin de l'œil quand je vis sortir de chez nous une femme. C'était Mimi, une cousine de papa, qui préférait qu'on l'appelle Mimi plutôt qu'Émérentienne : elle n'avait jamais aimé le prénom qu'elle portait. C'était une femme gourmande. Une célibataire un peu pète-sec et très avare, malgré qu'elle ait du bien : sa réputation de pique-assiette la précédait partout, que ce soit là où elle était invitée ou, comme c'était le cas la plupart du temps, aux endroits où elle s'invitait elle-même. Il n'est pas un buffet gratuit qu'elle n'ait manqué, que ce soit à la salle paroissiale, chez les défunts ou, aux jours de grande fête, alors que les portes étaient ouvertes au public, chez l'archevêque ou le lieutenant-gouverneur.

« Pourtant, ce n'est pas comme ça qu'elle a été élevée, disait-on en chuchotant à son sujet. Si sa mère la voyait, elle aurait honte d'elle. »

Dois-je ajouter que Mimi avait plus de soixante ans et qu'il y avait belle lurette que sa mère était disparue : on avait la mémoire longue dans le milieu !

Une table avait été dressée dans la maison pour « faire des politesses » aux gens qui étaient venus rendre hommage à la dépouille de grand-maman. Visiblement, Mimi en avait largement profité. Appuyée à la rampe de l'escalier, elle avait le hoquet et portait la main à sa bouche comme quelqu'un qui est aux prises avec des problèmes de digestion. À intervalles, elle prenait de grandes bouffées d'air, tout en marchant vers le fond de la cour. Avec horreur, je la vis approcher de ma vasque. Elle s'y pencha et dégobilla soudain au-dessus du bassin glacé qui m'était si cher, qu'elle profana de son trop-plein écœurant.

Elle venait de souiller ma vasque pour l'éternité.

*

Le notaire de grand-maman était un collègue de mon père. Le lendemain même de sa mort, il s'était présenté à la maison pour rencontrer la famille ; mon père et ses sœurs l'attendaient. Tous les trois, ils avaient préalablement tenu un conciliabule au cours duquel ils avaient décidé que les conjoints seraient présents ; quant au « pauvre Paul », on n'avait malheureusement pas encore réussi à l'aviser…

Le notaire Rochette s'empressa de présenter à chacun ses condoléances. Lui qui avait bien connu mon grand-père puisqu'il avait commencé sa carrière sous sa gouverne, il s'honorait du fait que ma grand-mère avait daigné lui accorder sa confiance. Puis, on l'invita à s'asseoir à la table de la salle à manger, où chacun prit également place. Seule l'épergne d'argent massif brisait la monotonie de cette grande surface vernie où se reflétaient les lueurs du plafonnier vénitien. Le notaire sortit ses papiers. Le silence était lourd : l'heure de l'héritage n'est-elle pas un temps fort de la vie bourgeoise ?

Maître Rochette ne perdit pas de temps ; il avisa la famille que Mme Lefrançois avait demandé qu'il convoque deux rencontres avec les siens, l'une pour les informer de ses dernières volontés concernant ses funérailles et son enterrement, l'autre, un peu plus tard, pour leur indiquer comment elle avait décidé de la disposition de ses biens. Les enfants Lefrançois se regardèrent, médusés ; qu'est-ce que tout cela voulait dire ? Ils connaissaient l'originalité de leur mère, qu'ils savaient aussi imprévisible. Ils étaient inquiets.

Mes sœurs, Jean-Blaise et moi étions assis dans le boudoir avec nos cousins Drolet et Lamarre. Nous n'ignorions pas que l'heure était grave ; comme nos parents, nous savions que c'était un moment où l'esprit de famille atteint un sommet puisque avec la mort du dernier survivant, une génération achève de transmettre à l'autre les biens qu'elle a acquis. Nous ne nous attendions pas toutefois à voir apparaître nos parents si tôt ; la contrariété et une certaine inquiétude se lisaient sur leur figure quand ils reconduisirent le notaire à la porte. Ils vinrent ensuite nous retrouver.

Ils nous racontèrent ce qui s'était passé, mais ils le firent avec une extrême difficulté : ils étaient sous le choc, les mots ne leur venaient pas. Puis, l'atmosphère se détendit peu à peu ; ils y allèrent alors de quelques commentaires, avec beaucoup de retenue d'abord, plus librement ensuite, quand le naturel eut repris le dessus. Ils ne comprenaient pas leur mère ! À travers les discussions, il devenait évident que leur principale crainte c'était qu'elle ait décidé de rompre avec la tradition et qu'une fois ses aumônes faites, comme il est normal que cela se produise, elle n'ait pas laissé la totalité de ses biens à ses enfants.

Nos parents ne nous avaient pas tout dit, incapables qu'ils étaient d'accepter sur-le-champ certaines décisions de leur mère. Aucun d'entre eux, par exemple, ne fit allusion, à ce moment-là, à ce drôle de choix de leur mère que venait tout juste de leur communiquer le notaire. Mme Lefrançois avait décidé de n'être pas inhumée au cimetière Belmont et elle s'était acheté un terrain au cimetière Mount Hermon, à Sillery, dans le coin réservé aux catholiques. Elle souhaitait y être enterrée et demandait qu'on n'inscrive sur sa pierre tombale que deux lignes :

Alma Courtois
1879 - 1950

Rien de plus.

La consternation se lisait sur la figure de ses enfants. Elle ne reposerait pas auprès de son mari ! Et les Lefrançois, qui étaient tous enterrés au cimetière Belmont, elle les mettait de côté !

« Et qu'est-ce que c'est que cette idée de faire lire une lettre d'elle à l'église, à la fin des funérailles ? Quel coup avait-elle en tête ? » se demandaient à haute voix ses chers enfants, un peu troublés malgré tout par cette dernière lubie de leur mère.

« Qu'est-ce qui se passera à l'église dans deux jours ? »

La question qu'ils avaient tous en tête n'avait rien d'exagéré.

Ils pensaient à l'enfant prodigue, ce Paul qu'elle avait protégé toute sa vie et qui, une fois encore, n'était pas là, avec son frère et ses sœurs. En osant à peine y faire allusion, ils avaient manifestement à l'esprit les mois d'angoisse que leur mère leur avait fait vivre après la mort de son mari, sa révolte retenue contre cet homme qui l'avait humiliée, qui l'avait effrontément trompée jusqu'à aller mourir dans les bras non pas d'une, mais de deux prostituées, dans ce camp de pêche qui servait de bordel à tout son groupe d'amis.

La rumeur avait vite fait de se répandre dans la haute-ville à propos de ce qui était arrivé au notaire Ernest Lefrançois. On en avait parlé de manière très souterraine, sans jamais l'évoquer ouvertement ; personne non plus, dans le milieu des hommes du moins, ne portait de jugement sur l'événement. Grand-mère avait affronté la rumeur en serrant les dents ; elle avait foncé comme une lionne. Mais elle n'avait pas dit un mot : sa révolte était restée silencieuse. Trop d'ailleurs au goût de ses enfants, qui l'avaient vue agir sans percevoir la plainte de cette lionne blessée. D'elle, ils n'avaient jamais reçu la moindre confidence qui ait pu laisser deviner la profondeur de son mal.

Les premières semaines après la mort de son mari, rien n'avait changé dans son comportement de veuve ; elle portait le deuil, recevait comme le veut l'étiquette toutes ces aimables personnes qui tenaient à lui apporter leur réconfort et veillait à la préparation des faire-part de décès et des cartes de remerciement, et à tous ces gestes que doit accomplir la personne bien élevée en de telles circonstances. En parallèle toutefois, elle avait demandé à son notaire de trouver un acheteur pour la maison ; de manière évidente, elle entendait frapper un coup spectaculaire.

Le grand-père était mort en septembre 1938. Le lendemain du jour de l'An qui suivit cet événement, après des Fêtes que le deuil avait rendues modestes, elle convoqua ses enfants pour leur annoncer que sa demeure était vendue. Elle leur offrait de prendre les meubles et les biens qui les intéressaient, car elle devait livrer la maison le 16 janvier ; ce qu'ils ne prendraient pas, elle le ferait vendre aux enchères. Quant à elle, elle ne gardait rien, car elle avait décidé de partir en voyage. Elle ne savait pas trop où elle irait – ou elle préférait n'en rien dire, avaient conclu certains – ni non plus combien de temps elle serait absente.

« Six mois ? Un an ? Pour toujours même ? » avait-elle ajouté en semant la panique chez les siens, elle l'ignorait.

Les choses allaient marcher rondement. Le 16 au soir, elle s'installait dans une suite qu'elle avait louée à l'hôtel Clarendon ; sans que personne en sache rien, elle y avait fait transporter les choses dont elle aurait besoin pour son voyage ; le reste, le peu de biens qu'elle conservait, elle l'avait fait remiser chez un déménageur qui le lui conserverait jusqu'à ce que se précisent ses intentions.

Papa et maman avaient eu beau insister pour qu'elle s'établisse à la maison, elle n'avait rien voulu entendre.

« En tout cas, maman, vous aurez toujours votre place chez nous, quelles que soient vos décisions futures. »

Grand-maman les avait remerciés et n'en avait fait qu'à sa tête. Deux semaines et demie plus tard, elle reçut ses enfants à dîner dans la salle à manger du Clarendon pour leur dire adieu, car elle prenait le train le lendemain. Destination : New York, c'est tout ce qu'ils purent apprendre de ses plans !

Le 13 février, mon père et ma mère, mes tantes et leurs maris s'étaient rassemblés à la gare du Palais pour la saluer. J'y étais aussi, comme la plupart de ses petits-enfants. Grand-maman avait refusé qu'on aille la prendre à son hôtel et qu'on l'aide à transporter ses valises. Elle arriva presque en même temps que la famille. Ce n'est pas une veuve endeuillée qui sortit de la voiture taxi. « Pétante de vie », comme ne purent s'empêcher de dire ses enfants en la voyant, grand-mère avait retrouvé la couleur, elle projetait l'image d'une femme qu'animait le goût de vivre. Le chauffeur sortit les trois valises qui composaient son bagage ; ma grand-mère avait déjà eu le temps de héler un porteur qui s'en empara pour les mettre sur son chariot avant même que l'un ou l'autre des adultes ait eu le temps d'intervenir pour offrir ses services. Devant tant d'indépendance, devant cette femme autoritaire qui les mystifiait, ils restaient là figés sur le quai, sans bouger, hébétés.

« On a l'air d'une bande de morons », grommela l'oncle Jules.

Les adieux furent brefs. Personne ne savait que dire.

« Prends soin de toi », recommandaient les uns. « À bientôt », « Donne-nous de tes nouvelles », ajoutaient les autres.

Je m'approchai d'elle et me contentai de lui dire tout bas, du haut de mes presque six ans :

« Sois heureuse, grand-maman ! »

Je vis au regard qu'elle m'adressa que cela lui avait fait plaisir. Elle eut le temps de me glisser un billet de banque dans la main.

« C'est ton anniversaire la semaine prochaine, Jean. Je penserai à toi. »

L'oncle Paul arriva en catastrophe juste avant qu'elle ne monte dans le train. Il était seul ; « son Italienne d'épouse », comme l'appelaient ses sœurs, n'était d'ailleurs jamais là quand les Lefrançois étaient réunis. Il embrassa affectueusement grand-mère avant qu'elle ne s'engouffre dans le train sans se tourner vers nous ; puis, il salua brièvement son frère et ses sœurs, sans même leur demander ce qu'ils pensaient de ce départ inquiétant. Comme s'il savait, lui !

Pendant des mois, on n'eut aucune nouvelle d'elle. Mon père avait beau interroger son collègue le notaire Rochette, les ordres de grand-maman étaient stricts : il ne devait rien dévoiler des contacts professionnels qu'il avait avec elle. On s'inquiétait d'elle ; on s'inquiétait aussi de ce qu'il advenait de l'héritage que lui avait confié le grand-père. Était-elle en train de le dilapider ? La manière dont elle avait décidé de changer de vie rendait plausibles les pires scénarios…

Le printemps se passa sans la moindre nouvelle, puis l'été. Les rumeurs de guerre en Europe augmentaient les craintes : s'il fallait qu'elle ait décidé de partir pour la France, que lui arriverait-il si jamais le conflit qui couvait avec l'Allemagne nazie éclatait ? En septembre, la famille était sur les dents : les manchettes des journaux multipliaient les mauvaises nouvelles, et l'on n'avait toujours aucun écho d'elle. Arriva le mois de novembre, au cours duquel, le 16, il était de tradition de célébrer son anniversaire ; personne n'avait entendu parler de grand-maman.

Quelques jours plus tard, le téléphone sonna tard dans la soirée. Toujours aussi prompte à répondre, ma sœur Betty lança un cri qui réveilla toute la maisonnée :

« Un télégramme de grand-maman ! »

Papa se leva et courut au téléphone. Le télégraphiste lui lut alors un message envoyé par une dame Lefrançois, qu'il lui ferait porter le lendemain en matinée par un cycliste. Ce message provenait de Cuba. En quelques mots, la mère de papa lui annonçait qu'elle rentrerait sous peu, et que, si lui et maman étaient toujours dans les mêmes dispositions, elle consentirait à accepter son offre de venir prendre ses quartiers chez nous. La seule note personnelle que l'on pouvait détecter dans le message se résumait à peu près à ceci : « Satisfaite de mon expérience – Stop – Et rendue sage par mon dernier anniversaire – Stop ».

Jusqu'à son arrivée, une dizaine de jours plus tard, ces mots sibyllins de la nouvelle sexagénaire allaient beaucoup faire jaser la famille.

La femme qui entra de nouveau dans notre vie au début de décembre 1939 n'était plus tout à fait la même que celle que nous avions connue. Plus spontanée et plus secrète qu'autrefois, elle nous parut plus humaine à certains égards, encore que ses opinions et certaines de ses attitudes envers les autres restaient aussi rigides que celles qu'affichait cette femme bourgeoise avant son départ. Elle ne parla jamais de ses neuf mois de voyage, au cours desquels on eut toutefois l'impression qu'elle avait accumulé les expériences et qu'elle avait pu aller jusqu'à tenter de s'encanailler... Rien ne prouvait cependant qu'elle avait réussi !

*

Lors de la première rencontre qu'il avait eue avec la famille, le notaire Rochette l'avait avisée de certaines décisions qu'avait prises leur mère. En ce qui avait trait à ses funérailles, notamment, ses dernières volontés étaient claires : ce devait être une cérémonie sobre, à la fin de laquelle elle désirait que soit lu devant l'assistance un message qu'elle avait préparé ; elle avait déjà prévu que ce serait son amie Lucienne, Mme Albert Villeneuve, qui en ferait la lecture.

Encore une fois, les enfants Lefrançois n'en croyaient pas leurs oreilles ; ils avaient fixé des yeux le notaire Rochette avec une incrédulité totale. Un message ? Une espèce de peur planait au-dessus de la table : qu'est-ce que leur mère pouvait bien avoir à dire qui intéresse l'assistance présente à ses funérailles et qui ne soit pas connu ? Ses sentiments ? On la savait trop bien élevée pour se mettre à déverser ses états d'âme devant une foule pareille. Ses adieux ? Elle n'avait jamais habitué les siens à des discours émotifs. La perplexité était à son comble, on nageait dans l'inquiétude.

Le matin des funérailles, l'anxiété était loin de s'être dissipée. La famille pénétra dans l'église derrière le corps. Les hommes qui avaient attendu dehors l'arrivée du cortège s'empressèrent d'emboîter le pas aux proches de la défunte, manifestement contents de rentrer dans le temple pour y trouver la chaleur ; ils y rejoignirent leurs épouses déjà installées dans les bancs qui longeaient la grande allée. Quelques curieux et de nombreux paroissiens pénétrèrent aussi dans l'église par les portes latérales et prirent place dans les bancs de côté. À mi-chemin entre la grande porte d'entrée et le maître-autel, Esther était installée dans un banc en compagnie de son mari. Dès mon entrée dans l'église avec les autres membres de la famille, je l'avais tout de suite repérée ; sa présence m'avait fait du bien. Je fus assurément le seul à percevoir tout l'amour qu'exprimaient ses yeux lorsque nos regards se croisèrent, et c'était bien tant mieux : il est des secrets qui ne se partagent pas.

Le curé, monseigneur Lafrance, se dirigea vers l'arrière de l'église, accompagné d'un grand nombre de prêtres venus honorer la famille de leur présence : des confrères et d'anciens condisciples du père pour la plupart, et des amis, comme les abbés Fréchette et Hébert.

L'officiant bénit le corps, puis les longues lamentations de la messe des morts commencèrent pendant que les porteurs conduisaient cérémonieusement la dépouille de ma grand-mère à l'avant de l'église. Les murs de la nef étaient tapissés de banderoles noires bordées de rubans dorés ; le long de la balustrade et entre chacun des arcs prétendument gothiques qu'un décorateur avait dessinés sur les murs de l'abside lors de la construction de l'église, d'autres pièces de tissu noir encerclaient le chœur, rappelant aux fidèles qu'on était là pour pleurer, tout en souhaitant à la défunte le repos éternel. Les *Requiem æternam* de la chorale emplissaient la voûte et donnaient l'impression de courir dans toutes les directions, avant de chuter avec grand bruit sur la scène où officiait le prêtre. Quand le maître-chantre entonna le *Dies iræ*, un frisson parcourut l'assistance. Rien ne bougeait plus dans le chœur ; seules dansaient encore les flammes des cierges, sur l'autel et sur les murs de l'abside, comme si la fureur de ce poème lugubre ne réussissait qu'à figer les humains. Un soupir de soulagement accueillit enfin le *Pie Jesu Domine* sur lequel se concluait ce chant que tout le monde connaissait bien, et l'on n'attendit pas la dernière phrase pour se mettre debout avant l'Évangile ; il fallait secouer le malaise au plus vite.

La messe terminée, le célébrant troqua la chasuble pour la chape noire et vint se placer aux pieds du corps, entouré du diacre et du thuriféraire. L'abbé Fréchette agissait comme sous-diacre et portait la croix ; accompagné des deux acolytes qui tenaient à pleines mains les lourds chandeliers d'argent, il avança à l'extrémité opposée. *Non intres in judicium…*, se mit à prier d'une voix forte le célébrant. Je suivais dans mon missel cette oraison, tout en jetant de temps en temps un œil sur le cercueil de ma grand-mère :

« Ne commencez pas, Seigneur, à faire le procès de votre servante. Nul homme n'est juste devant vous s'il n'a reçu de vous le pardon de tous ses péchés. N'écrasez donc pas d'une sentence rigoureuse celle qui vous présente la recommandation de sa foi chrétienne… »

J'éprouvais de la difficulté à m'unir à cette prière.

À la fin de l'absoute, avant que n'éclate le seul air joyeux de toute cette cérémonie, le prêtre s'adressa aux fidèles :

« Aussitôt après le chant du *In paradisum* que notre chorale va maintenant entonner, et avant le départ du corps de Mme Lefrançois, je vous prie de vous asseoir un instant. Mme Lefrançois était venue me voir, il y a quelque temps, pour régler d'avance les détails de ses funérailles ; elle ne pensait pas, j'en suis certain, que sa mort surviendrait aussi vite. Elle m'avait demandé la permission de faire lire un texte par une de ses amies. La démarche est inhabituelle, mais après avoir discuté avec cette paroissienne de longue date, j'ai estimé que son message ne pourrait que renforcer la foi de ceux qui lui survivent. J'inviterai donc Mme Albert Villeneuve à vous lire la lettre de la défunte pour qui nous venons de prier ensemble. »

Une fois l'hymne terminé, le célébrant fit un signe à Mme Villeneuve. Le mari de cette dernière sortit du banc pour la laisser passer ; timidement, son papier à la main, Lucienne Larue s'approcha de la balustrade, dont elle gravit la première marche avant de se tourner vers l'assistance :

« Par votre présence à l'église en ce jour, vous apportez votre soutien à ma famille, et je vous en suis reconnaissante. Quant à moi, maintenant que j'ai fait le grand pas qui mène dans l'Au-delà, je n'ai plus besoin que de la bonté et de la miséricorde de Dieu, à qui je fais confiance pour m'accueillir en son ciel.

« Je m'en vais aussi y rejoindre mon mari, qui est votre père et votre grand-père, mes enfants, et à qui vous n'avez jamais ménagé votre affection. Je l'ai aimé aussi. Mais je voudrais que l'on sache... »

La lectrice fit une pause, commandée par une espèce d'étranglement qui lui serrait la gorge, puis reprit :

« ... Je voudrais que l'on sache à quel point j'ai été blessée, humiliée, démolie par la manière dont il nous a quittés. Que l'on n'ignore pas ce que tout le monde a voulu cacher quand il est mort. »

Les gens se regardaient dans la foule ; on s'agitait dans les bancs. Le curé ne savait trop comment réagir ; il fit un pas vers Mme Villeneuve. Celle-ci avait certainement tout prévu, car, sans lui jeter un regard, elle s'empressa de poursuivre, malgré la nervosité qui la torturait :

« Oui, il est mort à la pêche, mais dans les bras de filles de vie. J'étais révoltée. Je ne devais cependant pas le laisser paraître, comme il convient à une dame bien : on s'attend à ce que les femmes endurent tout, n'est-ce pas ?

« Je n'ai pas été capable de jouer le jeu, de porter jusqu'au bout le deuil que les conventions m'imposaient. J'ai tout abandonné et je suis partie ; j'avais décidé de vivre, et de le faire à ma façon. Durant une année ou presque, j'ai voyagé aux États-Unis, allant où j'en avais le goût, ne regardant pas à la dépense et me laissant guider par ma seule intuition. J'avais décidé d'aller au bout de moi-même. C'est ainsi que j'ai abouti à Cuba, où je disposais de tout ce qu'il fallait pour mener une vie de princesse. Il me faut le confesser, je n'ai pas trouvé le bonheur et je suis revenue. »

Rouge de confusion et planté en avant sans savoir quelle contenance prendre, le curé restait bouche bée devant cette femme qui énonçait des horreurs en pleine église sans que personne puisse l'arrêter. Il parut un peu rassuré en entendant Mme Villeneuve lire la phrase suivante où la défunte redisait qu'elle allait retrouver son mari, à qui elle en avait voulu, mais à qui elle avait enfin pardonné. Pauvre curé, son calme ne dura pas longtemps ! Il resta ahuri en constatant que la charge recommençait :

« J'ai été bafouée et, comme femme, je n'ai jamais été tout à fait heureuse. Il est important, je pense, que ça se sache, car de cela personne ne parle dans notre beau milieu. À mes filles et à mes petites-filles, à mes belles-filles et à mes amies, j'ose crier depuis l'Au-delà où j'espère que Dieu m'a accueillie malgré mes faiblesses, à vous toutes j'ose crier : Ne craignez jamais de dire non à la soumission aveugle, à l'esclavage ! Fortes de votre dignité de femmes, relevez la tête, tenez-vous debout ! Exigez de toutes les manières d'être traitées comme des égales… »

La lecture se termina là. Monseigneur Lafrance venait d'arracher la feuille des mains de Mme Villeneuve, qu'il invita à regagner son banc tout en faisant signe à l'organiste d'attaquer le chant d'adieu. M. Villeneuve se leva pour laisser entrer sa femme dans le banc ; il était rouge comme une tomate et n'osait regarder personne de peur que l'on se souvienne qu'il participait lui aussi à l'excursion de pêche qu'avait évoquée le message que sa femme venait de lire…

Dans la confusion qui avait gagné l'assistance, le curé Lafrance dut s'avancer jusqu'au premier banc pour prier mon père de l'accompagner à la sacristie afin de procéder à la signature des registres. S'étant ressaisi, papa fit signe à son beau-frère, l'oncle Jules, de le suivre, lui qui devait agir comme témoin. Rassurée par les paroles du cantique que chantait la soprano de la chorale, la foule se calma peu à peu ; si tous reconnaissaient là l'air qu'avaient entendu jadis les passagers du *Titanic*, ils étaient nombreux à estimer qu'ils venaient de l'échapper belle…

À la fin de cette journée inoubliable pour les miens, après que les derniers visiteurs eurent quitté la maison, papa demanda à l'oncle Paul de ne pas partir tout de suite. Avec lui, il réunit ses sœurs et ses beaux-frères dans le boudoir pour leur lire la suite de cette lettre que le curé lui-même était venu lui porter. La lettre se terminait par un adieu très sobre de ma grand-mère. Il y avait cependant un post-scriptum que Mme Villeneuve ne devait pas lire ; une note lui indiquait de remettre la lettre et ce dernier paragraphe à la famille immédiate. Il y était question de Gigotte, qu'elle avait recueilli parce qu'il était le fils naturel de son mari. Trois jours après les funérailles de son mari, racontait-elle, elle avait reçu la visite d'une pauvre femme : c'était la mère d'un enfant qu'elle n'avait pu garder, un enfant dont le notaire Ernest Lefrançois était le père. Il ne l'avait pas reconnu, comme c'était la coutume : la crèche débordait d'enfants nés de pères courageusement inconnus ! Toutefois, depuis la naissance de l'enfant, le notaire Lefrançois versait à la mère une petite rente, qu'elle était venue supplier sa veuve de maintenir. Mme Lefrançois était allée voir ce fils qui était le fruit du péché. Ce n'était plus un bébé : il allait sur ses seize ans et ne pourrait rester à l'orphelinat. C'est alors qu'avait germé dans son esprit l'idée de s'occuper de lui.

« Mes enfants, écrivait-elle pour finir, Jean-Guy est votre demi-frère, comme certains d'entre vous l'ont déjà soupçonné. Serez-vous capables, comme j'ai tenté de le faire, de composer avec cette erreur de votre père ? »

*

Dans les jours qui suivirent, les réunions de famille se multiplièrent : la tribu avait besoin de se serrer les coudes. Heureusement, le soir même des funérailles, la seconde rencontre avec le notaire Rochette avait eu de quoi mettre du baume sur les ulcères ; grand-maman, en effet, laissait beaucoup de biens, et ce sont ses enfants surtout qui en profitaient. Le cours normal de la vie pouvait donc reprendre puisque l'essentiel était sauf.

Une des dispositions du testament de grand-maman avait semé l'émoi dans la famille. Le soir où il était venu dévoiler les termes des dernières volontés de l'aïeule, une fois les choses principales dites, le notaire avait prié mon père de se rendre dans la chambre de sa mère ; sur la deuxième tablette du côté droit de la penderie, il devrait trouver une grande enveloppe ne portant qu'un nom, le mien. Tous étaient étonnés. Papa revint devant les siens, l'enveloppe à la main. Il la remit au notaire, qui se tourna vers lui et vers maman.

« Votre mère m'avait avisé de l'existence de cette enveloppe. Elle a insisté pour que je la remette moi-même à votre fils Jean. Je le ferai au moment qui vous conviendra. J'ajoute qu'elle m'a laissé à son intention une somme de cinq mille dollars dont il pourra disposer à compter de son dix-huitième anniversaire, plus une certaine quantité de bijoux qu'elle lui lègue nommément. »

Papa ne fit ni une ni deux ; il se rendit au pied du grand escalier de l'entrée.

« Jean, veux-tu descendre dans la salle à manger, s'il te plaît ; le notaire Rochette voudrait te voir. »

Je n'étais plus dans ma chambre ; je venais de descendre dans la cuisine.

« J'arrive tout de suite, papa. »

Papa se tenait debout à la porte de la salle à manger et me fit signe d'entrer. Je saluai mes oncles et tantes, non sans noter qu'ils m'examinaient avec un drôle d'air. Papa me tendit une grande enveloppe brune.

« En disposant de ses biens, ta grand-mère a demandé qu'on te remette cette enveloppe qu'elle avait conservée pour toi dans sa chambre. »

En me la mettant dans les mains, il ajouta que le notaire voulait également m'informer d'autres choses.

Debout devant la famille, j'écoutai maître Rochette sans manifester aucun sentiment ; il faut dire que j'étais le premier étonné de ce qui m'arrivait. Je le remerciai, saluai la compagnie et sortis, sans penser qu'il eût été plus correct d'ouvrir l'enveloppe devant la parenté. Au fond, me dis-je par la suite, c'était probablement mieux ainsi.

Une fois revenu à ma chambre, je m'assis sur le bord de mon lit et restai plusieurs minutes les yeux fixés sur la fenêtre. Puis, je pris un coupe-papier sur mon bureau et sortis le contenu de l'enveloppe brune : deux enveloppes plus petites, portant toutes deux mon nom. Je les ouvris et pris mon temps pour en examiner les pièces.

La première, en effet, me parut contenir plus qu'une feuille de papier. J'en sortis d'abord une photo, celle d'un homme dans la quarantaine, me sembla-t-il, d'allure mexicaine ou cubaine. Au dos, un seul mot : Jose Maria. Cela ne me disait rien. La clé qui me glissa ensuite dans les mains n'était pas plus éloquente avec son inscription Hotel Copacabana, pas plus d'ailleurs que le billet de bateau La Havane-Miami inséré dans l'enveloppe. La date du billet et la mention du nom du bateau achevèrent de me convaincre que c'étaient là des souvenirs de ce voyage dont on avait tant parlé depuis le décès de grand-maman Lefrançois. Mais pourquoi me donner à moi ces souvenirs du *Sea Princess* qui avait pris la mer ce jour d'octobre 1939, cette photo d'un inconnu et une vieille clé qui aurait été tout juste bonne à jeter ?

La réponse, j'en eus une idée en lisant la carte que m'avait écrite grand-maman dans la seconde enveloppe.

« Mieux vaut regretter de l'avoir fait que de passer sa vie à regretter de n'avoir pas osé. Fonce, mon Jean, ose, pars en voyage, va au bout de toi-même. Tu as l'étoffe d'un homme, toi. »

C'était tout ? De fait, c'était beaucoup, car grand-mère m'invitait à la liberté et me donnait les moyens de m'en emparer si j'en avais le courage.

L'image de la vasque me revint à l'esprit, les chemins de mer, les ports qui attendent le voyageur, les villes aux noms sonores qui rêvent de se dévoiler à lui…

Les événements allaient m'aider à saisir la balle au bond.

*

Le lendemain des funérailles de ma grand-mère, dès que je le pus, je me précipitai chez Esther. On était le 19 février, un dimanche. À la réception qui avait suivi la cérémonie religieuse, la veille, elle avait eu le temps de me glisser à l'oreille qu'elle travaillerait à son atelier tout l'après-midi du lendemain. J'étais content de la voir, comme si une éternité avait passé depuis notre dernière rencontre. Comme des chiots en mal de jouer, nous nous étions jetés dans les bras l'un de l'autre avec une fureur plus forte encore que ce que nous avions connu les premières fois. Nous nous abandonnions l'un à l'autre, comme s'il fallait conjurer par ce débordement de vie le climat de mort d'où nous sortions.

« Tu as beaucoup de chagrin, Jean ? m'avait demandé Esther en me voyant.

– Franchement, oui. Ma grand-mère était un gros morceau dans ma vie. Malgré ses côtés parfois un peu bizarres, elle a toujours été bonne pour moi. Je croirais même qu'une certaine connivence s'était établie entre nous : c'est drôle à dire, mais on se comprenait tous les deux sans avoir à s'expliquer. Je vais m'ennuyer d'elle. »

Pendant que nous prenions une bouchée, bien installés sur le divan vert, nous parlions de grand-maman, tout en faisant des commentaires sur la cérémonie des funérailles. Esther, comme tous les autres d'ailleurs, était encore sous le coup que nous avait assené la lettre que Mme Villeneuve avait lue publiquement. On en avait peu parlé à la réception qui avait suivi l'office, me confirma-t-elle. Ma famille avait cru noter la chose, mais on n'en était pas trop certain ; il ne se pouvait pas, avait-on conclu à la maison, que les gens n'en aient pas parlé ; ils l'avaient seulement fait hors de notre vue. Elle me rapportait que cet esclandre, car c'en était bien un aux yeux de notre milieu, avait engendré une onde de choc dont l'effet s'estomperait assez rapidement, selon elle.

« Tout ça partait évidemment d'un bon sentiment, ajouta-t-elle ; enfin une femme d'ici osait lever la voix ! Permets-moi de te dire pourtant qu'à mon avis ta grand-mère, Jean, a donné un coup d'épée dans l'eau. Croyait-elle vraiment que de parler aussi franchement de ses histoires intimes et des tromperies de son mari suffirait à faire réfléchir les personnes présentes, et toutes celles à qui on raconterait ensuite cet appel d'outre-tombe ?

– Dis-moi, Esther, as-tu l'impression qu'elle s'est rendue ridicule ? Pire encore, penses-tu que mon père, ses sœurs et tous les membres de notre famille seront couverts de ridicule par cette confession, qu'ils seront montrés du doigt pendant longtemps ? Entre nous, ils sont malheureux de ce qui est arrivé, ils sont humiliés. Ils ont hâte que la poussière retombe.

– On va en parler longtemps, c'est certain ; dans les premiers temps, on va y penser en voyant tes parents, puis, comme pour tout le reste, la vie va reprendre son cours. On s'habitue à tout, surtout ici. Les femmes resteront soumises et les hommes continueront à mener leur vie à eux, comme ils pensent en avoir le droit. C'est comme ça. On n'y peut rien. »

Un verdict aussi tranchant me faisait mal. Je n'avais pas assez d'expérience pour contredire Esther, dont je ne pouvais que respecter le point de vue : ce monde, elle le connaissait à merveille.

« En tout cas, je te garantis que je ne serai pas de cette race. Je n'agirai pas en homme à deux faces, et la femme que je marierai, je partagerai tout avec elle. Elle marchera non pas à côté de moi, mais avec moi.

– Je te connais déjà assez, Jean, pour croire que c'est vrai. Mais il te faudra te battre beaucoup. Tu auras à gagner ta liberté d'homme dans un milieu qui aime les moutons, un milieu qui n'accepte pas les gens qui n'agissent pas comme tout le monde.

– Veux-tu que je te raconte le geste de ma grand-mère pour m'aider justement à gagner ma liberté ? »

Je lui parlai alors des événements que nous venions de vivre à la maison. De la seconde visite du notaire Rochette, la veille, et de la surprise que m'avait faite ma grand-mère.

« Je suis le seul des petits-enfants à avoir eu droit à un tel traitement : cinq mille dollars avec lesquels je pourrai faire ce que je veux. Et par-dessus le marché, grand-maman me fait ce cadeau dans un but bien précis : m'aider à gagner ma liberté d'homme, comme tu viens toi-même de le souhaiter pour moi. »

Je me mis ensuite à lui parler de l'autre cadeau que m'avait offert grand-maman, la grande enveloppe brune et son curieux contenu. Je ne dis rien au sujet des bijoux, me réservant de le faire un peu plus tard, car j'aurais besoin de son aide pour y voir clair dans ce curieux héritage. Il valait beaucoup de sous, je l'imaginais bien, mais déjà dans ma tête il n'était pas question d'y mêler ni maman ni mes sœurs.

« Oui, ma grand-mère était vraiment une femme étonnante, lui dis-je après lui avoir décrit ce que j'avais trouvé dans cette enveloppe cachée dans la garde-robe. À propos, ajoutai-je, il s'est passé quelque chose de très bizarre, que je ne peux raconter à personne d'autre que toi, Esther. Quand, à la demande du notaire, mon père est venu fouiller dans l'armoire de grand-maman, ma mère l'accompagnait.

« J'étais dans ma chambre quand ils sont montés, en train d'examiner le passeport tout neuf que j'avais reçu le matin même. Incidemment, il faut que je te dise que c'est Mariette qui a répondu au facteur et signé le récépissé de la poste recommandée ; elle m'a ensuite remis l'enveloppe marquée du nom du ministère des Affaires extérieures : l'envie se lisait dans ses yeux.

« Pour en revenir à mes parents, les entendant monter, j'ai décidé de prendre une récréation. Je suis descendu dans la cuisine par l'escalier de service, pour ne pas les déranger. J'étais dans la cuisine, à me verser un verre de limonade, quand j'ai vu tout d'un coup maman apparaître dans cet escalier ; elle n'avait pas l'air de bonne humeur. Elle tenait à la main deux fioles qu'elle avait trouvées, j'imagine, dans l'armoire de grand-mère ; à l'allure qu'elle avait en descendant l'escalier, ces deux flacons à la main, il était évident qu'elle était même furieuse. Elle a franchi la porte du tambour d'en arrière et s'est approchée de la poubelle ; avec un mouvement de dédain, elle y a lancé les deux bouteilles.

« Je m'étais empressé de filer vers le boudoir avant que maman revienne dans la cuisine ; j'étais intrigué, mais je préférais ne pas lui poser de questions.

« Un peu plus tard, lorsque le notaire en a eu fini avec moi, je suis remonté à ma chambre, l'enveloppe à la main, un peu abasourdi par toute cette histoire. Quand j'ai repris mes sens, si je puis dire, j'ai repensé aux fioles de maman. Il était un peu plus de dix heures quand j'ai décidé de descendre à la cuisine. En passant encore par l'escalier de service, je suis entré dans le tambour où j'ai levé le couvercle de la poubelle : les deux bouteilles étaient là. L'une d'elles n'avait rien de particulier. L'autre, cependant, portait une étiquette rouge. Du bout des doigts, j'ai pris ce flacon. C'est alors que j'ai noté que des mots apparaissaient sur l'éti-quette, des mots tracés avec soin par la même main que celle qui avait inscrit mon nom sur l'enveloppe. C'était l'écriture de grand-maman. Il m'a été facile de lire ce qu'elle y avait écrit et de comprendre le dégoût que maman avait manifesté : "Élixir de prépuces" ! Je pense, Esther, que je ne percerai jamais le mystère de ma grand-mère… En plus, elle a mis un *s* ! »

Elle pouffa de rire et eut le bon goût de ne pas faire de commentaires. Je n'avais pas envie, moi non plus, d'épiloguer sur cette histoire cocasse. Esther riait encore quand elle prit sur elle de changer le tour de la conversation.

« Dis donc, Jean, ton oncle Paul, c'est un drôle de moineau ; il n'a pas l'air d'un vrai Lefrançois, tu ne trouves pas ?

– Pourquoi dis-tu ça ? »

Je n'étais pas dupe ; je savais bien qu'Esther, comme tout le monde, était au courant de l'histoire de ce mouton noir de la famille. Jamais cependant nous n'en avions parlé entre nous.

« Comment le considères-tu, toi ? Je t'ai vu entrer avec lui dans l'église ; vous aviez l'air de bien vous entendre.

– J'ai toujours eu de la sympathie pour ce frère de papa qui a eu l'audace de ruer dans les brancards. On ne le voit pas souvent, mais je ne te cache pas que, depuis longtemps, j'adore causer avec lui. J'étais tout petit que déjà il m'attirait. Il était drôle, il connaissait des histoires que les autres n'avaient jamais racontées ; on sentait qu'il aimait les enfants, lui. Plus tard, je me suis rendu compte qu'il était à part, qu'on ne le traitait pas comme les autres membres de la famille, et puis j'ai appris peu à peu son histoire. Plus j'en apprenais, plus l'oncle Paul m'était sympathique.

– Pourquoi ?

– Voyons, Esther, tu me connais assez, il me semble, pour comprendre que j'ai été attiré par cet homme qui a eu le culot de secouer le cocotier, qui a été capable de briser les chaînes qui tiennent tout le monde prisonnier dans notre famille, comme dans les autres, d'ailleurs, tu le sais mieux que moi ! »

À dix-huit ans, Paul avait quitté la maison sur un coup de tête. Parti pour Montréal, il donna peu de nouvelles : un mot à sa mère deux ou trois fois par année, pour lui dire que tout allait bien, de ne pas s'inquiéter. Personne n'avait son adresse. Au bout de quelques années, l'enfant prodigue annonça à grand-maman qu'il viendrait lui rendre visite à la mi-juin. Il n'était pas seul quand il se présenta à la maison, où chaque membre de la famille avait reçu la consigne d'agir comme si rien ne s'était passé ; en arrivant, à peine avait-il embrassé sa mère et donné la main à son père qu'il leur présentait sa nouvelle épouse, Loretta Pedruzzi. Stupeur ! Il s'était marié à Montréal sans en parler à qui que ce soit dans sa famille, et puis, il avait épousé une Italienne ! Une belle femme, au demeurant, qui parlait français avec un joli accent et qui paraissait sortie tout droit d'un catalogue de mode. Chacun avait esquissé un sourire, sans trop savoir comment réagir.

Peu de temps après, on reçut d'autres nouvelles de l'oncle Paul. On avait appris de lui qu'il travaillait pour sa belle-famille, laquelle possédait une entreprise d'importation. C'est ainsi que Paul Lefrançois revint dans sa ville, comme représentant en articles religieux, œuvres d'art et objets du culte pour l'est du Québec et pour les Maritimes. Jamais cependant il ne se rapprocha de sa famille. Il prit soin de ne pas retisser le lien qu'il avait rompu à dix-huit ans, au grand dam des siens. Sa vraie famille, c'était maintenant celle de sa femme ; à voir le bonheur de cet oncle et l'affection qu'avaient l'un pour l'autre cet homme et sa femme, il n'avait pas perdu au change et il n'avait aucune raison de s'ennuyer du carcan de la famille Lefrançois.

Je rentrai à la maison juste à temps pour le souper, content de mon après-midi avec Esther, mais le cœur un peu gros : le jour même des funérailles de grand-maman, je fêtais mon dix-huitième anniversaire. Je fêtais ? C'est un bien grand mot pour une fête qui passa complètement, mais complètement inaperçue ! Que personne dans la famille n'ait songé à m'offrir ses vœux, je pouvais le comprendre, à cause du brouhaha du moment. Il m'apparaissait inconcevable, toutefois, qu'Esther Garneau puisse avoir oublié ce jour qui restait, malgré les événements que l'on vivait, un très grand jour : c'était le 18 février et j'avais dix-huit ans

– ce que l'on appelait l'année chanceuse par excellence !

Voilà une dix-neuvième année qui partait mal. J'avalai le morceau : j'avais résolu de ne pas me fondre dans la société ambiante. J'avais décidé d'être moi-même, de me tenir à distance de tous ces rites qui jalonnaient les saisons et de tous les petits rôles que la vie très organisée de la famille commandait à chacun de tenir. Je devais en assumer les conséquences. Question d'habitude.

Heureusement pour moi, dès le lendemain, mes parents se rendirent compte de leur erreur.

« Excuse-nous, Jean, me dit papa, mais avec tout ce qui se passe ces jours-ci, on en oublie des morceaux ! »

Il m'informa que le jour suivant, il téléphonerait à l'École de conduite automobile Belvédère : pour mon anniversaire, maman et lui m'offraient le permis de conduire.

*

La vie reprenait son cours, mais elle ne s'annonçait pas tranquille. Le mercredi 22, après la messe du carême à laquelle tous les élèves étaient tenus d'assister, chacun regagna sa classe. Au lieu d'y retrouver ce matin-là l'abbé Fréchette, c'est le directeur des études, l'abbé Sanschagrin, qui se tenait à la porte pour nous accueillir ; à l'intérieur, un tout jeune prêtre à la tonsure fraîchement taillée attendait près de la fenêtre, l'air timide et la figure légèrement tendue. Quand tous les élèves furent entrés, l'abbé Sanschagrin s'avança et s'adressa à la classe :

« J'ai le regret de vous dire, messieurs, que vous ne verrez plus votre professeur titulaire, l'abbé Fréchette. Certaines circonstances font qu'il a dû quitter subitement le Séminaire et qu'il ne pourra pas poursuivre son enseignement cette année. »

Le directeur des études vit bien la consternation sur nos visages. Nous nous regardions les uns les autres, dépités de perdre ce professeur que nous appréciions beaucoup et déçus très certainement d'avoir à terminer l'année scolaire avec un autre titulaire. Il se fit fort de nous rassurer :

« L'abbé Lemieux, que j'ai le plaisir de vous présenter, le remplacera. Vous verrez que c'est un homme compétent. Après son ordination sacerdotale, l'an dernier, monseigneur l'archevêque l'a envoyé aux études ; il a accepté d'interrompre sa licence en lettres pour venir finir l'année avec vous. »

Le jeune abbé se tordait les mains sur la poitrine en nous regardant ; visiblement, il espérait de nous un signe de bienvenue, un sourire d'accueil. Nous ne bougions pas, encore ébranlés par la nouvelle que venait de nous annoncer l'abbé Sanschagrin.

« J'ai expliqué le programme à M. Lemieux et je lui ai dit où vous en étiez dans votre cheminement ; je compte sur vous pour lui faciliter la tâche et faire en sorte que la transition d'un professeur à l'autre se fasse avec efficacité et élégance. »

Il se dirigea vers la porte.

« Je vous laisse avec votre nouveau professeur et je vous souhaite une bonne fin d'année. »

Nous restions là, assommés par cette intervention du directeur des études. Ainsi, l'abbé Fréchette, ce maître que tous aimaient, était déjà parti ; on nous aurait annoncé qu'il était mort subitement que notre réaction n'aurait pas été différente. Aucun de mes camarades n'en fut plus affecté que moi. Et la journée fut pénible.

En rentrant de l'école, encore sous le coup des émotions de la journée, j'aperçus sur le guéridon où la bonne mettait le courrier du jour une lettre à la bordure hachurée de bandes bleues et rouges ; elle m'était adressée. Les timbres étaient superbes ; je fus cependant vite attiré par la mention du nom de l'expéditeur, ou plutôt de l'expéditrice, car c'était une lettre d'Ann !

Je grimpai l'escalier en courant, oubliant même d'aller embrasser maman, comme je le faisais chaque jour à mon retour du collège. En hâte, j'ouvris la lettre de mon amie. C'était une carte de vœux dont elle avait rempli tous les espaces d'une écriture que je trouvai belle : c'était la première fois qu'elle m'écrivait ! Elle me disait tout de go sa joie de me retrouver, même de si loin, elle me donnait aussi des nouvelles de cette première année d'études en Écosse : tout s'était bien déroulé, et le collège de Glascow où elle vivait lui plaisait beaucoup. Les vacances de Noël lui avaient donné l'occasion d'aller passer quelques jours chez des amis de ses parents, à St. Andrew ; elle en avait été ravie, mais elle ajoutait du même souffle qu'elle aurait préféré rentrer à Montréal : les siens lui manquaient, ses amis aussi.

« J'ai souvent dans la tête nos mois d'été, mon cher Jean, et nos souvenirs des bords du fleuve. Avec toi, j'ai découvert un Kamouraska nouveau. Les couchers de soleil de juillet 1949 restent là, inoubliables ; tes baisers me manquent, et toutes ces attentions que tu avais pour moi. Je ne sais pas comment tu te sens, Jean ; moi, malgré tout ce que l'on s'est dit en se quittant, je m'ennuie de toi. Tu as maintenant mon adresse ; j'aimerais bien avoir de tes nouvelles. Je t'embrasse de tous mes vœux pour ces dix-huit ans. Puis-je te le dire, malgré nos promesses : j'aurais le goût de les célébrer avec toi ! »

La lettre appuyée sur ma poitrine, je revoyais Ann, je l'entendais me dire, avec son bel accent anglais, les mots que je venais de lire. J'étais ému. Cette lettre, je l'espérais sans oser y croire : n'avions-nous pas décidé d'un commun accord qu'il fallait que tout soit fini entre nous ? Conscients que nous avions vécu des moments exceptionnels, n'avions-nous pas convenu qu'il serait fou de vouloir les prolonger ? Tout nous séparait, elle était de Montréal et j'étais de Québec ; sa famille était anglophone et protestante, avait des traditions tellement différentes des nôtres... Et bientôt, c'est la mer elle-même qui mettrait entre nous une distance définitive. Nous nous étions dit adieu en quittant Kamouraska, chacun partant avec un bagage d'images précieuses à ranger dans sa boîte à souvenirs. Pour nous, l'adieu était éternel, et nous nous efforcions d'y croire.

J'avais tout fait pour que ce soit vrai. Voilà qu'une simple carte de vœux ébranlait ce bel échafaudage que je voulais, que je croyais solide. Ann faisait partie de mes souvenirs les plus chers, mais la ligne avait été tirée ; depuis des mois, je multipliais les arguments pour me convaincre que cette aventure sentimentale n'avait été qu'un entracte dans ma vie, qu'un moment de grâce dont la fulgurance ne devait pas me faire oublier que c'était fini.

En décembre, j'étais quand même venu près de lui écrire à l'adresse de ses parents, qui lui auraient fait suivre mes bons vœux. Les brouillons sur lesquels j'avais peiné s'étaient retrouvés dans la corbeille à papier. Des choses que je commençais à lui dire ne s'adressaient pas à elle ; celles que m'inspirait le désir que j'avais de la retrouver ne parvenaient pas à sortir et à trouver une formulation : elles restaient cadenassées dans le caveau où je les tenais enfermées, solidement gardées par l'engagement que nous avions pris de ne pas donner de suites à notre été. Je n'étais pas dupe, pourtant ; Ann ne m'avait pas quitté de l'automne, elle ne me quittait pas, mais c'était une question de temps, pensais-je. Je croyais tenir ma vie bien en laisse.

Voilà pourquoi, d'ailleurs, l'entrée progressive d'Esther Garneau dans ma vie, je ne l'avais pas ressentie comme une infidélité. Ce n'était rien de plus, à mes yeux, qu'un flirt de collégien. Pourtant, cette femme avait entamé ma résistance, elle m'amenait beaucoup plus loin que je ne l'aurais cru ; dans ma vie bien rangée, elle s'était frayé un chemin qui commençait à perturber sérieusement l'ordre des choses. Elle éveillait des forces dont j'ignorais l'existence ; elle était en voie de faire fondre des glaciers, et les torrents qui en résulteraient me faisaient un peu peur.

À parcourir des yeux les mots qu'Ann m'écrivait, à respirer cette carte sur laquelle j'espérais retrouver une trace de son odeur, de la douceur de ses lèvres, de l'empreinte de ses doigts, je compris que jamais la flamme ne s'était éteinte. J'aimais deux femmes. Deux femmes aux antipodes l'une de l'autre. Et je tenais aux deux. Contrairement à toute logique et au bon sens, je me sentais capable de les aimer toutes les deux en même temps !

« Je ne souperai pas ce soir », allai-je dire à ma mère en descendant de ma chambre. La canadienne sur le dos et mes gants à la main, j'avais hâte d'être dehors. Je ne voulais surtout pas avoir à donner des explications, tout en sachant que mon père, lui, en demanderait à table.

« J'ai besoin d'aller m'aérer. »

Maman dut se contenter de cette explication.

*

Une neige légère tombait sur la ville. Je remontai lentement la rue des Érables. Quelques passants se hâtaient de rentrer à la maison tandis que les dernières automobiles tournaient vers les ruelles ou s'engouffraient en grondant sous les portes cochères des demeures les plus anciennes ; l'heure du souper approchait. Je traversai la Grande-Allée et fis le tour du

Musée du Québec ; à partir de là, il n'y avait plus de sentier : la neige avait recouvert les avenues et les allées des Plaines d'Abraham. Je marchais lentement au gré de ma fantaisie, attiré par les lueurs blanches que répandaient un peu partout dans cet immense parc les dizaines de lampadaires que j'apercevais, du haut des coteaux ; on aurait dit qu'un démiurge les avait posés là, dont le seul souci avait été de jeter au hasard quelques pincées de lumière.

Ce spectacle m'était familier. Ce soir-là pourtant, une émotion toute particulière m'envahissait : Ann était là. Non seulement était-elle présente en moi et à côté de moi, mais encore la féerie s'en mêlait. Le spectacle que j'avais sous les yeux réussissait à évoquer de mille et une manières cette merveilleuse résurrection. Pendant combien de temps me promenai-je dans un tel état de béatitude ? J'allais d'une butte à l'autre en poussant du pied cette neige folle, j'errais à travers les bosquets déserts et je traversais des rideaux de ouate dont les flocons collaient à la peau de mon visage comme autant de marques de joie. Je fis une halte dans le boisé où croissait mon ami le bouleau gris, que j'enlaçai en lui murmurant que j'étais heureux. J'en avais même oublié le chagrin que me causait le départ de Maxime Fréchette.

Blanc comme un bonhomme de neige, j'atteignais certains des postes d'observation dont les Plaines sont abondamment garnies, je m'installais sur un banc sans prendre la peine de m'y nettoyer une place et je laissais errer mes yeux tantôt vers les glaces que commençait à charrier la marée du fleuve, tantôt à l'est, sur la crête des collines où apparaissaient, en ombres chinoises, les formes épurées du Parlement et de la Citadelle. Partout, Ann était là. En sa présence, je me sentais blanc comme neige ; près d'elle, j'avais le sentiment de retrouver l'innocence d'avant le péché originel.

Il vint un moment, cependant, où l'enchantement se mit à décroître. Je cessai d'être hypnotisé ; le froid, et bientôt la faim, avaient eu raison de mon extase. Je m'acheminai vers le Manège militaire, dont je contournai, en pressant le pas, les hautes clôtures derrière lesquelles des voitures de mort s'entassaient, des véhicules laids aux camouflages grossiers ; puis j'aperçus enfin la pharmacie d'Artigny où j'avais décidé d'aller manger une bouchée. Je regardai ma montre ; il était déjà neuf heures et quart.

Pendant que je mangeais tout en réchauffant mes pieds engourdis, une idée bizarre se glissa dans ma tête : l'envie me prit d'aller surprendre Esther. Non pas chez elle, évidemment, mais c'était aujourd'hui mercredi ; peut-être était-il possible qu'elle dorme à l'atelier.

« Je vais lui faire la surprise. Elle va être étonnée, mais contente. »

Je me dirigeai vers le Faubourg en longeant les vieilles maisons de la rue Sainte-Julie et les édifices hétéroclites de la rue Saint-Augustin. Non loin de chez Marino, le père d'Esther avait fait construire une conciergerie un peu grosse par rapport aux autres édifices. C'était une nouveauté dans la ville. Malgré les hauts cris jetés par les étudiants des beaux-arts et une poignée de citoyens des alentours, qui ne voulaient pas de cette verrue dans leur environnement, la ville lui avait donné le permis de construction. Une fois l'édifice terminé, il n'avait pas eu de difficulté à en louer les commerces et les bureaux du rez-de-chaussée et, au-dessus, les logements très modernes qui avaient vue sur la rue Saint-Augustin. Au dernier étage, il avait réservé un espace pour l'atelier que désirait avoir sa fille ; tant qu'à y être, il en avait ajouté d'autres, des ateliers d'artiste plus petits, qu'il avait loués facilement, même à certains des protestataires les plus sonores de l'École des beaux-arts.

L'atelier d'Esther était exposé au nord, du côté de la rue Saint-Joachim ; c'est donc là que je me rendis d'abord, pour voir s'il y avait de la lumière à ses fenêtres. Oui, elle était là ! Elle n'avait allumé que la lampe de table, qui donnait une lumière tamisée ; c'est donc qu'elle n'était pas au travail. Je notai qu'il y avait aussi de l'éclairage dans sa chambre ; je regardai l'heure : il était passé dix-heures et demie. Était-ce une si bonne idée d'aller sonner à sa porte ? Je me posais la question en contournant l'édifice pour me rendre à l'entrée principale lorsque, de loin encore, je vis un homme en sortir. Dans un geste instinctif, je m'étais arrêté : les ragots vont si vite à Québec. Je ne voulais pas qu'on me voie dans les parages de l'atelier de Mme Garneau. Ma surprise fut totale quand je me rendis compte que l'homme qui sortait du 345, rue Saint-Augustin, c'était mon père. Mon premier réflexe fut de revenir vers la rue Saint-Joachim et de me cacher ; je n'eus pas besoin de fuir puisque l'homme releva le col de son paletot, ajusta son chapeau et, au lieu de descendre vers l'endroit où j'étais, il se dirigea vers le haut de la rue.

J'étais perplexe. D'où venait mon père ? Un soupçon m'effleura l'esprit, que je chassai très vite : il ne se pouvait pas que mon père ait une aventure. Sans doute sortait-il d'une rencontre avec des clients, lui qui disait souvent que les gens, les personnes âgées surtout, aiment bien recevoir leur notaire à la maison. J'étais quand même étonné de le voir là à pareille heure. J'eus envie de le suivre ; je trouvais toutefois la chose odieuse – filer son propre père ! – et je décidai plutôt de revenir dans la rue Saint-Joachim. Je n'avais plus le goût de monter chez Esther ; seule me restait la curiosité de savoir si elle était au travail. Elle avait éteint la lampe basse qui éclairait l'atelier et ferma la lumière de sa chambre au moment même où j'arrivais sous ses fenêtres.

Je pris le chemin de la maison, non sans multiplier les détours, autant pour mettre de l'ordre dans mes idées que pour m'assurer que je n'arriverais pas chez nous en même temps que papa. Il n'y avait pas de lumière à la maison. Tout y était silencieux lorsque je franchis la porte d'en arrière ; je montai à ma chambre par l'escalier de service sans entendre le moindre bruit.

Au petit-déjeuner, le lendemain matin, je demandai à maman si mon absence à table avait été remarquée, la veille au soir.

« Non, mon Jean, pour la simple raison que ton père n'était pas là non plus ; il m'avait téléphoné pour me dire qu'il devait aller rencontrer des clients, en dehors de la ville. »

Je ne marquai aucune surprise, me contentant d'un « Tant mieux » qui mit fin à la conversation.

Les choses pourtant tournaient dans ma tête. Papa avait-il menti ? Qu'est-ce qu'il faisait au 345, rue Saint-Augustin ? La veille, l'idée qu'il sortait de chez Esther ne m'était pas vraiment venue à l'esprit ; tout d'un coup, bien qu'elle fût absolument invraisemblable, la chose m'apparaissait comme possible… En même temps, je trouvais grotesque la pensée que cette femme ait pu être attirée par le père et par son fils : nous serions tous les deux les amants d'Esther !

Je partis pour l'école dans un état d'esprit qui frisait la folie. Ce qui n'était au départ qu'une image absurde, qu'une supposition sans queue ni tête, avait pris en moi une dimension démesurée, au point de se transformer en réalité dans ma tête.

IV

ON RECONNAÎT LE BONHEUR
AU BRUIT QU'IL FAIT EN PARTANT*

*Mot de Louis Jouvet.

I

« Jean, j'ai envie que tu poses pour moi. »

J'avais passé une très mauvaise matinée. L'abbé Lemieux n'avait pas le coffre d'un vrai professeur : un poids plume dans l'arène des grands. Un jeune curé sans expérience, qui n'en savait pas plus que ce qu'il avait appris durant son cours classique. Rien de ce qu'il raconta ce matin-là ne parvint à me distraire des images que j'avais en tête.

Ballotté par des courants qui prenaient leur source au plus profond de mon ventre, j'étais comme un vaisseau fantôme lancé sur une mer orageuse, cherchant désespérément un port qui l'accueille. La tempête soufflait en moi, charriant des débris de toutes sortes au milieu desquels émergeaient, dans un incessant tourbillon, des restes de navires perdus. Des personnages hagards s'y débattaient avec force, dont certains que je reconnaissais sans peine.

Papa, tentant d'une main de relever son col de paletot et de l'autre, s'efforçant de retenir son chapeau sur sa tête, enfourchait une épave qui filait à vive allure et n'avait pas l'air de devoir sombrer, malgré la furie du vent qui l'emportait. Maman se tenait à côté de lui, ignorante de l'enfer qui fondait sur elle ; son seul souci, à cet ange tutélaire qui battait des ailes comme un oiseau-mouche, était d'ouvrir un parapluie qui puisse protéger son mari.

Sur un radeau inspiré de celui de la Méduse, c'est une Esther revue par Géricault qui criait son effroi d'avoir oublié mon anniversaire et de s'être moquée de moi, tandis qu'un squelette s'agitait à l'avant de l'épave, tout à fait reconnaissable aux quelques lambeaux de vêtements qui lui collaient aux os et dans lesquels je reconnaissais les nippes que grand-maman portait pour travailler au jardin.

Comme un automate dans ce décor déchaîné, l'abbé Fréchette repassait à intervalles réguliers. Il venait d'être nommé évêque ou pape – je ne distinguais guère sa coiffe et n'aurais su dire s'il s'agissait d'une mitre ou d'une tiare – et il avait en conséquence revêtu les atours de sa fonction. Avec toute la dignité liée à son nouvel état, il marchait sur les flots en dominant la tempête, sans se rendre compte toutefois qu'il était poursuivi par un monstre dont saint Georges lui-même aurait eu peur. C'est le jeune abbé Lemieux qui tenait le dragon en laisse ; il était habillé en petit Jésus de Prague et me fixait d'un air béat, la figure tournée à quatre-vingt-dix degrés, pendant que la bête lui faisait fendre les flots à une allure folle.

« Ce n'est pas sans raison que notre sainte mère l'Église a mis à l'Index des auteurs malsains comme Balzac, comme Stendhal, comme Flaubert, comme Hugo. Vous devez vous tenir loin de ces sources du mal, et ne fréquenter que les livres recommandables. »

L'abbé Lemieux avait en main les *Morceaux choisis* de monseigneur Calvet. Debout devant nous, ce n'est pas de littérature qu'il nous parlait, mais de morale. Visiblement, il n'avait lu aucun de ces mauvais auteurs. Il me fixait encore de cet air béat qui flottait, la seconde d'avant, dans mon océan de rêve. Je n'avais aucune envie de lui donner raison.

Crash ! À peine avais-je fermé les yeux qu'un éclair déchira la mer. Le jeune abbé gisait à plat ventre sur le bord de ma vasque, les bras à demi immergés et les yeux vitreux qui ne fixaient plus rien. La tempête ne faisait plus rage, les épaves s'étaient vidées de leurs équipages épouvantés. Seules surnageaient sur la mer les vomissures de la cousine Mimi.

Je fermai brusquement le cahier que j'avais devant moi, me levai sans dire un mot et sortis ostensiblement de la classe, sous le regard étonné de mes camarades. L'abbé Lemieux me suivait des yeux, la bouche ouverte, se demandant sans doute ce qui m'arrivait.

J'en avais assez entendu, la mesure débordait. On était jeudi, et j'avais un rendez-vous auquel je n'avais aucune envie de me rendre ; j'éprouvais en tout cas le besoin de changer d'air. Ayant pris mes vêtements d'hiver en passant à mon casier, près de la salle de récréation, je sortis par la rue de l'Université ; l'air froid du dehors me redonna vie. Il était onze heures dix à ma montre : trop tôt en principe pour me rendre chez Esther.

Qu'est-ce que j'allais faire chez elle, au juste ? Il me semblait voir encore mon père en sortir, de cet immeuble de la rue Saint-Augustin sur lequel il m'apparaissait nettement que « je devais être le seul à posséder des droits, cher maître. Vous m'entendez : le seul ».

Je l'imaginais, lui, nu dans la chambre d'Esther, se glissant dans les mêmes draps que ceux dans lesquels je me coucherais quelques minutes plus tard. Non, ce n'était pas possible ! Déjà qu'il est difficile à un enfant de s'imaginer que ses parents fassent l'amour et qu'il a été lui-même conçu à l'occasion d'une coucherie, d'une partie de jambes en l'air ! De penser qu'il a été fabriqué par des demi-fous, sous le coup d'un accès de folie subit ! Pouvais-je imaginer mon père jazzant comme un dément sur le ventre de ma mère, le soir où il m'a lancé dans la vie ? J'étais scandalisé à l'idée même qu'il ait pu s'adonner aux mêmes singeries sur le corps d'Esther.

D'évoquer pour soi-même une scène d'amour, si torride soit-elle, voilà qui est agréable, qui donne aux mauvaises pensées leur raison d'être et leur plénitude. On se met en scène, on fabule, on phantasme à qui mieux mieux, on s'embarque avec fureur dans ce bain de volupté ouvert à tout-venant. On y croise toute sorte de monde ; on fait des rencontres étonnantes. Mais certainement pas son père ! Comme si chacun caressait en lui le secret espoir d'avoir eu pour père une réplique du bon saint Joseph, ce vieillard esseulé qui occupait sans lustre l'autel latéral de l'église : la nudité de cette alcôve sacrée est la seule qu'il ait connue, ce qui lui a valu de porter bien haut la fleur de sa vertu et d'être donné en modèle aux pères de famille. Pour un enfant, le père n'a pas de sexe, et surtout pas de vie sexuelle.

« Lui ? Tout à fait impossible ! »

Pas plus que ne pouvait m'entrer dans la tête qu'il prenne du plaisir à ce que les commandements appelaient l'« œuvre de chair », j'étais incapable d'admettre que mon père ait des aventures.

« Tout à fait impossible, voyons ! »

Intérieurement, je riais de cette idée stupide. Je l'imaginais déboutonner son col dur et sa chemise blanche, défaire son pantalon, l'enlever et le plier cérémonieusement sur la bergère brodée qui jouxtait le lit d'Esther, et s'offrir ainsi aux regards de Mme Garneau, en camisole et en caleçon long. Spectacle sans doute très excitant pour la dame, que je voyais ensuite se débattre sous la couverture pour le dépouiller progressivement de sa carapace de notaire caparaçonné, lui, cet homme si bien armé pour résister au froid de l'hiver et aux charmes féminins.

Qu'est-ce que j'allais faire chez elle ? Je pris la rue Sainte-Famille et la rue Saint-Jean, que je descendis machinalement jusqu'au carré d'Youville, sans rien regarder autour de moi. Je m'arrêtai au restaurant le Laurentien et m'installai sur une banquette. À la serveuse qui m'avait apporté un verre d'eau et m'avait tendu le menu, je commandai le « spécial » du jour. Elle repartit en criant « Un numéro trois ». Je sortis alors de la poche intérieure de mon veston la carte d'Ann. Je ne l'avais pas oubliée, celle-là ; c'est même le seul rayon de soleil qui avait embelli ma matinée.

Quand la tempête soufflait sous les yeux de l'abbé Lemieux, personne d'autre que moi ne s'en était rendu compte, mais il y avait un deuxième tableau au-dessus de cette mer agitée ; comme dans les gravures illustrant le petit catéchisme, où le ciel et l'enfer s'opposent d'une manière non équivoque en deux plans, une autre représentation dominait la première. Au niveau supérieur du tableau que je voyais, là où d'habitude l'on nous présentait le ciel, le spectacle m'avait ému : une île enchantée flottait sur une eau pacifique, une merveilleuse Écossaise, les bras tendus, courait au soleil vers un jeune homme, la mèche au vent, qui cherchait à la rejoindre, car il se languissait d'elle...

La carte d'Ann me réchauffait le cœur. Avec Ann, c'était du réel. Pas du chiqué, comme avec Esther Garneau, cette tordue, cette vendue qui me trahissait avec mon propre père ! Ann, c'était l'amour ; pas l'autre, avec qui, je le savais maintenant, ce ne pouvait pas être ce qu'on appelle l'amour, le véritable amour. L'abbé Fréchette avait raison. L'abbé Fréchette, tiens ? Je pensai à lui, un peu fâché qu'il m'ait lâché.

« C'est bien le temps de partir. Lui, j'aurais bien besoin de lui parler aujourd'hui. »

Le plat de saucisses arrivait, en même temps que la soupe. Absorbé dans mes réflexions, j'avalai mon repas sans trop savoir s'il était aussi médiocre qu'il en avait l'air. Irais-je chez Esther ? Aurais-je le courage de lui dire ma façon de penser et de mettre fin à ma relation avec elle, elle qui me trahissait aussi honteusement ?

Avec la dernière bouchée de pouding-chômeur, ma décision était prise : gonflé à bloc, je partis sans tarder pour l'atelier de Mme Garneau.

« Jean, j'ai envie que tu poses pour moi. »

À peine avais-je franchi le seuil de la porte qu'elle m'avait sauté dessus avec sa demande.

« J'ai envie que tu poses pour moi ! »

Pas un mot sur le fait que j'étais très en retard, pas une question sur l'espèce d'exaspération que je ressentais et qui, manifestement, devait transparaître dans ma figure. Elle, elle ne savait pas ce que je savais.

« Tu parles si j'ai envie de poser pour toi, ma cocotte ! » eus-je le goût de lui riposter sans cacher mon dépit. Je me contentai de lui dire que ce ne serait sûrement pas aujourd'hui.

« Tu n'as pas l'air dans ton assiette, Jean. Qu'est-ce qui se passe ? Ma grand foi, est-ce que, par hasard, c'est à moi que tu en voudrais ? La façon que tu as de me regarder me fait peur. »

On ne s'était pas touchés depuis qu'elle m'avait ouvert la porte. Pas une bise ni même un geste visant à prendre la main de l'autre.

« Viens dans l'atelier, Jean, qu'on cause un peu. Tu as un problème, toi, et je veux savoir lequel. »

Je l'examinais. Sa figure restait sereine, comme quelqu'un qui n'a rien à se reprocher. Oubliait-elle qu'elle m'avait trahi la veille ? Et mon père, qu'est-ce qu'il faisait dans ses bras ? Il récitait son chapelet ? J'avais beau scruter l'expression de ses yeux, le moindre des gestes qu'elle osait faire, le ton de sa voix, rien n'avait changé. Je ne comprenais pas que ma froideur et la colère qui était inscrite dans mon comportement ne l'aient pas terrifiée ! Je me mis à penser que c'était peut-être moi qui étais dans l'erreur ; aurait-il été possible que j'aie tort de croire qu'Esther était en faute ?

Quand on se sent vulnérable et fragile, mieux vaut ne pas se poser trop de questions. Je me mis à douter de ma cause. Les preuves étaient là, non ? Mon père sortait de chez elle la veille, j'en étais certain. Je l'avais vu, de mes yeux vu, sortir de l'immeuble qu'elle habitait. Il était peu probable qu'il soit allé ailleurs que chez Esther, dans cette maison où les commerces du bas fermaient tôt, en fin d'après-midi. Aux étages supérieurs, seuls des artistes occupaient les logements et les ateliers qui s'y trouvaient, et papa, c'est certain, n'entretenait aucune sorte de lien avec ces gens qui n'appartenaient pas du tout à son monde : jamais je ne l'aurais vu en compagnie de ces peintres qu'il méprisait, des poètes, des êtres improductifs, des membres inutiles d'une société dont il déplorait parfois qu'elle les prenne en pitié et les fasse vivre.

J'eus pourtant un doute, me demandant même l'espace d'un soupir si je connaissais bien mon père. Tout de suite, je rejetai cette indécision qui s'emparait de moi pour en revenir à une question plus sérieuse : il me fallait trouver le ton juste pour dire ses quatre vérités à Mme Garneau.

« Esther, j'ai vu mon père sortir d'ici hier soir. Il avait menti à ma mère, je l'ai appris ce matin ; il avait inventé un rendez-vous en dehors de la ville alors qu'il était chez toi. Oui, chez toi. »

La grande dame savait se tenir. Elle ne bronchait pas, elle ne laissait paraître aucun sentiment. Comme si je lui racontais une conversation que j'aurais eue l'instant d'avant avec sa concierge !

« T'imagines-tu ce que ça me fait, à moi, de savoir que mon père vient te voir ? Esther Garneau, je viens de prendre toute une débarque ! J'avais la naïveté de croire que tu m'aimais. Grâce à toi, je croyais découvrir l'amour dans les bras d'une femme pure qui m'initiait à ce qu'il y a de plus beau dans les relations entre un homme et une femme. Je croyais rêver, et vlan ! j'apprends que cette femme, non seulement elle ne m'est pas fidèle, mais en plus, c'est avec mon propre père qu'elle me trompe ! »

Elle m'écoutait en silence, sans manifester aucune émotion ni surprise ; ma colère s'en accroissait d'autant : j'étais prêt à l'abreuver de bêtises, et elle, elle m'écoutait comme si mes paroles étaient de miel. J'aurais eu envie de me lever, de la prendre par les poignets et de la secouer en lui jetant à la figure des mots durs.

« Mais Esther, c'est à toi que je parle ! C'est toi que j'accuse de me tromper avec mon père, et tu ne réagis pas ! Es-tu malade, quoi ? ou bien suis-je en train de devenir fou ? »

Elle me laissa vider mon sac quelques minutes encore ; elle ne s'émut même pas de m'entendre évoquer la honte que je ressentais à penser que mon père se jetait dans les mêmes draps qui m'avaient accueilli la veille, décrire les ravages que me causait l'image de mon père en bobettes et en chaussettes devant cette femme en face de laquelle je ne m'étais moi-même jamais montré nu.

« Il existe une pudeur adolescente, que les adultes oublient trop vite. Même toi, Esther, même toi, tu es en train de l'oublier en voulant me faire poser nu devant toi ! »

Hélas, plus je parlais, plus je me trouvais ridicule. Je mêlais les choses, je m'enferrais. Je finis par me taire, puis j'éclatai en sanglots.

Esther se rapprocha de moi.

« J'ai sans doute eu tort, Jean, de céder aux charmes d'un garçon de dix-sept ans. »

Ce fut plus fort que moi. Le visage en pleurs, je la regardai et lui fis signe que non.

« J'ai eu dix-huit ans la semaine dernière, Esther. C'était le jour même des funérailles de grand-maman.

– Oh ! Jean, je suis désolée de l'avoir oublié. Mais pour l'heure, dix-sept ou dix-huit ans n'a pas d'importance. J'ai eu probablement tort de t'avoir ouvert ma porte. Tu m'as apporté beaucoup, tu sais. Ou plutôt tu ne le sais pas : on me prend pour une tigresse, ce que je pourrais être si je le voulais. Depuis des années, j'ai une conduite irréprochable que je ne regrette pas. Écoute-moi bien, Jean Lefrançois : tu es le seul, je te dis bien le seul homme que j'ai consenti à aimer, à part mon mari. Si je l'ai fait, c'est que tu es jeune, tu es beau, beau d'une beauté sensuelle, permets à une femme mûre de te le dire, et surtout, tu as représenté pour moi une espèce d'homme en voie de disparition dans notre milieu. »

Elle s'arrêta un instant, puis poursuivit :

« Venons-en à ton père, Jean. En toute amitié il faut que tu saches que ton accusation me peine. Elle me fait mal, Jean, car tu acceptes, toi, de penser que mon atelier est un lieu de rendez-vous galants et que je m'offre à qui me désire. Mais passons, venant de toi, je suis capable de le prendre : c'est un manque d'expérience de la vie qui fausse ton jugement. Même si je suis étonnée que tu en aies eu connaissance – je n'ose pas croire, Jean, que tu espionnes ma maison depuis que nous nous voyons ? –, je vais te dire pourquoi j'ai reçu ton père ici hier soir. C'est une histoire qui n'est pas drôle du tout. Je te la confie, car elle te touche un peu, et puis, tu en entendras parler de toute façon dans les prochains jours. »

Esther m'informa que l'abbé Fréchette, mon professeur, était impliqué dans un scandale qui avait mis le Séminaire à l'envers. Pas seulement le Séminaire, mais l'archevêché et même les autorités de la ville. La police suivait l'affaire de près, bien qu'il ait été convenu de ne pas l'ébruiter et de laisser les autorités religieuses mener elles-mêmes l'enquête ; on verrait plus tard s'il y avait lieu de porter la cause plus loin.

En tant que conservateur des biens patrimoniaux du Séminaire, l'abbé avait carte blanche. Or, depuis plusieurs années, semble-t-il, il faisait du trafic d'antiquités, non pas seulement celles dont regorgeait l'institution à laquelle il est rattaché, mais aussi quantité d'autres œuvres anciennes, parfois des faux, qu'un réseau d'amis lui fournissait. Un inventaire rapide dressé ces derniers mois par le procureur du Séminaire avait montré qu'il manquait des dizaines de tableaux anciens dans la collection, de même que des gravures de grand prix, des livres rares et des manuscrits de valeur qui avaient été déposés aux archives par des générations de prêtres et de bienfaiteurs.

« On a aussitôt soupçonné le conservateur, ajouta Esther. L'abbé Fréchette aurait tout avoué, selon ce qu'on aurait dit à ton père. C'est son goût des voyages qui l'aurait mené à ces méfaits. »

J'étais stupéfait. Mais que venait faire mon père dans cette galère ? Et Esther elle-même ? Plus elle parlait, plus je me sentais petit dans mon fauteuil. J'avais été victime de mon imagination, la chose me devenait évidente à entendre ce que Mme Garneau était à me raconter. J'aurais souhaité n'avoir rien dit !

« Pour ne rien te cacher, Jean, ton père est soupçonné de complicité. Je ne crois pas qu'il soit coupable de quoi que ce soit, mais il souffre de voir sa réputation entachée par cette incorrection de son ami, si tel est le cas, bien sûr. Ton père en doute beaucoup. S'il a demandé à venir me voir dans mon atelier, Jean, c'est que j'y possède quelques meubles anciens de grande valeur, qui me viennent justement du Séminaire. Ton père est le seul à le savoir. Tu comprends, p'tit gars, pourquoi je l'ai reçu et pourquoi il est entré dans ma chambre. »

Je ne savais plus où me mettre. J'étais bouleversé par ce qui arrivait à Maxime Fréchette, j'étais peiné pour papa. Esther, elle, me pardonnerait-elle jamais l'affront que je venais de lui faire ?

Il ne me vint pas à l'esprit de lui demander si papa était au courant du fait que j'avais vu ces meubles ; ce fut elle qui aborda le sujet.

« Ton père sait que tu suis des cours de peinture avec moi. Ta mère l'en a informé. Elle croit que ce sont des cours de groupe, ton père aussi ; il ne m'a pas paru suspecter quelque relation non professionnelle entre nous, rassure-toi si jamais cette crainte t'a effleuré. Je pense qu'il allait au-devant des coups en me parlant de toi ; il cherchait à savoir si toi ou les autres élèves à qui j'enseigne prétendument, vous aviez pu voir ou même dessiner certains des meubles qui me sont venus de l'abbé Fréchette. Jean, je me suis permis d'affirmer que tu n'étais jamais entré dans ma chambre. »

Le sol s'ouvrait sous mes pieds ! Je me sentais défaillir, prêt à faire tous les vœux imaginables – la chasteté pour la vie, ou encore le soin des pauvres, des malades, des prisonniers, des agonisants : toutes les formules des prières qu'on nous faisait réciter quotidiennement se pressaient sur mes lèvres pour donner corps à mes souhaits –, prêt à tout, donc, pour que Dieu me donne la force de ne pas m'effondrer devant Mme Garneau. Mon orgueil était blessé, tout mon corps s'en ressentait, mais je voulais rester debout, ne pas me jeter en pleurs aux pieds de cette femme que j'avais mal jugée.

« Tu es plus bouleversé que moi, Jean. Rentre chez toi, ou va faire une longue promenade pour que les choses se replacent en toi. »

Elle se leva et me prit les mains pour me mettre debout.

« J'ai de la peine, Jean, c'est certain, mais je ne t'en veux pas. Pars, et promets-moi qu'on se reverra bientôt pour reparler de tout ça. Ce serait trop bête de se laisser sur une méprise. »

Elle me reconduisit jusqu'à la porte. Les amoureux de Klimt me souhaitèrent eux aussi bon courage.

*

Maman m'avait informé, au petit-déjeuner, que nous aurions des invités ce soir-là, qu'il me serait avantageux d'entendre : des amis de mes parents, M. Lucien Labonté et sa dame, qui arrivaient de Rome et nous parleraient de leur pèlerinage. En d'autres temps, la chose m'aurait grandement intéressé ; ce jour-là, j'avais le moral à zéro.

Depuis des mois maintenant, nous nous réunissions régulièrement, tous ceux qui, au Séminaire, se préparaient à partir pour l'Europe. L'aumônier du voyage proposait des thèmes de discussion, que l'on débattait en ateliers avant de mettre en commun les fruits de nos discussions. Nous nous préparions avec cœur : le sens du voyage et l'idée du pèlerinage à travers les temps, les buts que l'Église poursuivait par cette année sainte de 1950, l'état du monde chrétien au lendemain de la guerre, les sujets étaient tous de grand intérêt pour des jeunes comme nous, qui ne demandions pas mieux que d'être en mesure de tirer parti au maximum de cette chance qui s'offrait à nous.

Bien entendu, les thèmes religieux dominaient. Comme des croisés, on nous incitait à partir à l'appel du pape dans un esprit de dévotion, « pour la gloire de Dieu et le salut du monde ». En bons pédagogues toutefois, nos animateurs inséraient des thèmes de discussion sur la géographie et sur l'histoire des lieux que nous visiterions. Ils nous distribuaient également de la documentation que leur avaient fait parvenir les ambassades de France, d'Italie et du Portugal. Les images de ces fascicules aux mille couleurs avaient de quoi exciter notre imagination, plus que les descriptions que ces bons prêtres s'appliquaient à nous donner de ces pays pour nous les présenter ; aucun d'entre eux n'était sorti de Québec, et de la manière de vivre des Français ou des Italiens, ils ne savaient rien d'autre que les lieux communs habituels sur la nourriture, les cathédrales et la langue. En revanche en ce qui concernait la légèreté des mœurs de ces peuples et les dangers moraux qui nous attendaient, ils en connaissaient un grand bout !

Ils n'étaient pas les seuls. Les Labonté avaient plus été frappés par le Moulin-Rouge et Pigalle que par le Vatican. Ils auraient pu parler pendant des heures des Folies-Bergère, tandis que leurs commentaires sur le Sacré-Cœur de Montmartre ou sur les basiliques majeures de Rome dépassaient à peine le « C'est grand ! On se perd là-dedans et c'est plein de monde ».

Seule l'audience qu'ils avaient eu la chance d'obtenir avec le pape Pie XII les avait vraiment impressionnés : une audience privée – en compagnie de mille autres invités ! – à laquelle ils avaient eu le privilège d'être reçus grâce aux « connexions » de monseigneur Lafrance. Ils parlaient du souverain pontife qu'ils avaient pu voir de près ; ils lui avait même donné la main en disant, tout émus :

« Québec. Monseigneur Roy », ce à quoi le pape avait répondu : « Ah ! le Canada, le beau Canada », une phrase très originale qui avait bouleversé le groupe dont faisaient partie M. et Mme Labonté : le pape savait de quoi il parlait !

Après l'audience, on leur avait présenté des membres de la famille Pacelli, des parents du pape.

« Un prince Pacelli par-ci, une comtesse Pacelli par-là, c'était très impressionnant de rencontrer ces hauts personnages et de les entendre, dans un beau français, vanter pour nous leur Eugenio. »

Je ne pratiquais pas le culte du pape au même degré qu'eux, mais je ne pouvais ignorer le prénom de Pie XII : sa biographie remplissait les pages de tous les journaux, elle était connue des catholiques d'ici dans ses détails les plus infimes. L'Eugenio auquel je pensais en les entendant n'avait pourtant rien à voir avec la gloire des Pacelli. Eugenio, pour moi, c'était un commis d'épicerie qu'Esther avait remarqué alors qu'elle séjournait avec ses parents dans une pension romaine de la place de la Minerve.

« Jean, le plus bel homme que j'aie vu de toute ma vie. Un Romain comme on les imagine. Ni grand ni petit, équilibré comme une statue de Michel-Ange, ce gars de vingt ans m'attirait, avec sa peau de la couleur du caramel, un visage inventé par Raphaël et des yeux…, des yeux noirs comme les portes de l'enfer ! Dès que j'avais un petit moment, je m'installais à la fenêtre de ma chambre pour l'observer. Son côté animal me fascinait : une démarche toute en grâce, qui pouvait paraître langoureuse de prime abord, mais je t'assure, la nervosité habitait chaque muscle de son corps. Une vivacité d'écureuil dans un corps d'athlète, Jean. De quoi rendre une femme folle ! Un après-midi, il s'est tourné vers ma fenêtre et m'a gratifié de son plus beau sourire ; malgré mes efforts pour ne pas être vue, il avait noté mon manège.

– Tu aurais préféré qu'il t'ignore ?

– Non, non. Qu'il m'ait fait signe m'a mise à l'envers. Je me serais jetée à l'eau pour lui faire plaisir. Quand nous sommes sortis pour aller à l'office de six heures ce soir-là, il était à la porte de la pension. Une présence discrète, car il ne voulait pas alerter mes parents. Nous sommes revenus à la pension pour le souper ; il s'était arrangé pour que je trouve dans ma chambre un bouquet de roses jaunes, très joliment arrangé, auquel était attaché un carton avec ce seul mot : Eugenio. Hélas, nous devions quitter Rome le lendemain très tôt. Je n'ai plus jamais revu mon beau Romain. Ça fait une quinzaine d'années de cela, Jean, et au fond de moi, je n'ai jamais arrêté de le chercher. »

Depuis que se préparait mon voyage, je me voyais facilement suivre l'exemple d'Esther, caché discrètement à mon tour derrière une tenture en train d'observer les jolies Romaines et de faire mon choix. Mais moi, je n'aurais pas le comportement de M. Labonté, de ce faux pèlerin assis à notre table. L'hypocrisie, très peu pour moi ! Je partais pour Rome, mais je ne me cachais pas les buts de mon voyage : partir enfin, voir le monde, accumuler les expériences ! Le pèlerinage de l'année sainte en était une, de ces expériences, mais pas la seule que je recherchais. J'entendais bien ne me refuser à rien.

M. Labonté avait les lèvres humides en nous décrivant les filles de la place Clichy ; rien des manœuvres qu'il avait observées sur les trottoirs, et de celles des hôtesses dans les bars qu'ils avaient visités, ne lui avait échappé. Manifestement, il salivait encore en évoquant ces lieux qui l'avaient enchanté, même s'ils ne lui avaient permis que des actes manqués. Bon public, Mme Labonté opinait du bonnet, se contentant la plupart du temps d'appuyer ses dires.

Papa et maman jetaient un coup d'œil sur moi assez régulièrement, pendant que M. Labonté faisait la conversation. Ils n'avaient pas l'air de trop s'inquiéter qu'un pèlerin aussi dévot que leur ami Labonté s'attarde à décrire le spectacle du Lido en détail ou qu'il magnifie le french cancan de si séduisante manière devant un jeune homme qu'on préparait aux dévotions de l'année sainte. De toute façon, chacun le savait autour de la table, tous les pèlerins suivaient religieusement cet itinéraire, y compris les curés qui les escortaient : on ne va pas en Europe tous les ans, n'est-ce pas ? Et le curé n'avait-il pas rassuré ses ouailles au moment de partir, en leur rappelant, avec bonté et compréhension, que la grâce ne détruit pas la nature...

Il faut reconnaître que papa n'était pas très en air ce soir-là. Il ne me paraissait pas non plus être en situation de me faire la leçon ! Après avoir quitté Esther et m'être longuement promené sur les Plaines, j'étais rentré au moment où l'on s'apprêtait à passer à table. Papa était au boudoir avec ses invités, qui finissaient leurs gin tonics. Son « Bonsoir, Jean » fut juste un peu plus appuyé que d'habitude ; autrement, il ne laissa rien paraître des préoccupations qui, j'en étais convaincu, devaient le hanter. Je saluai les Labonté, fis un geste de la main vers mes sœurs et vers Jean-Blaise et montai à ma chambre, en les priant de m'excuser.

« Veuillez m'excuser ; je vous rejoins dans un instant. »

J'ignorais que j'y trouverais un mot de papa. Le seul mot que, de toute ma vie, il m'a écrit. Je n'exagère d'ailleurs pas en parlant d'un mot, car, sur le carton bleu qu'il avait déposé bien en vue dans ma chambre, entre la porte et le lit, il n'avait écrit que :

Jean, je voudrais te parler seul à seul après le souper. Papa.

Quand, donc, le dernier des invités eut quitté la maison, et alors que maman s'affairait à la cuisine avec Mariette, j'allai rejoindre papa qui m'attendait au boudoir. J'entrai un peu timidement ; je n'ai pas souvent connu des moments d'intimité avec mon père.

« Tu sais, je crois, de quoi je veux te parler, Jean. »

Je pensais bien que c'était de l'abbé Fréchette. À regarder mon père debout en face de moi, l'air aussi sombre, je me demandai s'il n'y avait pas autre chose. Comme l'enfant qui a fait plusieurs mauvais coups et qui ne sait pas lequel lui vaut d'être appelé à l'improviste par ses parents, me passèrent par la tête toutes les raisons que papa pourrait avoir de me rappeler à l'ordre : mes notes qui, pour la première fois de ma vie, prenaient le mauvais bord, les entorses que je multipliais à la discipline familiale et le mauvais exemple que je donnais au très sage Jean-Blaise, le mauvais esprit que certaines autorités du Séminaire me reprochaient, et quinze autres crimes du genre contre lesquels je trouverais bien à me défendre s'il le fallait, je n'en étais pas inquiet.

Autrement sérieux aurait été le fait qu'il ait découvert la liaison que j'avais avec Mme Garneau ou qu'il ait appris qu'il m'arrivait de découcher, avec l'aide d'un complice dans la maison. À ce propos, toutefois, je m'en faisais moins qu'avant : n'avais-je pas rompu avec Esther – c'était du moins l'interprétation que je préférais donner à la rencontre que j'avais eue avec elle, cet après-midi-là. Pour ajouter à la sérénité dont j'essayais de faire provision en vue de la prochaine phrase que prononcerait papa, je me disais qu'avec les secrets que nous partagions tous les deux il n'était pas en bonne position pour m'attaquer de front en quelque matière que ce soit.

« Ben... de l'abbé Fréchette, papa ?

– Mme Garneau m'a téléphoné dans le milieu de l'après-midi. Je suis content qu'elle t'ait mis au courant du drame qui nous frappe. »

Qui nous frappe ? Ce « nous » m'intriguait. À moins que ce ne soit l'un de ces « nous » inclusifs dont les femmes de la famille étaient friandes : « Tu ne sais pas ce qui nous arrive ! Un autre malheur nous frappe. » Cette phrase, elles l'avaient constamment à la bouche. Ainsi apprenait-on combien la vie était chargée d'épreuves, même pour les plus fidèles des fidèles : une lointaine cousine avait perdu son mari, le clocher de l'église paroissiale se fissurait ou le cheval du laitier avait mangé les pivoines du parterre, devant la maison ! Le « nous » permettait de partager le lourd fardeau de ces malheurs.

Papa poursuivit :

« Tu connais bien l'abbé et tu es assez proche de lui. Je ne peux pas croire que ce dont on l'accuse est vrai. En tout cas, je n'ai jamais eu vent de quoi que ce soit et je n'ai été mêlé à aucune de ces histoires, si jamais elles sont vraies. »

Et mon père se lança dans un long monologue pour m'expliquer le travail qui était celui du conservateur des biens patrimoniaux du Séminaire, qu'il prenait soin de bien distinguer des sorties qu'il faisait parfois avec Maxime Fréchette, en quête de beaux meubles. Plutôt deux fois qu'une, il insista sur le caractère irrépréhensible du loisir qu'il partageait avec son bon ami, comme s'il avait senti le besoin de se disculper avec énergie.

« Ton professeur de peinture, Mme Garneau, le sait bien, elle aussi. C'est une amie de Maxime, et une collectionneuse de grande qualité : peu de gens sont au courant, mais elle et son mari possèdent certains des plus beaux meubles victoriens de la ville de Québec. Elle n'a jamais voulu que ça se sache, son nom n'est jamais cité quand on mentionne les grandes collections d'ici. Maxime et moi sommes les seuls à être informés des richesses exceptionnelles qu'elle a en main. »

Il ne tenait pas en place.

« Dis-moi, Jean : as-tu vu la chambre de Mme Garneau ? Est-ce que les autres élèves à qui elle enseigne la peinture l'ont vue, eux ? »

Je ne reconnaissais pas mon père.

« Je vais te dire une chose, Jean. Je suis sûr que l'abbé Fréchette n'est pas coupable, mais…, mais… »

Les mots ne venaient pas, l'agitation le faisant bafouiller.

« ... mais je sais que dans sa maison, et surtout dans son atelier, Mme Garneau possède des commodes, des tables, des cadres et certainement un lit qui appartiennent au Séminaire. »

Il se fit tout agneau.

« Ne me demande pas comment il se fait que cette dame soit en possession de ces biens, je serai obligé de te dire que je l'ignore, Jean. »

Il se laissa choir dans une berceuse, comme affaissé. Sa figure était défaite. Il avait l'air d'un vieil homme, avec ses épaules tombantes et son crâne à demi dénudé qui penchait vers la gauche, comme si quelque paralysie venait de l'attaquer. Je remarquai que ses cheveux en couronne avaient beaucoup grisonné ces derniers temps.

« Jean, si jamais la police découvre les meubles de Mme Garneau, je suis un homme fini. Je serai accusé de complicité. Ce sera le scandale et la fin de ma carrière, dans la honte. Et la débâcle pour la famille. »

Pourquoi papa me disait-il tout ça ? Puisque l'abbé n'était pas coupable, pourquoi s'en faisait-il tant ? Il y avait quelque chose que je ne comprenais pas dans ce qu'il me disait. J'y relevais des contradictions et des différences par rapport à ce que m'avait raconté Esther la veille ; je me trouvais confronté à un discours incohérent qui affirmait une chose et son contraire... Mon père me confiait cela à moi, et j'étais convaincu maintenant qu'il n'en avait pas dit un mot à maman : elle n'aurait pas réussi, elle, à jouer son rôle de maîtresse de maison pendant le souper sans que rien paraisse. Papa, lui, avait malgré tout accompli ce tour de force, ce même papa que je voyais écrasé devant moi et à l'égard de qui j'éprouvais des sentiments fort embrouillés.

Je ne suis pas sans-cœur et je n'aurai jamais la dureté inoxydable des gens d'affaires. J'ai horreur de ce sentiment chargé de mépris qui a nom pitié. C'est pourtant ce que je ressentis à cet instant pour mon pauvre père. Avait-il menti ou mentait-il ? Avait-il eu des liens équivoques avec Esther, ou est-ce l'abbé qui en avait ? Dans quelle galère s'étaient-ils embarqués tous les deux pour qu'il en soit rendu, lui, à un tel degré d'humiliation ?

Je me sentais fort devant cet homme anéanti qui était mon père. Fort, et conforté dans les choix que je faisais de vouloir à tout prix quitter cette atmosphère de compromission, d'accommodement, ces becs retors qui se délectaient des restes, ces combines, ces gestes douteux, ces demi-vérités dont se nourrissaient trop souvent la gloire de la famille Lefrançois et son bien-être.

« Je ne sais pas quoi te dire, papa. Si je peux t'aider, je vais le faire. »

Je sortis du boudoir en lui souhaitant une bonne nuit.

En remontant dans ma chambre, je pensais à Esther. Je ne doutais pas qu'elle ait joué double jeu avec moi ; je restais cependant impressionné par son comportement de la veille : elle, c'était vraiment une comédienne de haute volée, une dame de grande classe.

Je ne me couchai pas tout de suite. Je pris une feuille de papier et j'écrivis à Ann Burns.

II

Un malheur ne vient jamais seul, voilà l'une de ces vérités qui ne saurait être discutée et que l'on se transmet de mère en fille dans la famille ; du coup, les hommes aussi sont contaminés. Un mot bannière, une formule tout usage qui constitue la base du langage maison. C'est à des phrases comme celles-là que l'on reconnaît les vrais membres du clan. Un invité se plaint-il que son futur gendre est affligé d'une trop petite taille ? Sans avoir à y réfléchir, la tribu entière rétorque en chœur : « Dans les petits pots les meilleurs onguents ! » Se plaint-il de n'avoir eu sous la main qu'un trop grand contenant pour le peu qu'il avait à transporter ? « Dans un grand sac on met ce qu'on veut », lançait-on tous ensemble.

Cette langue commune et son lot de formules toutes faites tenaient une telle place dans l'unité familiale qu'elles en venaient à n'être plus comprises par des oreilles étrangères en certaines occasions ; ou si elles l'étaient, leur contenu ne pouvait qu'étonner. Comment, en effet, des invités auraient-ils pu comprendre que des gens aussi distingués que les Lefrançois soient incapables de savourer un bon repas sans que l'un d'entre eux, la bouche encore pleine d'un morceau qu'il trouve particulièrement savoureux, lance la formule la plus susceptible de marquer le contentement du ventre, dans ce clan étrange :

« Mangeons bien, nous mourrons gras ! »

L'étonnement écarquillait les yeux des invités, qui ne savaient comment réagir face à cette horreur. Ils ignoraient, eux, que cette phrase de paysans, on la devait à la vieille Marie, et qu'elle était si bien ancrée dans le sabir familial qu'il ne serait jamais venu à l'esprit d'aucun d'entre nous de la réexaminer. Avec le temps, cette phrase était devenue un leitmotiv pour la tribu, le cri du cœur le plus éloquent qui soit pour souligner la satisfaction que procure le plaisir de bien manger. Ainsi va la vie quand on mène une existence en vase clos.

L'atmosphère du carême de 1950 fut particulièrement lourde à la maison. On sentait que certains hommes de la famille n'étaient pas dans leur assiette. Pas Jean-Blaise, évidemment, que rien ne semblait jamais toucher, mais papa et moi très certainement. La nervosité qui s'était emparée de nous était palpable, j'en suis certain ; chacun autour de nous s'en ressentait. On avait tous hâte au dimanche 2 avril, dans l'espoir que Pâques apporte enfin un peu de calme dans la famille.

Habituellement, seuls les enfants étaient tenus d'assister à la messe tous les matins du carême ; maintenant, papa accompagnait ses filles, ce qui nous étonnait beaucoup, Jean-Blaise et moi. De toute façon, nous n'y allions pas, nous, car notre journée au Séminaire commençait toujours par la messe. Heureusement pour moi, il était toujours assez facile, chez les grands, de se dérober à ce devoir ; je n'avais vraiment pas la tête à aller battre ma coulpe devant Dieu ni à jouer le dévot parce que j'étais dans le trouble. Je suis tenté de dire que je laissais ça à mon père, qui attendait sans doute le miracle qui le sauverait.

Maman, quant à elle, n'avait jamais été une femme pieuse. Bonne catholique, certainement, mais pas très portée sur les excès de dévotion. S'étonnait-elle de cette conversion de son mari qui, pour la première fois depuis ses années de collège, se remettait à la messe quotidienne ? Mes parents s'entendaient bien ; j'aurais été surpris, cependant, qu'ils se confient tous leurs petits secrets. Peut-être même se cachaient-ils aussi les gros ? Je persiste à croire que papa n'avait rien dit à maman des menaces qui pesaient sur lui.

Depuis ma dernière visite à Esther, dans la troisième semaine de février, je ne l'avais pas revue. Pas même sur mon chemin vers la maison, en fin d'après-midi. À certains jours, j'espérais me trouver sur sa route. Par curiosité, ou avec le désir de reprendre contact ? Je ne le savais pas vraiment. J'étais encore sous le choc de notre rencontre, et en même temps, j'aurais eu besoin de la voir, de lui parler. Je lui en voulais de m'avoir trompé et de s'être jouée de moi, mais j'étais tout prêt à lui pardonner, même si tout était fini entre nous. L'instant d'après, elle n'était plus coupable et je ne supportais pas de l'avoir si mal jugée ; je me serais jeté à ses pieds, s'il l'avait fallu, pour obtenir son pardon. Dieu merci, dans l'état de confusion où j'étais, je n'eus pas à décider qui, d'elle ou de moi, était le plus fautif : j'appris de la bouche même de mon père que Mme Garneau séjournait en Floride pour quelques semaines.

« Le chanoine Beaudet, le procureur du Séminaire, aurait bien aimé la rencontrer », me dit papa avant de passer à table, un soir.

J'étais devenu quelqu'un pour lui ! Il ne me parlait pas beaucoup plus qu'avant, certes, mais je voyais que, maintenant, je comptais pour lui – ou qu'il devait compter avec moi, étais-je plutôt tenté de me dire.

« Il a appris qu'elle avait quelques élèves à son atelier de peinture, mais c'est toi qu'il voudrait rencontrer, Jean. Il m'a appelé cet après-midi pour m'en faire part. Il a quelques questions à te poser ; aurais-tu des objections à aller le voir à son bureau demain ? Je ne pense pas que ce soit trop dur pour toi », ajouta-t-il de ce ton paternaliste dont les pères devraient faire l'économie, surtout quand ils n'ont pas la conscience en paix !

Qu'est-ce qu'il me voulait, celui-là ? On m'avait dit que ce chanoine était chargé de l'enquête sur la disparition des œuvres rares au Séminaire. Du fait qu'il avait passé par mon père pour entrer en contact avec moi, j'avais tout lieu de déduire que l'enquête était mal engagée ! Une enquête maison, qui viserait à coup sûr à remettre les choses en place sans blesser personne et en veillant à éviter le scandale, quel qu'en soit le prix. De toute façon, je m'en fichais. Que ce ne soit pas la police qui s'en mêle faisait aussi mon affaire.

« O.K., je vais y aller après mes cours demain. »

D'entrée de jeu, les mains bien ancrées dans son large ceinturon violet, le chanoine Beaudet m'informa que l'abbé Fréchette allait bien ; il savait que c'était mon professeur et mon directeur de conscience et que j'avais de l'estime pour lui.

« Il va bien et se repose. Il est en retraite à la Fraternité sacerdotale, dans la Mauricie. Je ne pense pas qu'il revienne d'ici la fin de l'année scolaire. Es-tu content de son remplaçant ? »

Il me tutoyait et j'en fus étonné : nos professeurs, les maîtres de salle et tous les prêtres avec lesquels nous étions en contact nous donnaient du « monsieur » – c'était même là un trait, une particularité à laquelle on était fort attaché au Séminaire. Jamais ils ne s'adressaient à nous autrement qu'en nous disant « vous ». Seuls des abbés comme Maxime Fréchette, parce qu'ils fréquentaient nos parents, pouvaient se permettre avec nous l'usage de la deuxième personne du singulier, et encore, jamais ne le faisaient-ils en public. Or le chanoine Beaudet, personne n'en avait jamais parlé dans la famille.

« Tu sais, vous avez de la chance : l'abbé Lemieux est un des espoirs du Séminaire. »

Je préférais nettement ne pas répondre ; je me limitai à un « Mmum » peu significatif.

« Ton père t'a expliqué le problème que nous avons. Des œuvres importantes sont disparues du Séminaire et mon rôle, ce n'est pas tant de trouver des coupables que de rapatrier ce qui manque, si je le peux. J'ai commencé mes recherches, Jean, et j'ai de bonnes raisons de croire que certaines pièces d'ameublement ancien auraient été acquises, légalement, très légalement, bien entendu, dois-je préciser, par une dame en vue de la ville, Mme Esther Garneau, l'épouse d'un de nos anciens élèves, maître Jules Gaudet. Ils sont tous les deux en vacances en dehors du pays. »

Il sortit d'un tiroir de son pupitre, un *roll-top* provenant manifestement des biens de la maison, quelques photographies qu'il étendit devant lui.

« On m'a dit que tu prenais des leçons de peinture d'elle. Pour ne pas retarder le dénouement de mon enquête, j'ai besoin de ton témoignage. Tu es la seule personne capable de me dire si les meubles dont j'ai le portrait devant moi sont chez Mme Garneau, dans son atelier. Si c'est oui, je vais attendre le retour du couple ; si c'est non, je ferme le dossier et je cherche ailleurs. »

Ouf ! le chanoine ne faisait pas dans la nuance !

En avançant la main vers les photos, je sentis pour l'une des premières fois le pouvoir de choisir dont je disposais en propre pour infléchir l'avenir, pour déterminer des tournants de ma vie ou orienter celle des autres.

La vérité n'est jamais une ; elle comporte toujours des facettes que l'homme intelligent doit prendre en considération. Pour les uns, ce sont des aspects, pour les autres, des nuances, mais dans tous les cas, en tenir compte indique que l'on n'est pas dupe des apparences et que l'on sait faire la part des choses. Voilà, entre autres avantages, à quoi servait l'éducation qu'on nous donnait.

« Chacun construit son avenir lui-même ; il s'agit de bien sélectionner, d'opter pour les bons choix », affirmait-on d'un air entendu dans la famille.

C'était mon tour de mettre cette règle en application.

« Hum… non, cette commode à fronton cintré, avec ses cinq tiroirs, je ne l'ai pas vue chez Mme Garneau… Non, il n'y avait pas une telle table à cartes… Vous appelez ça un lit-carriole ? Non, le lit que je pense avoir aperçu était très différent. »

Sur les huit photos en noir et blanc que finissait de me montrer le procureur, j'avais reconnu au moins cinq meubles qui pouvaient correspondre à ceux que j'avais vus chez Esther. Je n'étais pas entièrement certain toutefois, les photos m'apparaissaient floues ; en conscience, il m'était possible de douter un peu. « Dans le doute, on s'abstient », nous enseignait-on en appuyant toujours sur ce principe de base de la morale officielle. Il convenait donc que je m'abstienne !

« Ça me rassure, ce que tu me dis là, Jean. D'autant plus que le témoignage vient d'un garçon qui fait du dessin, donc de quelqu'un qui sait observer et remarquer le détail. »

En sortant du bureau du chanoine Beaudet, je me sentais heureux d'avoir protégé Esther ; pas un instant je n'avais pensé à mon père. J'étais quand même content pour lui.

Alors que je me dirigeais vers ma classe, où je devais prendre mes livres avant de rentrer à la maison, je croisai l'abbé Lemieux.

« Je suis heureux de vous voir, monsieur Lefrançois. Je peux vous dire un mot ? »

Le timide abbé n'était pas aussi timoré qu'il en avait l'air. Pour la première fois depuis qu'il était avec nous, il me fit une bonne impression.

« Allons dans la classe, on sera plus à l'aise pour parler. »

Il s'assit sur le coin d'un pupitre, me regarda bien droit dans les yeux.

« Vous n'êtes pas démuni, Jean, loin de là. Pourtant, quand je compare votre rendement des dernières semaines avec les notes que vous aviez avant mon arrivée, je me dis qu'il se passe quelque chose : votre prochain bulletin scolaire sera des plus médiocres. Ce n'est pas normal, j'en suis certain. »

Il se prit le genou de ses mains jointes et s'apprêta à poursuivre, l'air détendu. Je ne pus m'empêcher de penser en moi-même : « N'était la soutane qui l'enveloppe, c'est le vrai type du gars qu'on aimerait avoir comme ami. »

« Oh, je le sais bien, comme certains de vos camarades, vous ne vous êtes pas remis du départ de l'abbé Fréchette. Je serais même porté à penser que mon style ne vous plaît pas beaucoup, ce que je peux très bien comprendre, Jean. »

J'aurais eu le choix de me taire, comme c'est souvent mon habitude dans de pareilles circonstances. D'instinct, j'eus le réflexe de lui répondre :

« Ce que vous dites est un peu vrai, monsieur l'abbé. J'ai beaucoup d'admiration pour M. Fréchette, et bien des points communs avec lui. Il me stimulait. Avec vous, je me sens un peu… orphelin. »

Pas du tout décontenancé par mon commentaire, l'abbé Lemieux me fit parler des cours de son prédécesseur et m'interrogea sur les volets du programme qui m'attiraient le plus. Il n'y avait aucune agressivité dans mes propos ni le souci de comparer le passé au présent quand j'évoquais l'enthousiasme de Maxime Fréchette, l'ampleur de ses vues et son savoir appuyé par une vraie connaissance du monde.

« Sur plusieurs des points que vous soulignez, Jean, jamais je ne serai capable de faire aussi bien que celui que je viens remplacer au pied levé. Je n'ai ni son expérience ni son bagage, je n'ai pas son âge non plus ! J'aimerais cependant que mes manques, si tel est le cas, ne nuisent pas à mes élèves. Quand je regarde la courbe de vos résultats, les vôtres plus que ceux des autres, Jean, je m'en inquiète vraiment. Qu'est-ce que je devrais faire pour que ce chambardement que l'on a connu ne vous nuise pas ?

— Je trouve sympathique ce que vous dites, l'abbé, mais je voudrais vous rassurer : là n'est pas le problème ! »

Là n'était pas le problème, mais je n'avais pas du tout l'intention de lui dire ce que je vivais.

« Il se passe des choses dans ma vie personnelle qui me déconcentrent. J'ai de la difficulté à étudier. Ne vous en faites pas, vous n'êtes pas en cause. C'est sûr que, pour un changement, c'en a été tout un. Mais on n'est pas fou, on est capable de s'adapter. »

Je me levai et ne pus résister au désir de lui serrer la main.

« Je regrette de ne pas pouvoir faire davantage ces temps-ci, l'abbé. »

Pâques passa sans que le ciel tombe sur la maison ; papa avait même retrouvé un peu de sa superbe, bref la vie continuait comme si rien de grave n'était survenu chez nous. Virginie ne parlait que de son mariage ; avec maman et ma sœur aînée Betty, il n'était plus question que de chiffons, de protocole et d'invités. Ce serait la noce mondaine de l'été. D'en fixer la date avait été un bien gros problème.

« Jean part le 22 juin pour son voyage de l'année sainte. Ou bien on fixe le mariage avant, ou bien on attend son retour, après le 28 juillet, avait décidé maman ; on ne peut quand même pas marier une première fille sans que tout le monde soit là. »

Je les écoutais discuter avec un profond détachement. Elles en étaient aux faire-part, à propos desquels l'étiquette ne souffrait pas d'exception : les Lebel, lorsqu'ils avaient marié leur Jeannette, à l'automne, s'étaient montrés tout à fait incorrects en apposant d'avance un timbre sur l'enveloppe-réponse (« Pour qui nous prennent-ils ? Comme si on n'avait pas les moyens d'acheter un timbre pour leur répondre ! C'est un manque de savoir-vivre. ») ; la grande famille des Soucy, elle, avait oublié de mettre les carrés de papier de soie dans l'enveloppe, autant de bévues qu'il fallait éviter « pour bien faire les choses et ne pas prêter le flanc aux commentaires ».

Que j'étais éloigné de ces futilités de bourgeois ! J'en avais plein la tête à essayer de maîtriser mes bouillonnements intérieurs, à tenter de liquider mes cauchemars. Ann ne répondait pas à ma lettre, les bras d'Esther me manquaient douloureusement et je souffrais d'appartenir à une famille aussi superficielle, où l'on ne se préoccupait que de choses sans importance. Même papa prenait part aux préparatifs du mariage : il tenait autant que ma mère à ce que les hommes portent le *morning coat* et ne dédaignait pas de donner son avis sur les robes des filles d'honneur, lui qui avait toutes les misères du monde à remarquer les toilettes de sa femme ou de ses filles dans la vie courante.

On aurait souhaité que l'abbé Fréchette célèbre le mariage ; malheureusement, il était au repos, et les nouvelles de sa santé laissaient croire qu'il n'était pas à la veille de revenir. Quand j'appris que nous aurions comme convive, un soir, le chanoine Beaudet, je compris qu'on avait trouvé un substitut à Maxime Fréchette pour la cérémonie religieuse. Et que papa était sorti de la tempête.

Au souper ce soir-là – le dimanche 16 avril très précisément, une date que je ne saurais pas oublier –, non seulement le procureur était-il là pour célébrer l'innocence retrouvée de mon père, mais en plus il était accompagné du supérieur du Séminaire lui-même, un monseigneur que nous connaissions peu, nous les élèves. C'était un saint homme sans doute, dont la conversation montrait qu'il n'était pas du tout au courant de ce qui s'était passé autour de lui ces dernières semaines. « L'entourage des princes a rarement été choisi parmi les prix de vertu », nous rappelait parfois l'abbé Fréchette. À l'entendre, j'avais le net sentiment que ce digne monseigneur était manipulé par son entourage. Il débitait d'aimables banalités qui, pour certains initiés au moins, contrastaient avec les propos lourds de sous-entendus que tenait le chanoine, un expert en paraboles – question de métier, j'imagine ! Le supérieur n'avait aucunement conscience des raccommodages auxquels le procureur avait procédé pour régler l'affaire dans laquelle était impliqué papa. Absolument rayonnant, ce dernier présidait la conversation comme un héros sans tache.

C'en était trop. Nous attendions que Mariette apporte le dessert quand je décidai de me lever de table. Poliment, je priai chacun de m'excuser et sortis de la salle à manger. Maman se leva à son tour, inquiète de moi.

« Non, non, je n'ai rien, je ne suis pas malade. »

Allais-je ajouter que j'étais juste un peu écœuré ? Ç'aurait été inutile, et je me tus, comme d'habitude : le réflexe de l'homme qui règle ses affaires lui-même et préfère ne pas embarrasser les autres avec ses états d'âme. Je montai à ma chambre.

*

Les invités étaient passés au salon depuis quelques minutes, à en juger par le déplacement de leurs voix, quand j'entendis la sonnerie du téléphone.

« Jean, le téléphone, c'est pour toi. »

Éloïse était au bas de l'escalier. Curieuse comme toujours, elle était restée là, espérant que je lui laisserais savoir qui m'appelait ; elle n'avait pas reconnu la voix. Je me rendis dans le couloir et, saisissant l'appareil, je me glissai dans la salle de couture.

« Allô. »

Personne ne répondait au bout du fil. Je répétai mon « Allô ». Toujours rien. Puis, j'entendis qu'on respirait là-bas.

« Allô ! Ici Jean Lefrançois. Est-ce bien à moi que vous voulez parler ? Est-ce que je peux vous aider ?

– Jean ! Excuse-moi, mais je suis mal pris. »

J'eus beau l'écouter avec attention, je ne reconnaissais pas du tout cette voix.

« Allô ! Mais qui parle, s'il vous plaît.

– C'est moi, c'est... »

Il y eut à nouveau un silence.

« C'est Philippe. Philippe Maurice. »

Je reconnus aussitôt mon interlocuteur, mais avec quelle surprise ! Il y avait des mois que je l'avais vu, et puis, jamais il ne m'avait téléphoné depuis que je le connaissais. C'était la première fois, et je n'en éprouvai aucun plaisir. Je me demandais même comment il avait pu avoir mon numéro de téléphone, car j'avais été avec lui d'une totale réserve.

« Philippe ! Mais qu'est-ce que tu fais ? Où es-tu ?

– Ça ne va pas du tout, Jean. Il faut que tu m'aides. »

La voix était brisée, rauque, et l'homme semblait oppressé. J'entendais son souffle à chaque membre de phrase. Était-il ivre, ou sous l'effet de la drogue ? J'avais plutôt le sentiment qu'il était poursuivi par quelqu'un et qu'il avait réussi à trouver un téléphone pour appeler au secours. Pourquoi s'adressait-il à moi ?

« Où es-tu ? Dis-moi comment je peux te trouver et j'arrive le plus vite possible. »

Ce n'était pas le temps de faire enquête. Ni même de m'étonner qu'il m'appelle : cet homme avait besoin de moi, je ne pouvais l'abandonner, quels que soient mes sentiments à son égard.

« J'ai laissé mon groupe d'amis dans un bar, se décida-t-il à répondre de sa voix ébréchée. Il s'appelle le Shamrock, je pense. »

Il hésitait, comme si chaque mot lui coûtait un effort.

« Je suis au Nouvelle-Orléans, maintenant. Peux-tu venir ?

— Oui, oui, j'arrive bientôt. En attendant, va t'aérer, ça va te faire du bien ; je te prendrai dehors. Ne t'inquiète pas, j'arrive. »

Je raccrochai et restai sur place, un peu sonné. Je n'avais pas revu Philippe Maurice depuis l'été dernier ; c'était bien la dernière personne au monde de qui j'aurais attendu des nouvelles. Qu'il ait des ennuis n'avait pas de quoi m'étonner, mais qu'il fasse appel à moi, cela me dérangeait. Je ne savais pas trop quoi penser.

Le fait qu'il avait trouvé le numéro de téléphone de mes parents me préoccupait beaucoup ; il savait donc qui j'étais, qui était mon père. Depuis quand ? Tout mal en point qu'il ait été, comment avait-il pu me joindre ? Était-ce prémédité ?

Éloïse était toujours au pied de l'escalier. Je l'avais oubliée, celle-là !

« C'est qui, Jean ? Est-ce pour moi ?

— Quelle belette tu es, ma sœur. Tu le sais très bien que ce n'est pas pour toi, niaise ; c'est toi qui m'as demandé de répondre ! »

Quelques minutes plus tard, sans dire un mot à personne, et surtout pas à cette Éloïse qui tournait autour de moi, je sortis en vitesse de la maison. Je me dirigeai vers la Grande-Allée, tout en jetant un œil à droite et à gauche.

« À dix heures et demie du soir, les taxis ne courent pas les rues à Québec », remarquai-je en moi-même.

Il n'était pas question que j'en appelle un depuis la maison, tout le monde l'aurait su ! Aucun taxi dans la rue des Érables, aucun non plus dans la Grande-Allée. Par chance, un bus interurbain s'en venait ; je fis signe au chauffeur, qui arrêta son véhicule.

« Pas grand monde dans la rue ce soir », me dit-il.

Il vit que je n'avais ni jeton ni même de monnaie ; qu'un billet de cinq dollars.

« C'est pas grave. Mes *boss* font assez d'argent ; ça ne les appauvrira pas… à condition que vous ne disiez rien », ajouta-t-il en plaisantant.

Je trouvai bien long le trajet. Le bus zigzaguait sans se presser dans Sillery, puis prenait son temps pour parcourir le chemin Saint-Louis ; il remonta enfin vers le boulevard Laurier. Je descendis au coin de la rue de l'Église. Une petite pluie s'était mise à tomber, toute fine, mais il ne faisait pas froid. Un beau soir de printemps. Je traversai la rue et me trouvai tout de suite devant le bar du Shamrock ; on s'amusait ferme dans la boîte. Deux minutes après, j'étais devant le restaurant Nouvelle-Orléans, mais je ne voyais pas Philippe. Je regardai aux alentours, puis me rendis au stationnement d'appoint qui était derrière, pas âme qui vive. Je revins près de l'affiche lumineuse qui dominait l'entrée du restaurant et fouillai du regard le boulevard ; quelques voitures passaient, mais aucun piéton le long de cette artère sans trottoir.

« Une vraie rue de Far West », me dis-je avant de revenir sur mes pas.

J'entrai dans le restaurant. Je fis le tour du bar, puis des deux salles du restaurant. Pas de Philippe. Dans la salle de toilette des hommes, il n'y avait personne non plus. Je retournai dehors et me mis à marcher le long du chemin, en direction du pont. Pas un chat. Personne. Je décidai de traverser la route et repris la direction de la rue de l'Église en scrutant les alentours. Tout à coup, comme j'arrivais devant le garage Esso dont toutes les lumières étaient éteintes, j'aperçus une forme humaine : un homme était assis, recroquevillé, sur la marche d'entrée du garage, abrité vaguement par une marquise de peu d'utilité pour lui. C'était Philippe.

« Mais qu'est-ce que tu fais là ? »

Je le pris par le bras droit et tentai de l'aider à se relever. Il ne réagissait pas ; tout au plus leva-t-il un peu la tête pour me regarder, sans un mot.

« Viens, on va aller se mettre à l'abri. »

Il ne bougeait pas et ne paraissait pas vouloir le faire, quoi que je lui dise. Je m'assis à côté de lui et tentai de le raisonner, de l'aider. Rien n'y faisait, si bien que je finis par lui dire :

« Philippe, je ne peux te laisser comme ça. Je vais appeler l'ambulance et la police. »

C'était sans doute la phrase qu'il ne fallait pas dire ; il eut un sursaut d'énergie, me regarda, nettement cette fois :

« O.K., aide-moi à me relever. »

Ce ne fut pas chose facile, car il était visiblement ivre. Une fois debout, il n'était pas beau à voir : une figure ravagée et les cheveux en bataille, une allure de vagabond avec ses vêtements de travail déchirés et souillés par la boue. Il avait dû trébucher à plus d'une reprise et s'était finalement trouvé là, sans trop savoir comment. Il sentait le fond de tonneau.

« Où veux-tu aller, Philippe ? »

Malgré la pitié qu'il m'inspirait – je corrigeai vite dans ma tête le mot de pitié par celui de compassion –, je n'avais aucun goût de jouer le bon Samaritain avec lui. Il n'était surtout pas question de l'amener chez nous ni même d'essayer de l'installer dans un motel des environs ; dans l'état où il était, personne n'en aurait voulu. Je le pris sous le bras et on fit quelques pas.

J'avais vu entre-temps qu'il y avait, derrière le garage, quelques vieilles carcasses de voitures, toutes des américaines de modèle courant, alignées le long d'un chantier qu'entouraient des formes de bois toutes prêtes à recevoir le béton ; à en juger par la machinerie, on amorçait la construction d'un édifice.

Philippe se laissa conduire jusqu'à la rangée d'autos. Je l'appuyai sur l'une d'entre elles pendant que je tâtais les portières. Ce ne fut pas difficile d'en ouvrir une, elles étaient toutes déverrouillées. Je réussis à installer Philippe sur la banquette arrière d'une vieille Ford vert bouteille dont les vitres n'étaient pas brisées et je m'assis à côté de lui. Il était trempé jusqu'aux os, mais ne grelottait pas. Heureusement pour lui, le temps restait doux à l'extérieur, malgré la pluie. Sous mon imperméable, j'avais mis un lainage ; je l'enlevai et voulus aider Philippe à l'enfiler. Il refusa. Il tourna sa face vers moi.

« Je te hais, Jean Lefrançois. »

Il fit un effort pour cracher sur moi. Sans succès ; la salive lui resta accrochée au menton et glissa lamentablement sur sa poitrine. Sur le coup, je restai saisi. Celle-là, je ne l'attendais pas, mais à vrai dire, elle ne m'étonnait pas tellement.

« Je sais tout sur toi maintenant, Jean Lefrançois, et je te hais. »

Il me regardait avec des yeux fiévreux ; sa bouche tremblait, la lèvre inférieure pendante comme pour exprimer un dégoût profond. Il essaya de nouveau de cracher en ma direction, mais ne réussit qu'à se souiller un peu plus le menton.

« Pourquoi toi et pas moi ? Pourquoi moi, je suis le bâtard, l'enfant rejeté ? Va-t'en, Jean Lefrançois. Va-t'en. Je ne veux pas que tu t'occupes de moi ; mes problèmes, ma vie manquée, c'est à moi. Va-t'en dans ta serre chaude, va-t'en dans les bras de ton c... de père. Toi, au moins, il t'a reconnu ! »

En disant cela il me repoussait, faisant des efforts pour me jeter hors de l'auto.

« Tu n'es pas dans ton état normal, Philippe. Laisse-moi t'aider. Moi, je ne peux pas te haïr. Pas aujourd'hui, en tout cas. »

Je voulus le prendre par le bras.

« Viens, on va aller à l'hôpital. Je vais t'aider. »

Ce fut peine perdue. Je sortis de l'auto pour respirer un peu. Il me suivait des yeux ; sur sa figure pouvait se lire un mélange de haine et de fatigue ; un gars de vingt ans aussi amoché faisait peine à voir. De marcher sous la pluie m'aida à me ressaisir. Les idées se bousculaient dans ma tête ; je tentais de m'expliquer la situation, de comprendre le comportement de mon bizarre de visiteur et, plus que tout, sa dernière phrase. « Toi, au moins, il t'a reconnu ! » Je craignais subitement de saisir ce qu'il avait voulu dire.

Décidé à tirer les choses au clair, ou au moins à obtenir un peu plus d'explications malgré l'état dans lequel il se trouvait, je revins à l'auto. Il n'y avait plus personne ! Je m'approchai ; Philippe avait glissé sur le plancher et paraissait s'être endormi sans demander son reste. Il était inutile d'essayer de le réveiller. Dans la cour, j'avais remarqué qu'il y avait des couvertures de feutre dans la cabine de certaines des grosses machines qu'on utilisait pour creuser la terre ou pour remblayer ; je finis par trouver une porte de cabine qui s'ouvrait sans trop de peine. Philippe ne se rendit pas compte que je venais de le couvrir pour la nuit. Il était parti pour des heures. À ma montre, il était une heure vingt-cinq.

Il faut bien compter trois milles de la rue de l'Église à la rue des Érables. C'est à pied que je fis le trajet, traversant Sainte-Foy, Sillery et les premières rues de Québec. De rares autos venaient rompre le silence qui m'entourait. Je ne les remarquais pas, pas plus que je ne voyais les maisons devant lesquelles je passais. Philippe avait bu, et c'était comme si j'avais hérité de son ivresse ! Il puait la haine, il m'avait maudit, mais étrangement, je ne pouvais pas lui en vouloir : sa haine ne me collait pas à la peau, je ne pouvais pas la prendre sur moi.

Il était bien onze heures le lendemain matin quand je me rendis au garage Esso. La nuit avait été courte. J'avais très mal dormi et très mal rêvé. En arrivant près du garage – j'avais pu, Dieu merci, prendre l'auto que papa venait d'acheter pour les enfants, ces derniers temps –, la première chose qui me sauta aux yeux, ce fut l'effervescence qui régnait derrière l'atelier de mécanique, sur le chantier de la rue Sasseville ; une immense grue faisait balancer dans le ciel de grandes plaques de fer qu'elle venait déposer dans ce qui n'était hier qu'un trou. Autant dans la rue Sasseville que sur le boulevard Laurier, des bétonnières attendaient en file qu'un contremaître leur signale que c'était à leur tour de reculer vers l'espèce de palissade de bois qui entourait le grand trou. Le chantier était gigantesque. Rien à voir avec les silhouettes tranquilles de la nuit. Les camions s'approchaient par-derrière, versaient dans les formes du mur leur chargement de béton et, sur un coup de klaxon, repartaient dans un grondement en laissant échapper un gros nuage de fumée noire.

En m'engageant dans l'entrée du garage, je m'aperçus tout à coup que les carcasses d'auto n'étaient plus là. Je freinai brusquement ; complètement incrédule, je voyais qu'on avait dégagé le fond de cour de toute la ferraille qui en clôturait l'arrière il n'y avait pas dix heures de cela. Une fois le choc passé, je manœuvrai pour amener la voiture devant les pompes. L'employé vint rapidement me servir.

« Bonjour, monsieur, lui dis-je. Qu'est-ce qui se passe derrière chez vous aujourd'hui ? Un vrai chantier !

– Oui, et on en a pour plusieurs jours. Vous avez vu la grandeur du trou qu'ils sont en train de combler. Et l'épaisseur des murs ! Ce sera le plus gros édifice de la ville. »

D'un air que je voulais détaché et sur le ton d'un vieil habitué, je lui demandai ce qu'il était arrivé de la rangée des vieilles voitures qu'ils avaient accumulées derrière le garage.

« Les ingénieurs avaient besoin de vieux fer pour solidifier leur structure de ciment. Ils avaient demandé au patron de leur garder toutes les carcasses qu'il pouvait trouver. Pas besoin de vous dire que ça faisait son affaire : au lieu de payer pour faire sortir les minounes, on l'a payé, lui, pour s'en débarrasser. »

Tout ce que je pus prononcer fut un « Ah » éteint. J'étais abasourdi.

« Ça n'a pas pris dix minutes et tout était dans le trou. Tout de suite, les grues ont commencé à recouvrir les carcasses de ces plaques de fer que vous voyez descendre ; une feuille de fer, un voyage de ciment, et c'est comme ça depuis le matin. »

Je fis semblant de chercher mon porte-monnaie.

« Excusez-moi, mais j'ai oublié mon argent. Je reviendrai tout à l'heure. »

Et je m'empressai de quitter les lieux.

III

Il n'y a pas eu de temps des fraises en 1950. Ni lilas ni muguet. Ni même de printemps. Je n'ai rien vu du soleil et des érables, rien senti des premières violettes. Tout mon temps s'est passé à apprendre à vivre avec mes peines et mes secrets. À tenter de m'en sortir, parfois avec frénésie.

D'abord, il y eut la mort de Philippe, et puis, il me fallut faire face aux événements qui s'ensuivirent.

Philippe était mort, c'était de ma faute. Dans ma tête défilèrent pendant des heures et des jours les images du 16 avril : les scènes de cette soirée se succédaient en rafale, dans une logique froide ; l'horreur de ce qui était survenu me tordait le ventre.

Philippe Maurice était mort, mais personne ne le savait. Personne non plus ne le saurait. Aurais-je dû me précipiter au poste de police pour raconter ce qui venait de lui arriver ? J'en ignore les raisons, mais quelque chose au fond de moi me retenait d'ouvrir la bouche, malgré les remords qui me torturaient. Était-ce le caractère absolument invraisemblable de cet accident ou la crainte des soupçons qui se seraient portés sur moi ? Je ne le crois pas. À première vue, ce n'était pas non plus le souci de ne pas impliquer les Lefrançois dans une affaire de sang, encore qu'à cet égard, des sentiments contradictoires m'habitaient : la phrase que Philippe avait prononcée à propos de mon père m'avait causé tout un choc ; plus les heures passaient, plus elle me faisait peur. Plus elle me révoltait, aussi.

Dans un premier temps, j'avais refusé de comprendre le sens de cette phrase et de prêter foi aux insinuations de Philippe Maurice. Puis la vérité m'avait sauté aux yeux : Rodolphe Lefrançois était le père de l'enfant qu'avait eu Jeanne Paradis ! Et comme son propre père en son temps, mon père n'avait pas reconnu le fils qu'il avait fait à sa secrétaire.

Ce jeune homme blessé par la vie, qui venait de mourir par ma faute, c'était mon demi-frère, mon frère de sang… Plus que de la sympathie, c'est une indicible affection que je ressentais maintenant pour lui. Mais il était trop tard ; les idées qui se bousculaient dans ma tête pour venir à son aide ne servaient à rien ; elles n'étaient qu'illusions et chimères, et ne pouvaient qu'alimenter mon désarroi. Je regrettais d'autant plus d'avoir été l'instrument de son malheur, à ce pauvre Philippe, qu'il ne me serait plus possible de reprendre contact avec lui. Il était mort, et le coupable, je ne le connaissais que trop bien.

« Si j'avais su, l'été dernier, ce que je viens d'apprendre, me disais-je, j'aurais agi autrement ; je me serais rapproché de lui, malgré son caractère de porc-épic. »

Le drame s'était produit dans la nuit de dimanche à lundi ; il m'avait éclaté en pleine figure le lendemain midi, quand j'avais vu l'énorme machinerie en train de remplir ce trou qui était devenu la tombe de Philippe.

J'étais catastrophé. Je traversai le pont de Québec et pris la route qui longe le fleuve, en direction de Lévis. Sans but précis, juste pour oublier ce qui m'arrivait : c'est drôle comme une auto en mouvement, le ronronnement régulier d'un moteur et le vent qu'on laisse entrer à pleines fenêtres dans une voiture en marche peuvent anesthésier le mal qu'on ressent. Après avoir roulé un bon deux heures, j'avais atteint un état d'engourdissement mental tel que j'en étais devenu étranger à moi-même. J'avais atteint la frontière des limbes. Sur ces bords lointains, le réel s'estompait ; emporté dans les espaces interstellaires, je pouvais distinguer au loin d'étonnants anneaux – était-ce ceux de Saturne ? – dans lesquels flottaient des voitures américaines de petite taille, des bulldozers et des plaques de métal qui s'entre-choquaient dans un silence sidéral. Je ne m'étonnais plus de ne pas y trouver mon ami Philippe.

À l'Islet-sur-Mer, je me rendis compte que Kamou-raska n'était pas très loin. Aussitôt, je rebroussai che-min et repris la route vers Québec. Malheureusement pour moi, les limbes avaient disparu ; je retombais sur terre. À tout moment, je revoyais Philippe, je refaisais les gestes de la veille, prenant un soin quasiment maternel à bien le couvrir pour qu'il n'ait pas froid, et puis un épouvantable bruit de métal me défonçait les tympans : je ne savais plus qui de Philippe ou de moi venait d'être précipité dans la nuit de la mort. Le mal de ventre s'emparait de moi, le souffle en venait à me manquer et j'avais la tête enserrée dans un étau qui ne se relâchait pas ; à quelques reprises, je dus arrêter l'auto sur le bord de la route pour me libérer des haut-le-cœur qui me secouaient le corps.

De peine et de misère, je rentrai en ville et me ren-dis à la maison par le chemin Saint-Louis ; je ne voulais surtout pas revoir le garage Esso. Je m'engageai dans la ruelle. Gigotte était là, devant le hangar ; quand il me vit venir, il s'approcha de l'auto.

« Te voilà, Jean. On te cherche depuis l'heure du lunch. Tes sœurs ont besoin de l'auto, elles ne sont pas de bonne humeur. »

Il ouvrit la portière de mon côté.

« C'est mieux que ce ne soit pas toi qui leur appor-tes l'auto ; donne-moi la roue, je vais aller stationner la Vauxhall devant la maison et leur dire que tu es arrivé. Comme ça, tu ne recevras pas l'orage par la tête ! »

Il vit bien que j'étais à l'envers.

« Tu n'as pas l'air en forme, toi. Un petit conseil : va t'installer dans mon hangar et te reposer un peu. Tu monteras dans ta chambre plus tard. Violette est là, elle va te servir du thé, ça te fera du bien. »

Comme Gigotte, Violette Truchon, en me voyant entrer, crut que j'avais abusé de la bouteille. Elle ne tarda pas, cependant, à se rendre compte que ce n'était pas l'alcool qui m'avait ainsi brisé. Elle ne me posa pas de questions et m'aida à m'installer dans un fauteuil qui avait appartenu à ma grand-mère. Le thé qu'elle me servit était bien chaud ; à chaque gorgée, je sentais un peu de réconfort pénétrer en moi, un peu de paix aussi. J'en avais bien besoin. Sous l'œil presque maternel de Violette, je finis par m'endormir.

Il faisait noir quand je me réveillai.

« As-tu le goût de manger quelque chose, Jean ? »

Je n'avais pas faim. Je repris un peu de thé, puis demandai à Gigotte si mes parents étaient à la maison. Question inutile, je m'en aperçus en entendant la réponse rapide de mon ami :

« Ils sont morts d'inquiétude. Je les ai tranquillisés en leur disant que tu étais fatigué et que tu avais préféré te reposer chez moi avant d'entrer à la maison. Ils m'ont demandé ce que tu avais, ils ont même dit : "Est-ce qu'il était en boisson ?" Je les ai rassurés, ne t'en fais pas, mais il est certain qu'ils ne comprennent pas.

– Viens, Gigotte, viens avec moi, on va aller à la maison. »

Il était aux environs de six heures et demie. Contrairement à la routine, le souper n'avait pas encore été servi. Maman accourut à la cuisine quand elle entendit la porte d'en arrière s'ouvrir. Elle me regarda et comprit que quelque chose n'allait pas. Son regard ne me jugeait pas : c'était la mère qui m'accueillait, la femme qui a donné la vie et dont le premier souci est de protéger ses petits, quoi qu'il advienne. La veille encore, je n'aurais pas fait un tel geste, mais ce jour-là, je me jetai dans ses bras, comme un enfant. Papa apparut dans le cadre de la porte. Il ne dit pas un mot. Il s'approcha de nous et me mit la main sur l'épaule, sans une parole. C'était exactement ce qu'il fallait faire. Je me sentais appuyé.

Pendant des jours, je ne pus quitter le lit. Une fièvre tenace me brûlait, qui me rendait incapable de faire les gestes les plus quotidiens. On s'inquiétait de moi, car il semble que, par moments, j'étais en proie au délire. Le docteur Talbot, notre médecin de famille, vint me voir à quelques reprises ; à son avis, j'avais été en contact avec des microbes d'un type rare, qui expliquaient cette grippe inhabituelle, sournoise même, contre laquelle je me débattais. Il me prescrivit des injections de pénicilline pour faire baisser la fièvre et rassura mes parents : ce n'était pas mortel.

Je savais bien, moi, de quel mal je souffrais. Il n'avait qu'un nom : la peur. J'avais tué un homme, un ami, et je m'attendais à ce que, d'une minute à l'autre, la porte s'ouvre et laisse entrer des policiers. Philippe était mort, et c'était moi le coupable.

J'entendais déjà le verdict du juge :

« Coupable d'homicide. » Un écho caverneux ajoutait pour moi seul : « Et de fratricide ! Et de fratricide ! »

J'avais la peur au ventre. Dans mon lit, je suffoquais, j'étais oppressé. J'étais tendu comme le condamné qui attend l'instant où il sera appelé vers le couloir de la mort. J'avais le corps en feu, l'estomac à l'envers et la tête pleine de cauchemars ; en état de veille autant que dans les rares moments où je parvenais à m'assoupir, ces mauvais rêves ne me quittaient pas, ils me grouillaient derrière le front comme si j'y avais entretenu un nid de vipères. Je luttais contre le sommeil d'ailleurs, car les rêves diurnes me faisaient moins mal. Maman venait souvent s'asseoir près de mon lit ; elle me tenait la main, me donnait des gorgées d'eau et ne parlait pas, si ce n'est pour m'inciter à rester calme, à dormir paisiblement, quand elle s'apercevait que j'étais agité.

S'il m'arrivait d'ouvrir l'œil quand elle était là, cette pauvre maman, aussitôt elle retrouvait sa place dans le drame qui se jouait dans mon cerveau. Tout de noir vêtue, menue, elle se tenait assise à la gauche d'une scène totalement vide ; sans qu'un mot sorte de ses lèvres, elle regardait le sol et ne bronchait jamais. À l'autre extrémité des planches, un homme était debout, entièrement nu, les bras ballants et la figure pensive d'un Arlequin malheureux : c'était moi. La peur m'avait quitté. Je n'étais plus en colère ; j'étais triste.

Puis, par un inexplicable phénomène de bilocation, je me dédoublais et me retrouvais, en un même instant, debout sur la scène et assis dans la loge royale de ce théâtre sans nom ; j'étais devenu le spectateur de moi-même. Je gardais les yeux rivés sur ces deux personnages, qui me faisaient pitié : on s'était moqué d'eux, ils avaient été floués, ils ne s'étaient rendu compte de rien. Une pièce s'était jouée, dont ils avaient été des protagonistes importants. Je voyais encore derrière eux la troupe des acteurs avec qui ils avaient partagé les rôles, avec qui ils avaient échangé des répliques bien mémorisées. Le masque à la main, les acteurs causaient entre eux, devant la grande toile qui tapissait le fond de scène, où surgissait maintenant un immense paquet de cigarettes Philip Morris. Je reconnus alors tous ces comédiens au visage découvert : papa, l'abbé Hébert, Luce, l'abbé Fréchette, le chanoine Beaudet et même Esther. Devant eux, je me sentais immensément seul, et triste.

Le dernier acte venait de s'achever, et c'est à ce moment seulement que la femme en noir et le jeune homme ont compris qu'une comédie s'était déroulée – sans eux. Ils avaient été bernés par le reste de la troupe. Leur rôle, les textes qu'on leur avait fait réciter, tout avait prêté à confusion : ils n'avaient pas joué dans la même pièce que les autres ! Des jouets entre les mains de ces maîtres du double langage, de ces princes de l'équivoque, voilà ce qu'ils avaient été.

Dans le coin droit de la scène, l'image du paquet de cigarettes s'effaçait brusquement pour faire place à un encart d'une tout autre venue. Un long corridor y apparaissait dans la pénombre ; de proche en proche, du plafond y descendaient des cercles de lumière, identiques à ceux que les réflecteurs avaient projetés sur les personnages et qui les avaient poursuivis tout au long de la comédie. Dans cette galerie des glaces qui s'ouvrait sur une perspective illimitée, les cercles de lumière alternaient, les uns petits, les autres plus larges. Des hommes et des femmes se tenaient debout près du premier cercle. On y retrouvait les acteurs de tantôt, auxquels d'autres s'étaient ajoutés, qui, eux aussi, avaient des airs de famille. Tous ensemble et au même rythme, anciens et nouveaux commencèrent à marcher d'un pas mesuré vers le deuxième, puis le troisième et vers tous les autres points de lumière, lesquels s'amenuisaient à mesure que le regard se portait plus loin. Cet alignement de flaques lumineuses se perdant dans l'infini, il devenait évident que les mouvements de cette troupe ne cesseraient jamais.

La noirceur tomba tout à coup sur la scène. Je ne voyais plus rien. Quand les réflecteurs se rallumèrent, les comédiens avaient repris leur place initiale, près du premier cercle pour les acteurs, dans son coin de la scène pour le jeune homme qui était moi. Ma mère, elle, n'avait pas bougé et ne broncherait pas jusqu'à la fin.

Le jeune homme quitta alors l'endroit où il se tenait et vint s'installer dans le premier cercle. Autour de lui, les gens continuaient à causer ; personne ne prêtait attention à sa présence. Chose remarquable, non seulement les comédiens de l'instant d'avant, mais la plupart des hommes du groupe tenaient maintenant à la main un masque dont ils se couvraient parfois pour converser, sans qu'on sache trop pourquoi.

La lumière clignota. Après une ou deux secondes d'obscurité, le même tableau revint, sauf que, cette fois, d'autres jeunes hommes comme moi étaient campés au centre de chacun des halos qui s'alignaient sans fin vers l'horizon. Le long de cette théorie de cercles, cependant, aucune foule n'entourait ces adolescents nus ; enfermés dans leur cloison unidimensionnelle, ils paraissaient bien seuls. Toujours debout dans le premier cercle, au milieu d'une foule considérable, j'étais de toute évidence enfoncé dans une immense solitude.

Commença alors une série de clignotements brefs. À chaque arrêt de la lumière, la foule qui faisait cercle près de moi se dédoublait comme par magie, les mêmes personnages se retrouvant tout d'un coup dans le deuxième, puis dans le troisième cercle, et dans chacune des touches de cette fantasmagorique traversière dont l'extrémité allait se perdre au fond, plus loin que les murs de la scène.

Les sosies ainsi créés présentaient une particularité qui m'intrigua vivement : bien que, d'un cercle à l'autre, autour de chacun des acteurs nus qui se tenait immobile dans sa rondelle lumineuse, il se fût agi des mêmes personnes qui s'étaient de la sorte multipliées en autant d'exemplaires qu'il y avait de points lumineux, leurs vêtements, à chacun de ces personnages, semblaient en un instant se liquéfier comme s'ils étaient de cire. Puis, à peine quelques secondes plus tard, ils se modifiaient et prenaient aussi vite des formes et des couleurs différentes les unes des autres, au fur et à mesure que la lumière faisait surgir de l'ombre ces fantômes bizarres dont les vêtements étaient en conséquence datés, si bien qu'en peu de temps j'eus l'impression d'avoir sous les yeux un ensemble de gravures qu'on aurait tirées de vieux catalogues de vente et qu'on aurait accrochées à quelque mur pour illustrer les modes vestimentaires du passé. Cent ans de mode s'étalaient devant moi ; seuls étaient inchangés mes frères dévêtus.

Soudainement, au signal d'un souffleur invisible, ces derniers, sous les regards indifférents de la foule, se mirent à faire ensemble les mêmes gestes, avec une lenteur étudiée et selon une chorégraphie parfaite : ils venaient de décider de se vêtir, chacun trouvant le tour de porter les habits de la génération qu'il semblait avoir pour mission d'illustrer. Puis, à chacun de ces jeunes hommes une dame tendit un masque, le masque qui serait le sien dorénavant. Comme s'il s'agissait de la chose la plus naturelle du monde, chaque jeune homme s'avança alors et se fondit dans la foule qui l'entourait, laissant vide la place qu'il avait occupée quelque temps.

C'est alors que je reconnus mes jeunes voisins, ceux qui se trouvaient dans le centre des cercles les plus rapprochés de celui où je me tenais : le premier, c'était mon père, Rodolphe Lefrançois ; le second, mon grand-père Ernest Lefrançois. Tout me donnait à penser que la suite de cette séquence ne comptait que des Lefrançois, des Lefrançois qui tous, de père en fils, étaient un jour rentrés dans le rang. Désormais, la comédie devenait leur manière d'être, leur mode d'existence.

Le dédoublement avait eu du bon : le Jean qui était assis dans la loge enrageait. Que ce mauvais drame finisse enfin, et il en tirerait la leçon ! Seul il était, et seul il resterait. Sa vie, elle lui appartenait en propre et il ne tenait qu'à lui de la mener à sa guise.

*

Papa passait quelques minutes avec moi chaque soir. À certains moments, il me terrifiait : je ne voyais en lui que le père de Philippe, le lâche qui avait engrossé Jeanne Paradis et l'avait laissée tomber.

Tantôt je me sentais écrasé par l'idée que j'étais inéluctablement condamné à suivre ses traces, et celles de ses pères. Une faute n'a jamais fini de produire ses conséquences. Cette fatalité me révoltait, sans que je sois en mesure d'imaginer comment s'achèverait pour moi ce cycle infernal, si tant est qu'il se brise un jour.

Tantôt c'était l'obligation de payer le crime de mes pères qui m'apparaissait comme le plus injuste des châtiments. Était-ce que, par mon intermédiaire, justice avait été faite et que la relation coupable de mon père avait trouvé sa punition ? Était-ce parce que mon père avait péché que Dieu m'avait amené à tuer le fils qu'il avait eu de sa secrétaire ?

Sous tous les angles, les remords m'accablaient, je jetais un œil terrorisé vers mon père, mais, curieusement, je ne parvenais pas à le haïr ni non plus à le mépriser. J'étais habité d'un sentiment tout nouveau pour moi : je partageais sa faiblesse d'homme. Par lui, je donnais la main à ces millions d'hommes qui, à travers les générations et sur tous les continents, ont cédé à leur faiblesse, ont multiplié les faux pas, parfois malgré eux. Enfoncé dans ce matelas de ma chambre, torturé par les démons qui m'assaillaient, j'éprouvais à mon tour cette facette de la vie humaine qu'est notre faiblesse congénitale, toute faite de fragilité, d'impuissance, d'incertitudes, d'apathie, de lâcheté même. Comment aurais-je pu en vouloir à mon père quand les événements que je vivais me conduisaient à emprunter, moi aussi, ces voies jalonnées par l'indécision, la pusillanimité, la complaisance envers soi-même, le silence… Un homme qui en tue un autre et ne parle pas ne vaut guère mieux que ses semblables.

Le jeudi soir, je me sentis un peu mieux. Je n'osais pas m'informer auprès de mes parents pour savoir si on avait des nouvelles de Kamouraska ; ils se seraient étonnés de ma question ; j'aurais même craint de donner prise à des soupçons s'ils étaient déjà au courant de la disparition du commis Philippe Maurice. Je demandai à pouvoir parler à mon cousin Bernard. Mes parents se réjouirent de m'entendre enfin exprimer un désir ; même s'il s'agissait d'un appel « longue distance » – le symbole par excellence de « ce qui coûte cher » dans une famille bourgeoise –, ils n'hésitèrent pas un instant à composer le numéro de la cousine Luce.

Bernard avait appris que j'étais malade. Il s'informa de ma santé, me parla un peu de lui et ne voulut pas être long au bout du fil pour ne pas me fatiguer. Je ne souhaitais pas qu'il me laisse tout de suite, mais je ne savais trop comment l'amener à me parler de Philippe Maurice.

« Est-ce que M. Hudon a toujours sa grosse La Salle ? »

La question était saugrenue ; elle n'était pas imbécile : j'avais atteint mon but.

« Ah ! oui, mais si tu reviens à Kamouraska cet été, on n'aura peut-être plus notre chauffeur. Imagine-toi que Philippe a disparu. Il est allé à Québec, dimanche dernier, pour assister à un match des Citadelles avec des gars de la place. Après la joute, ils sont allés fêter en ville ; Philippe était avec eux au début, mais, à un moment, ils l'ont perdu de vue. Ils l'ont cherché une partie de la soirée, paraît-il : pas de Philippe. Et depuis, personne n'en a eu de nouvelles dans le village. »

La fin de la conversation fut précipitée. Et la nuit que je passai, plus turbulente que toutes les précédentes. Personne, bien entendu, ne pouvait se douter du lien à établir entre ce coup de fil amical et la rechute des jours suivants : l'accalmie avait été de courte durée, les bouffées de fièvre reprirent de plus belle. Le docteur Talbot commençait à exprimer des craintes d'un autre ordre qui énervaient mon entourage. Dans l'état d'abattement où je me trouvais, ses pronostics ne m'atteignaient pas ; mon corps écrasé de tout son long dans la bouche à feu d'un canon, je suffoquais, je mourais d'épouvante. J'avais beau ouvrir les yeux, chercher une lueur qui me réconforte, rien : le noir total. Je n'avais qu'un désir : que le bourreau allume la mèche, pour qu'enfin je sois expulsé de cette gaine, de cet enfer qui me servait de prison.

*

Je n'avais reçu aucun visiteur depuis que j'étais au lit. Mes camarades de classe m'avaient envoyé une carte de vœux qu'ils avaient tous signée ; certains y étaient allés d'un bon mot, d'une plaisanterie ; d'autres avaient agrémenté leur signature d'un dessin pour m'amuser. Cette marque d'amitié m'avait fait plaisir ; non sans une certaine indifférence, j'avais accepté qu'on dépose la carte sur ma table de nuit ; je n'avais pas la tête à penser aux cours. Coup sur coup, cependant, on m'annonça deux jours de suite des visiteurs dont la présence m'apporta de l'énergie.

« Jean, ton professeur de dessin, Mme Garneau, demande si elle peut venir te rendre visite ? Te sens-tu assez bien pour qu'elle monte te voir ? »

J'ouvris les yeux. Maman était penchée au-dessus de moi, sa main sur mon front. Esther s'annonçait, elle que je n'avais pas vue depuis la fameuse rencontre du jeudi 23 février. Elle était allée en voyage au Mexique ou en Floride, je ne m'en souvenais plus ; j'avais contribué, sans trop le faire exprès, à ce qu'elle ne soit pas compromise dans le scandale qui avait happé le Séminaire et bien que ses relations avec mon père ou avec l'abbé Fréchette me paraissent nébuleuses, je ne lui en voulais pas. Souvent j'avais pensé à elle depuis deux mois. J'étais sorti le cœur ensanglanté de notre dernier entretien, la blessure était vive : c'est l'amour-propre et l'orgueil d'un homme qu'Esther Garneau avait touchés, autant que l'amour qu'il lui portait. Elle était restée présente dans mes pensées, mais je ne la désirais plus. Du moins pas de la même manière ; son corps m'avait manqué, mais pour le moment, il ne me manquait pas. J'étais tout juste certain d'une chose : elle n'était plus la femme de ma vie.

Malgré ma faiblesse, quand elle entra dans ma chambre, je m'émus de la trouver là, si belle. Maman était derrière elle. Esther me tendit la main et s'informa de moi.

« Comme tu es pâle, Jean. Dépêche-toi de prendre des forces, le chevalet t'attend. »

Elle se tourna vers maman pour lui souligner le talent qui était le mien. Les yeux fermés, je les laissai causer toutes les deux, tout au plaisir de sentir que cette visite me donnait le goût de me « raplomber ». Elle me parla de son voyage dans le Sud sans faire allusion à ce qui s'était passé concernant son atelier durant cette période ; je sentis toutefois qu'elle avait le souci de me laisser entendre qu'elle n'ignorait pas le service que je lui avais rendu. Plus je la regardais, plus je me convainquais de chasser de ma tête les mauvais romans que j'avais échafaudés autour d'elle ; il me manquait trop de morceaux pour que je puisse l'accuser, elle, ou que je sois à même d'incriminer mon père ou l'abbé Fréchette. Beaucoup plus grave était le drame que je vivais, duquel il me faudrait bien finir par sortir. Quand elle partit, j'étais épuisé. Je la saluai en ami et rassemblai mes forces pour lui promettre de lui rendre visite dès que je serais remis sur pied.

Le jeune abbé Lemieux s'annonça aussi. Il m'apportait un livre. Où diable avait-il pris l'idée de m'offrir ce bouquin-là plutôt qu'un autre ? C'était *Les Voyages de Marco Polo* d'un écrivain d'ici dont le nom m'était à peine connu. Je savais qu'Alain Grandbois était poète ; j'ignorais qu'il fût un grand voyageur devant l'Éternel. Le titre du livre m'enchanta, je remerciai l'abbé Lemieux avec une sincérité qui n'était pas feinte : d'un coup, il venait de toucher aux fibres les plus profondes de mon âme, en réveillant brusquement pour moi les effluves de ma vasque et ce goût des voyages qui avait habité ma jeunesse. J'étais sur le point de l'oublier, dans mes malheurs.

Il me parla de la classe et s'employa à me rassurer sur l'issue de mon année scolaire.

« Dès que vous serez mieux, Jean, je vous ferai tenir un programme de travail qui vous permettra de vous rattraper ; on ira à l'essentiel. Vous aimez lire, m'avez-vous déjà indiqué ; un élève de Belles-lettres a tout intérêt à consacrer du temps à la littérature. C'est par là que vous commencerez, et le rattrapage se fera par la lecture. Il en sera de même pour les auteurs latins et grecs : vos camarades vous envieront, eux, de consacrer moins de temps à la grammaire et de vous plonger sans souci des virgules dans l'*Énéide* ou dans l'*Odyssée.* »

Il m'informa aussi des préparatifs que l'on continuait à faire pour le voyage de l'année sainte.

« L'abbé Taillon vous fait dire de ne pas vous inquiéter ; là-dessus aussi, vous recevrez tous les détails quand vous serez mieux. Votre voyage, vous le ferez ! »

Maman fut appelée en bas et nous laissa seuls. J'avais envie de me confier à cet abbé qui m'était sympathique, mais ne savais trop ce que je pourrais lui dire. Voulais-je débarrasser ma conscience ou plutôt prendre conseil ? ou simplement me soulager d'un secret lourd à porter ?

« L'abbé, j'ai besoin d'aide. »

Il se rapprocha du lit.

« Qu'est-ce que je peux faire pour vous, Jean ? »

Non, je ne pouvais pas parler. Je n'aurais pas su par où commencer ; ce que j'avais à raconter était si effrayant que je n'arriverais pas à le faire sortir de ma bouche. Comment dire à quelqu'un qu'on a tué un homme ? Un long silence suivit la question de M. Lemieux.

« Ah, pas grand-chose, pour dire vrai. »

Je m'enfonçai dans mes couvertures.

« Priez pour moi, l'abbé, j'en ai bien besoin.

– Je devine que vous avez des choses qui vous tracassent, Jean, que vous en avez peut-être épais sur la couenne, comme on dit. Si jamais vous voulez en parler, faites-moi signe, vous pourrez compter sur moi. »

Je lui souris en guise de remerciement et fermai les yeux. Il resta au pied de mon lit pendant plusieurs minutes. Je percevais sa présence, qui me rassurait.

« Je n'ai pas la force de vous en dire plus aujourd'hui. J'aimerais ça le faire. Peut-être bientôt, je ne le sais pas, mais je vous remercie d'être là. Merci aussi pour le *Marco Polo*. Vous êtes un chic type, l'abbé, et vous avez de l'intuition. »

On entendit maman remonter le grand escalier. Il me serra la main et me souhaita bonne chance.

Peu à peu je me remettais, bien que la cause du mal qui me brûlait n'ait en rien été touchée. On avait coutume d'entendre dire à la maison que le temps finit toujours par arranger les choses ; c'était ce que j'espérais.

Philippe était mort, il gisait sous des tonnes de béton et de fer tordu et j'étais le seul à le savoir. Je n'avais pas voulu mal faire, au contraire, mais c'est moi qui l'avais installé dans cette voiture dans laquelle il devait être littéralement enterré quelques heures après. Ces images ne me quittaient pas, des images d'horreur entachées de culpabilité. Jamais la police ne me croirait, j'en étais convaincu ; on me condamnerait pour ce geste qu'on attribuerait à la vengeance ou à la haine. Il me faudrait dévoiler le secret que Philippe m'avait jeté à la figure et charger mon propre père en public. J'aurais été incapable d'aller jusque-là, j'étais même disposé à me laisser mourir petit à petit plutôt que d'ouvrir cette boîte de Pandore.

Papa venait près de mon lit tous les soirs. Il ne disait presque rien, s'asseyait à la tête du lit et me prenait parfois la main lui aussi. J'appréciais ce geste qui nous liait l'un à l'autre. En sentant couler de lui à moi la chaleur de sa main, j'aurais souhaité que passe aussi un fluide qui me permette de le comprendre, lui. Était-ce bien un homme lâche, cet homme qui avait donné la vie à Philippe ? Je connaissais assez notre milieu pour comprendre que Jeanne Paradis avait dû s'éloigner afin de permettre à l'homme de sauver les apparences, de garder son standing. C'est ce que le grand-père Lefrançois avait fait, et tant d'autres comme lui. Pour les gens bien, il n'y a jamais de fautes ; ce sont les autres qui écopent. Je me refusais à admettre cette manière de penser et d'agir, qui était pour moi le comble de l'hypocrisie. Mais je n'avais plus la force de me battre pour des principes.

Il y avait bien dix jours que j'étais au lit, à vivre un enfer de feu et de peur, en proie à des tourments que je mettais toute mon énergie à combattre, quand, un soir que j'étais seul avec papa, je décidai de sortir de la torpeur qui me tenait lieu de contenance. Au moins, quand je réussissais à m'enfoncer dans cet état de somnolence, la mort d'un homme se couvrait de brume, par moments les fantômes qui me harcelaient s'évanouissaient ; j'oubliais l'inconduite de mon père et ne craignais plus de savoir comment je pourrais un jour sortir de ce cercle maudit où les hommes, les uns après les autres, menaient des vies parallèles, engrossaient des jeunes femmes vulnérables et portaient beau dans cette société qui vantait leurs vertus et leurs mérites.

« Papa, parle-moi de Philippe Maurice, veux-tu ? Parle-moi de Jeanne Paradis. »

Il se redressa sur sa chaise et retira un peu brusquement sa main de la mienne. Il n'était pas habitué – moi non plus d'ailleurs – à ces questions directes, et encore moins à ces incursions dans des champs réservés. Il savait certainement que j'avais connu Philippe l'été d'avant, mais jamais il n'avait été question de ce garçon entre nous : c'était un habitant du village parmi bien d'autres, un anonyme dont le nom importait peu.

Papa fut beau joueur ; c'est moi, cependant, qui fus décontenancé.

« Tu savais que Philippe était disparu ? »

Surpris de sa réaction, je lui fis un signe de la tête, qu'il pouvait interpréter à sa guise.

« Imagine, Jean, qu'il est venu à Québec il y a une dizaine ou une quinzaine de jours. Il connaît peu la ville. À un moment, il a quitté son groupe d'amis et s'est perdu. Ses copains l'ont cherché pendant des heures, puis ils ont décidé de retourner chez eux, dans le Bas-du-Fleuve ; c'est tout de même un homme de vingt ans, il doit être capable de se débrouiller, ont-ils pensé.

« Les jours ont passé, pas de nouvelles de Philippe. Sa famille s'inquiétait ; on a appelé la Police provinciale pour signaler sa disparition, et l'enquête a commencé. »

Plus papa avançait dans son récit, plus la panique me gagnait. Manifestement, papa, en me racontant cette histoire, ne se doutait aucunement du rôle que son fils y avait joué. J'étais au moins rassuré sur une chose : personne n'imaginait que c'était moi qui avais causé la mort de Philippe. Le pauvre, je le voyais dans son trou de béton pendant que papa parlait. J'étais crispé, tout mon corps se raidissait, je pressentais que papa me parlerait de la douleur de Jeanne Paradis, de la tristesse qui s'était répandue dans le village.

« La police a interrogé les amis de Jean, et les policiers de Québec ont commencé de leur côté à chercher des pistes. Hier encore, on n'avait rien trouvé quand la mère de Philippe » – je fus frappé par le fait que papa ne mentionnait pas son nom, comme s'il l'ignorait – « quand la mère de Philippe a reçu un coup de fil de son fils. »

Comme si une décharge électrique m'avait atteint, je me redressai brusquement dans mon lit. Papa s'interrompit.

« Continue, papa, je t'en prie, continue ton histoire.

– Philippe est rendu à Sudbury, dans le nord de l'Ontario. Sans dire un mot à personne, pas même à sa mère, il aurait décidé de partir de chez lui, d'aller faire sa vie ailleurs. »

Il me regarda bien en face.

« Mais cela a l'air de te surprendre ; tu connaissais bien Philippe ? »

Je me contentai d'un oui ferme. Il ne me servait à rien d'épiloguer sur ce que je venais d'entendre : Philippe était vivant et je respirais. Papa m'avait tenu la main, il s'était rapproché de son fils, mais il était évident qu'il ne saurait aller plus loin dans l'échange : il était prisonnier de son rôle, il croyait fermement, lui aussi, qu'il y a des choses qui ne se disent pas.

Le lendemain, la joie semblait grande dans la maison : Jean allait mieux ! Le Jean qui allait mieux, toutefois, différait beaucoup du Jean qu'on avait soigné à partir du 17 avril. Il n'avait plus sur sa conscience ce poids immense qui le tuait depuis le soir du crime. Il s'était produit en lui une modification, une transformation qui tenait davantage du coup de barre que du louvoiement auquel sa vie l'avait jusque-là habitué.

J'allais mieux, mais le médecin ne voulait pas courir de risques, lui qui comprenait mal de quelle maladie j'avais été frappé, il me prescrivit donc le repos complet pour une semaine encore.

Le lundi 8 mai, je revins en classe. L'abbé Lemieux m'accueillit comme l'enfant prodigue. Après la classe, il me prit à part pour me fixer un programme de travail.

« J'apprécie votre aide, monsieur l'abbé, et je vais faire mon possible pour rattraper le temps perdu. Mais ce ne sera pas une fin d'année tranquille pour moi, je vous en informe. »

Et je lui fis part de ma décision : je n'irais pas au pèlerinage de l'année sainte, mais je partirais quand même. Passeport en poche, et grâce à l'héritage de grand-maman, j'avais décidé d'aller voir ailleurs, de me lancer à la découverte du monde, rien de moins. Je ne manque pas à la vérité en affirmant que les yeux de l'abbé Lemieux exprimaient de l'envie.

« Quelque part dans ce monde qui m'attend, l'abbé, il y a une jeune Écossaise que j'ai le goût de retrouver. Ça aussi, ça fait partie de la découverte. »

Quelques jours plus tard, je mis mes parents au courant de mes projets. J'étais mineur, ils auraient pu s'y opposer, mais ils comprirent que j'aurais été jusqu'à la désobéissance s'ils n'avaient pas consenti à mon départ. D'ailleurs, de toute évidence, leur comportement avec moi avait bien changé maintenant.

D'une part, je n'étais plus le garçon timoré qu'ils avaient entrevu parfois, mais bien un homme, un homme jeune et très déterminé, que certaines expériences avaient mûri. Papa surtout en devinait la teneur ; maman, avec son intuition, n'avait pas besoin de connaître les détails pour saisir que j'avais franchi des étapes dont elle aurait peut-être souhaité que je fasse l'économie.

Entre papa et moi, d'autre part, le fleuve s'était rétréci. Il continuait de charrier des eaux turbulentes et parfois boueuses, et nous savions tous deux qu'il valait mieux ne pas aller en troubler la surface, ne pas accéder aux courants de non-dit que ces eaux cachaient en abondance.

C'est avec Esther que la rencontre fut la plus délicate. Je lui avais téléphoné à la maison ; elle m'avait donné rendez-vous à l'atelier le 18 mai : un jeudi, comme il convenait ! Chacune des trente-huit marches me rappelait mes visites passées. Dans l'entrée, Klimt m'accueillit avec un éclat inaccoutumé ; par un jeu de perspectives dont j'avais peut-être inconsciemment tenu la clé, l'Esther qui m'avait ouvert la porte s'était introduite à l'intérieur du *Baiser*, elle se confondait à mes yeux avec la sylphide pleine de grâce qu'avait créée le peintre. Une paix profonde m'habitait en arrivant chez Esther Garneau, que faillit perturber la vision de ces deux femmes qui avaient magnifié mon existence : elles m'avaient révélé une autre facette de ce qu'un jeune homme doit appeler l'amour.

Je craignis un instant que mes résolutions ne tiennent pas. Esther m'accueillait comme si nous nous étions aimés la veille. Elle était belle. Je flairais son corps sous la robe enjôlante dont elle était enveloppée et crus même comprendre qu'elle était nue sous ce fourreau de soie bleue. Elle me mena dans l'atelier ; le second chevalet, tout neuf, était toujours sur place, qui jouxtait le sien.

« Si jamais tu veux reprendre tes leçons, Jean, ta place t'attend. »

Elle m'invita à m'asseoir. Quand elle me vit approcher une chaise droite plutôt que d'aller m'installer sur le divan émeraude, à ses côtés, Esther comprit que je ne reviendrais plus. Et je lui sus gré d'accepter de si bonne grâce ce retournement de situation, sans que nous ayons besoin, l'un et l'autre, de dire un seul mot.

Je l'informai de mes décisions.

« Tu pars pour l'Europe, Jean ! »

Ses yeux étaient pétillants.

« Découvrir la France à dix-huit ans, parcourir l'Italie le nez en l'air, c'est la plus belle chose qui puisse t'arriver. »

Elle partageait ma joie. Tout excitée, elle ajouta :

« Ce que tu ne sais pas, c'est que je m'en vais moi aussi. Je pars bientôt pour l'Europe ; je compte y passer au moins l'été. »

Elle perçut ma surprise.

« Je te laisserai une copie de mon itinéraire, Jean, et les adresses des amis chez qui je résiderai. »

L'excitation d'Esther dépassait la mienne ; malgré mon attachement à cette femme, je n'étais pas venu pour ébaucher les plans de retrouvailles. C'était plutôt de couper les fils qu'il s'agissait, y compris celui du désir amoureux qui m'avait lié à elle. L'invitation qu'elle me lançait de la retrouver à l'une ou l'autre de ses adresses ne m'emballait vraiment pas ; si elle en fut étonnée, ou peut-être peinée, elle n'en laissa rien paraître.

J'eus droit non pas au *vino santo*, mais à un pineau des Charentes frais pendant que nous causions voyage. Puis, je pris congé d'Esther comme un homme du monde, sans qu'un mot de trop ait été prononcé entre nous. En descendant l'escalier, je pensai au baisemain que j'avais eu envie de lui faire.

« Est-ce que je serais en train d'entrer dans le groupe des vieux *schnocks* ? C'est un peu tôt ! »

Au fond de moi-même, je me réjouissais de cette réaction fort saine ; il ne me vint même pas à l'esprit de compter les trente-huit marches.

Les plus excitées de mon départ, c'étaient mes sœurs. Mon frère, lui, ne comprenait rien à ce qui m'arrivait ; dans sa tête, c'était clair depuis longtemps : j'étais le poète de la famille.

Virginie n'admettait pas que je ne puisse lui garantir que je serais présent à son mariage.

« Mais Jean, c'était entendu que tu serais placier au mariage. Qu'est-ce que les gens vont penser : non seulement le frère de la mariée n'a pas voulu être placier, comme ça se fait d'habitude… »

Elle se tut en voyant la moue que j'esquissais – il faut dire que, dès les premiers jours où l'on avait mis la main à l'organisation du mariage, j'avais refusé d'être placier, parce qu'on m'obligeait à me déguiser en notable ! Elle haussa les épaules et reprit :

« … non seulement le frère de la mariée ne sera pas placier, mais il ne sera même pas présent ! »

C'était comme si l'honneur de la famille avait été en jeu. Maman avait eu beau lui expliquer qu'elle et papa s'étaient dits d'accord sur mon départ, tout en sachant bien le lot des inconvénients et des qu'en-dira-t-on qui en résulteraient, Virginie ne me pardonnait pas de lui faire faux bond le plus beau jour de sa vie. Son futur, lui, quand il m'adressait la parole, n'avait pas du tout l'air de comprendre quelle mouche m'avait piqué. L'Europe, la France, l'Italie, des noms qui ne lui disaient rien du tout, à part les ruines de la guerre dont il avait entendu parler, comme tout le monde, et le fait que certaines marchandises qu'il importait provenaient de ces endroits qu'il appelait encore « les vieux pays ». Lui, il avait tout simplement hâte de prendre le bateau pour les Bermudes : ça, c'était un voyage !

Betty, elle, s'était faite maternelle. C'est elle qui avait été la plus assidue auprès de moi durant les jours de fièvre d'avril. Rendre service était dans sa nature.

Elle avait l'habitude de veiller sur ses frères et ses sœurs, pour lesquels elle aimait se définir comme une seconde mère ; maman ne la contredisait pas, elle profitait même beaucoup de cette disponibilité de son aînée.

« Je vais t'aider à faire ta valise, Jean. Tu n'auras qu'à me dire ce dont tu as besoin, je vais m'en occuper. »

Aucune remontrance de sa part, aucun commentaire ; en toutes choses, Betty pensait comme papa et maman. L'esprit de famille, la continuité et les froufrous de notre petite vie, elle les vivait intensément, elle les incarnait et elle y veillait de près, comme une divinité protectrice du foyer.

Éloïse était plus proche de moi. Elle avait commencé ses études de droit à l'université ; elle non plus ne serait pas notaire, elle n'en avait pas fait mystère. Papa s'était consolé en apprenant qu'elle s'intéressait au droit des affaires.

J'avais l'intention de me retourner vers elle pour qu'elle prenne en charge certains aspects plus concrets de mon voyage. Éloïse consentit donc à recevoir de moi une procuration qui lui donnait tous les droits dans mes affaires. L'héritage de grand-maman que, sur les conseils de papa, j'avais placé avec un bon rendement, elle y aurait accès durant mon absence et m'enverrait les sous dont j'aurais besoin aux adresses que je lui ferais connaître.

Il restait les bijoux, qui avaient été un héritage assez encombrant depuis la mort de grand-maman. Dès l'instant où elles avaient appris que j'héritais de ces bagues, de ces pierres et de ces colliers de l'aïeule, les femmes de la famille m'avaient fait la tête :

« Ce sont là des biens que l'on se transmet normalement entre femmes, n'est-ce pas ? Et d'habitude, de mère en fille, non ? »

Une autre lubie de la grand-mère que de donner des bijoux – presque tous ses bijoux, presque tous ! – à un garçon de dix-huit ans.

Je n'avais pas dit un mot, laissant à mes parents le soin de calmer l'humeur de la parenté. Avec mon accord, ils avaient déposé dans un coffret de la banque ces bijoux et ces pierres qui m'étaient familiers ; cela, personne ne le savait toutefois.

Un peu plus tard, maman m'avait suggéré qu'on fasse évaluer cet héritage par les joailliers de Birks. Elle se chargea de l'opération. Quelques semaines plus tard, elle et papa me remettaient une liste écrite de tous les bijoux que m'avait laissés grand-mère : ce lot valait plus de quarante-cinq mille dollars ! J'étais riche ; tout autour de moi, on venait de trouver une autre raison de respecter mes choix.

À la veille de mon départ, j'avais offert à maman de choisir dans ce trésor un bijou à son goût ; si j'avais insisté pour qu'elle prenne le plus coûteux, il m'avait fait plaisir de voir qu'elle avait opté pour une bague non pas à cause de son prix, mais vraiment parce qu'elle l'aimait. Avec son consentement, j'avais ensuite présenté à chacune de mes sœurs un bijou qui leur rappelle leur grand-mère. Quant aux tantes, on s'était demandé s'il convenait qu'un jeune neveu comme moi leur offre un morceau de cet héritage qu'elles n'avaient pas encore accepté de perdre. Papa et maman furent d'accord pour que je m'abstienne, et les bijoux reprirent le chemin de la banque. Je n'avais aucune idée de ce que j'en ferais. Pour l'heure, je n'avais pas l'intention de les liquider et j'espérais que l'argent dont je disposais suffirait à payer mon voyage sans que j'aie à puiser dans ce trésor.

L'abbé Lemieux eut souvent l'occasion de me faire les gros yeux en mai et en juin : les préparatifs de mon départ prenaient constamment le dessus sur mes études. Je terminai mes examens le 21 juin, en sachant que j'avais réussi mon année ; les notes ne voleraient pas haut, mais, si jamais je revenais à temps pour la rentrée, la classe de Rhétorique m'attendait.

C'est le lendemain, un jeudi, mon jour fétiche maintenant, que je pris le bateau. J'avais limité mes bagages au minimum, car, au grand déplaisir de mes parents, je ne partais pas sur le *Ryndam* ou sur l'*Empress of* quelque chose. Je ne les en avais informés qu'à la dernière minute ; ils avaient frémi en apprenant que leur fils, le fils du notaire Lefrançois, s'était engagé sur un cargo en partance pour Southampton, un cargo dont les cales étaient remplies de vaches canadiennes. Le fils du notaire ferait la traversée en travaillant comme vacher, et il en était ravi !

On n'accompagne pas un journalier qui s'en va prendre son quart de travail. Mes parents étaient avisés que les adieux seraient brefs et que je quitterais la maison seul. Gigotte avait mis mes deux valises dans le taxi avant de me donner l'accolade.

« Enfin, Jean, tu vas naviguer sur une vraie vasque. Je penserai à toi. »

Je montai dans la voiture, fis un signe de la main à la famille qui s'était alignée sur le perron et demandai au chauffeur de me conduire à l'Anse-aux-Foulons, quai numéro 3. Il ne me déplaisait pas de penser que ce départ ressemblait à celui de grand-maman, une dizaine d'années auparavant : chacun sa manière d'être rebelle…

Ce jeudi n'était pas comme les autres. C'était l'été, c'était aussi le lendemain du jour le plus long de l'année, celui qui avait semé la peur dans l'esprit des hommes depuis l'aube du monde et pendant des siècles.

En me dirigeant vers l'embarcadère du cargo sur lequel j'allais partir, je pensais à cette peur millénaire, à côté de laquelle les frayeurs que je ressentais n'étaient rien ; partir un soir d'équinoxe me parut même de bon augure.

Le matelot qui m'accueillit dut trouver que j'avais un drôle de sourire sur les lèvres ; en m'approchant de lui, valises à la main, ce n'est ni aux mers inconnues qui m'attendaient ni aux angoisses qui m'avaient titillé l'âme, l'instant d'avant, qu'allait mon esprit, mais plutôt – chose tout à fait surprenante dans les circonstances, et même un peu stupide, me parut-il –, c'est à l'ami de papa, au docteur Pettigrew, que je songeais.

Un jour que des veilleurs avaient, à la maison, évoqué la naïveté de certains de leurs concitoyens face aux phénomènes naturels et qu'ils s'étaient gaussés de la terreur qui s'emparait des petites gens les jours où l'on changeait de saison dans l'année, l'abbé Fréchette avait rappelé le phénomène des équinoxes et des solstices.

« Le 21 décembre et le 21 juin sont les deux jours de l'année où le soleil atteint le point extrême de sa course annuelle. Vous le savez bien, à ces dates-là, il s'arrête et fait une pause de quelques jours. Pendant des millénaires, tout ce qu'il y avait de pensant sous le regard de ce soleil qui voit tout était alors pris d'une frénésie de prières et d'offrandes. Ces gens avaient vu le soleil s'éteindre un peu plus tôt chaque soir, à la fin de l'automne ; au moment du solstice d'hiver – qui correspond à notre fête de Noël –, ils craignaient qu'il ne s'éteigne complètement. C'est avec joie et soulagement qu'ils le voyaient ensuite allonger les jours, lentement d'abord, puis d'une manière qui leur semblait s'accélérer après l'équinoxe de mars ; on filait vers l'été, ses belles journées et ses brûlures parfois violentes.

« Mais l'inquiétude demeurait ; une angoisse les minait, qui ne disparaissait jamais tout à fait, même avec l'éclat de l'été. Qu'arriverait-il si, une année, ce mécanisme mystérieux se détraquait et que le soleil ne s'arrête plus dans sa course ? Se pourrait-il qu'il ne revienne pas sur ses pas et qu'il marque ainsi la fin de tout ? se demandaient-ils, terrorisés. L'univers basculerait dans le chaos primitif, ce serait la fin du monde. »

Pour conclure son exposé, l'abbé Fréchette ajouta : « Avec le 21 juin commence ou se termine un autre phénomène, que les savants appellent la précession des équinoxes. »

Comme toujours, le docteur Pettigrew voulait bien montrer qu'en véritable homme de sciences, lui, il connaissait depuis longtemps ce dont parlait l'abbé. Applaudissant à l'explication donnée par Maxime Fréchette, il voulut compléter l'information que l'assemblée venait de recevoir. Selon son habitude, il n'ajoutait pas à ce qui avait été dit ; il commentait les phrases des autres. Il se mit à parler de la « procession des équivoques » devant des gens dont bien peu voyaient la différence. Ce mot involontaire m'avait plu ; alors que je mettais les pieds sur le bateau qui m'emporterait bientôt, il me paraissait très bien caractériser les années que je venais de vivre.

Par le hublot du *Canadian Wanderer*, je regardai la ville de Québec qui disparaissait lentement de ma vue. Comme un cimetière sous une lune morte, dont on s'éloigne à reculons. Les images se mêlaient à des larmes que j'aurais bien aimé ne pas sentir couler sur mes joues. Esther, l'abbé Fréchette, mon père et ma mère, la cousine Mimi, grand-maman, la parentèle… « Y en a qui disent que… », « Ôte tes pieds des barreaux de chaise, tu les égratignes ! », « Mon tapis ! » Je quittais ce petit monde où dominaient les géomètres, hantés par la ligne droite.

La procession des équivoques venait de se terminer pour moi. C'était l'univers de mon enfance qui s'éloignait. Je m'avançais avec mes rêves dans l'imprévisible chaos de la nuit et je n'avais nulle envie de regagner cette rive où s'était passée ma jeunesse.

Ce n'était plus de vivre qu'il s'agissait, c'était de partir. Je levais les voiles. Un nouveau monde s'ouvrait devant moi. Et quelque part au bout de ma course, quelque part dans cette vie désancrée, Ann Burns m'attendait peut-être.

Kamouraska et Québec-août 2001.

TABLE

CHOIX DE TITRES PARUS
DANS LA COLLECTION FICTIONS